Silvia Bertoni

ITALIANO E INGLESE ALLO SPECCHIO

Eserciziario per anglofoni: problemi ed errori di interferenza

B1-C1

EA9-B04-536-7AD

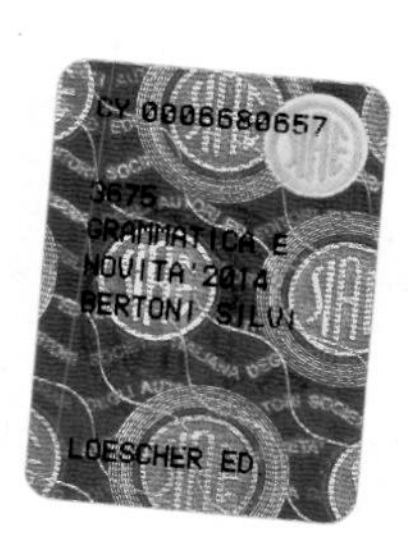

LŒSCHER EDITORE TORINO © Loescher Editore - Torino 2014
http://www.loescher.it

© Loescher Editore - Torino 2014
http://www.loescher.it

I diritti di elaborazione in qualsiasi forma o opera, di memorizzazione anche digitale su supporti di qualsiasi tipo (inclusi magnetici e ottici), di riproduzione e di adattamento totale o parziale con qualsiasi mezzo (compresi i microfilm e le copie fotostatiche), i diritti di noleggio, di prestito e di traduzione sono riservati per tutti i paesi. L'acquisto della presente copia dell'opera non implica il trasferimento dei suddetti diritti né li esaurisce.

Le fotocopie per uso personale del lettore possono essere effettuate nei limiti del 15% di ciascun volume dietro pagamento alla SIAE del compenso previsto dall'art. 68, commi 4 e 5, della legge 22 aprile 1941 n. 633.

Le fotocopie effettuate per finalità di carattere professionale, economico o commerciale o comunque per uso diverso da quello personale possono essere effettuate a seguito di specifica autorizzazione rilasciata da:

CLEARedi, Centro Licenze e Autorizzazioni per le Riproduzioni Editoriali,
Corso di Porta Romana 108, 20122 Milano

e-mail *autorizzazioni@clearedi.org* e sito web *www.clearedi.org*.

L'editore, per quanto di propria spettanza, considera rare le opere fuori dal proprio catalogo editoriale. La fotocopia dei soli esemplari esistenti nelle biblioteche di tali opere è consentita, non essendo concorrenziale all'opera. Non possono considerarsi rare le opere di cui esiste, nel catalogo dell'editore, una successiva edizione, le opere presenti in cataloghi di altri editori o le opere antologiche.

Nel contratto di cessione è esclusa, per biblioteche, istituti di istruzione, musei ed archivi, la facoltà di cui all'art. 71 - ter legge diritto d'autore.

Maggiori informazioni sul nostro sito: *http://www.loescher.it*

Ristampe

6	5	4	3	2	1	N
2019	2018	2017	2016	2015	2014	

ISBN 9788820136758

Nonostante la passione e la competenza delle persone coinvolte nella realizzazione di quest'opera, è possibile che in essa siano riscontrabili errori o imprecisioni. Ce ne scusiamo fin d'ora con i lettori e ringraziamo coloro che, contribuendo al miglioramento dell'opera stessa, vorranno segnalarceli al seguente indirizzo:

Loescher Editore
Via Vittorio Amedeo II, 18
10121 Torino
Fax 011 5654200
clienti@loescher.it

Loescher Editore opera con sistema qualità certificato CERMET n. 1679-A secondo la norma UNI EN ISO 9001-2008

Coordinamento editoriale: Laura Cavaleri
Realizzazione editoriale e tecnica: Les Mots Libres s.r.l. - Bologna
Ricerca iconografica: Les Mots Libres s.r.l. - Bologna
Progetto grafico: Les Mots Libres s.r.l. - Bologna
Copertina: Leftloft - Milano/New York
Stampa: Sograte Litografia s.r.l. - Zona Industriale Regnano
06012 Città di Castello (PG)

Dedico questo libro a loro, ai miei studenti di ieri, oggi e domani, perché è grazie a loro che ha preso forma.

Lo dedico anche alla mia "gemella" S., che sa il perché.

Referenze iconografiche:

p.6, 8, 9, 10, 11, 12, 15, 19, 22, 23, 25, 26, 27, 29, 33: © Shutterstock.com; p.9, 10, 16, 23, 24: © Fotolia; p.34, 36, 37, 38, 39, 41, 45, 46, 47, 48, 50, 51: © Shutterstock.com; p.34, 39, 41, 43, 45, 47, 51: © Fotolia; p. 64: © Shutterstock.com/Aleksandra Kovac; p.58: © catwalker/Shutterstock.com; p. 60: © JuliusKielaitis/Shutterstock.com; p.56, 57, 58, 59, 60, 61, 62, 63 , 65, 66, 67: ©Shutterstock.com; p. 59, 63: © Fotolia; p.70, 71, 72, 75, 77, 78, 79, 80, 81, 83, 86, 87, 88, 89: © Shutterstock.com; p. 84: ©Tupungato/Shutterstock.com; p. 90, 91: © Fotolia; p. 96, 98, 99, 101, 102, 103, 104, 105, 106, 107, 109, 110, 111, 112, 113, 126, 128, 129, 130, 133, 137, 138, 139, 140, 141, 143, 145, 147, 148, 150, 152, 155, 157, 162, 164, 167, 171, 175, 176, 177, 180, 184, 189, 190, 193, 194, 195, 199, 204, 206, 208, 210, 211, 213, 214, 215, 216, 217, 218, 223, 224, 226, 227, 230, 231, 233, 234, 235, 236, 239, 241, 242, 243: © Fotolia.

Presentazione

Questo libro nasce da una lunga esperienza dell'insegnamento dell'italiano agli anglofoni. Non copre tutta la grammatica italiana, ma si concentra sulle problematiche e sugli errori di interferenza degli anglofoni che abbiano raggiunto un buon livello di competenza linguistica (B1-C1).
Può essere utilizzato in una situazione di autoapprendimento o come strumento integrativo per gli insegnanti che lavorano con studenti anglofoni.

● Apertura

La mappa di apertura all'inizio di ogni capitolo ne presenta i contenuti in maniera chiara e visivamente accattivante, permettendo di selezionare gli argomenti con un semplice colpo d'occhio.

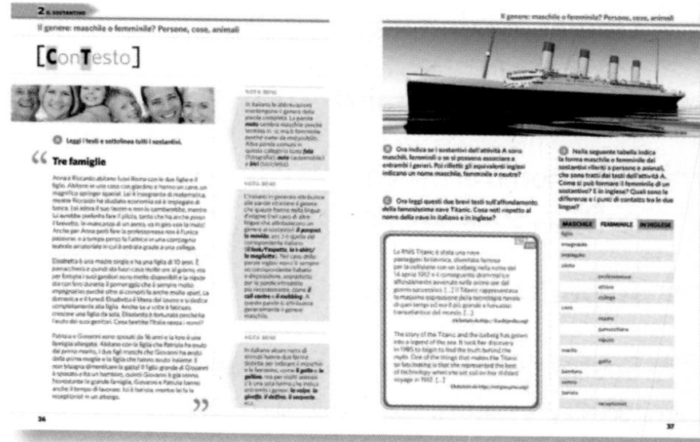

● ConTesto

Le strutture della lingua sono presentate in un contesto significativo e rilevante anche dal punto di vista culturale, accompagnato dalla riflessione sulla lingua attraverso un approccio contrastivo.

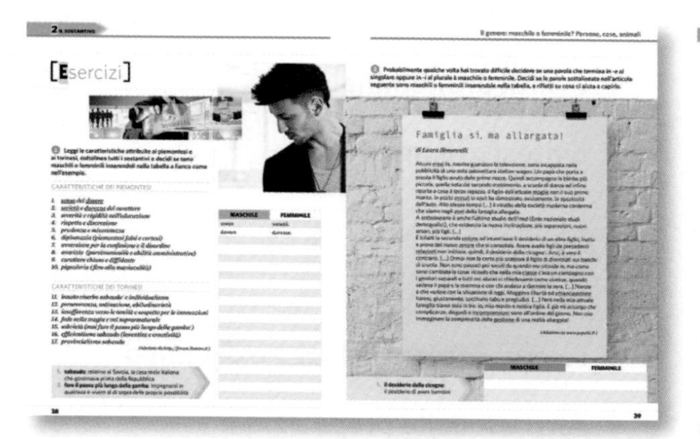

● Esercizi

Esercizi di difficoltà crescente permettono di praticare le strutture in maniera stimolante. Le chiavi degli esercizi si trovano in fondo al volume.
Nell'area web (**www.imparosulweb.eu**) si trovano attività di riepilogo e consolidamento per ciascun capitolo.

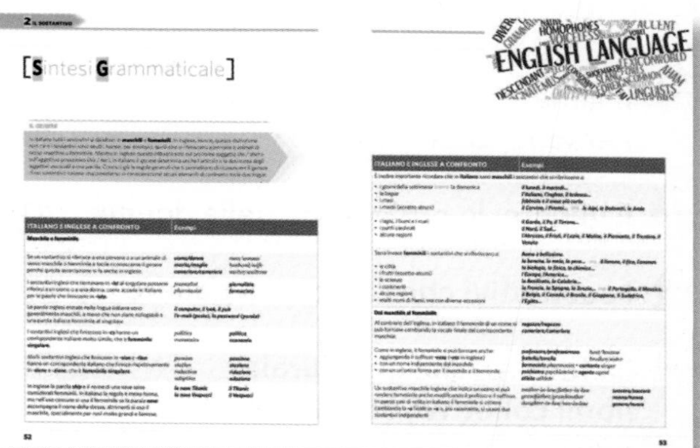

● Sintesi Grammaticale

Questa sezione presenta una sintesi grammaticale accompagnata da esempi, con spiegazioni teoriche dei principali punti di contatto e di differenziazione che emergono dal confronto tra l'italiano e l'inglese, concentrandosi sull'uso della lingua.

Indice

1 L'ARTICOLO

2 IL SOSTANTIVO

3 L'AGGETTIVO

4 IL PRONOME

5 LA PREPOSIZIONE

6 IL VERBO

7 LA FRASE

1 L'ARTICOLO

- Quando si usa e quando non si usa l'articolo
- La scelta dell'articolo: determinativo o indeterminativo?

Le parole della geografia

[ConTesto]

A Leggi il testo e sottolinea i nomi geografici.

L'Italia è un Paese perfetto per le vacanze! È unita all'Europa dalle Alpi ed è un ponte di passaggio ideale verso l'Asia e l'Africa. Se arrivi dal nord in auto o moto, puoi usare uno dei numerosi varchi aperti tutto l'anno: il tunnel del Monte Bianco, che da Chamonix collega la Francia all'autostrada A5 per Torino e Milano; il tunnel del Gran San Bernardo che collega la Svizzera sempre con l'autostrada A5 o il Passo del Brennero che, attraverso l'Austria, ti porta verso Bologna. Una volta arrivato in Italia puoi scegliere la vacanza che preferisci: se ti piace il mare, ricorda che il Paese è circondato dal Mar Mediterraneo, cioè il Mar Ligure, il Tirreno, lo Ionio e a nord-est il Mare Adriatico. Il mare è anche la scelta preferita degli italiani in vacanza.
Al primo posto troviamo la Riviera romagnola con Rimini e Riccione, al secondo posto invece la Puglia, con Gallipoli, Porto Cesareo e Vieste. Molti vanno anche nelle località di mare nell'Italia del Nord, in Veneto al Lido di Jesolo e in Liguria a Santa Margherita Ligure, o alle Cinque Terre.
Non dimenticare le isole: la Sicilia, con l'Etna, la Sardegna e le numerose isole minori come l'Isola d'Elba, l'arcipelago della Maddalena, l'arcipelago Campano, con Ischia e Capri, le isole Ponziane, le Pelagie, le Egadi, le Eolie, e le Tremiti.

Preferisci la montagna? Nelle Alpi ci sono vette che superano i 4000 metri come il Cervino, il Monte Rosa e il Monte Bianco, e gli Appennini percorrono tutta la penisola, dalla Liguria alla Sicilia. Nelle zone montagnose puoi visitare dei parchi spettacolari come il Parco Nazionale d'Abruzzo o il Parco Nazionale dell'Aspromonte, oppure fare camminate o cercare il fresco, come in Trentino Alto Adige. Tra le tante valli trentine meta di vacanze ci sono le Dolomiti con la Val Gardena, la Val Pusteria e la Val di Non. E che dire dei fiumi e dei laghi? Il fiume più importante è il Po, che attraversa la Pianura padana. I laghi più estesi e famosi sono il Lago di Garda, il Lago Maggiore e il Lago di Como.

Per non parlare di città e cittadine. Fra i turisti italiani è molto amata la Toscana con Viareggio, il Chianti e le città d'arte come Firenze e Siena, e la Campania con la splendida costiera amalfitana. Insomma, la scelta è varia, per tutti i tipi di testa e tutti i tipi di tasca! ”

NOTA BENE

Dopo la preposizione ***in*** non si usa l'articolo con i nomi di valli, grandi isole, regioni, nazioni, continenti al singolare e non specificati. Per esempio, diciamo ***in Inghilterra***, ma ***nell'Inghilterra del Nord***.

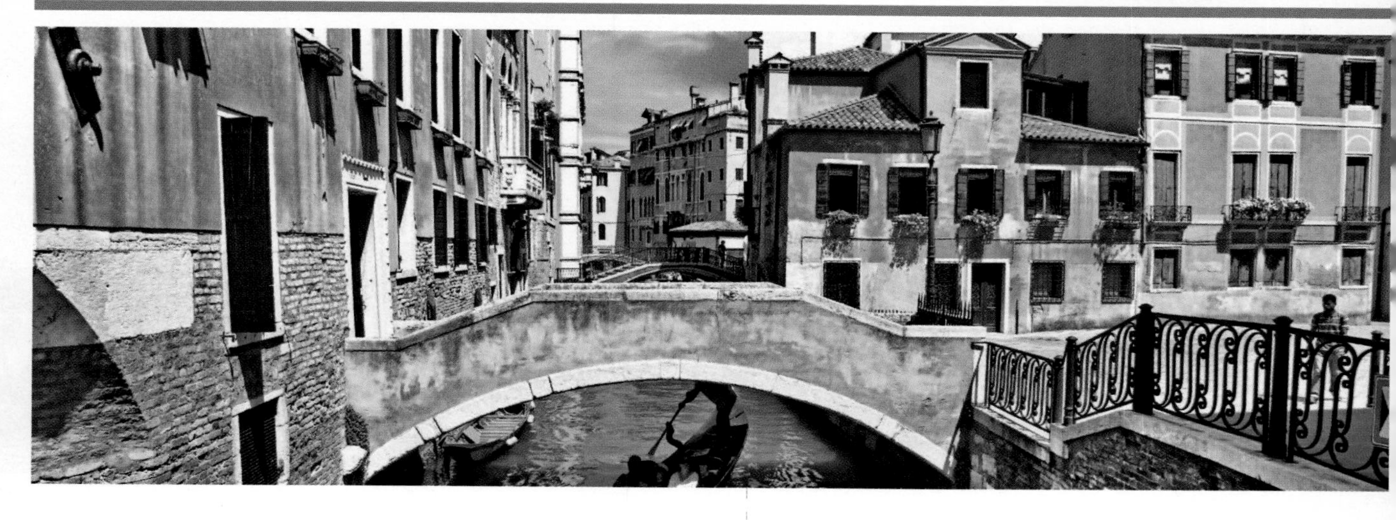

B Ora completa la tabella e fai un confronto con l'inglese.

	Con o senza articolo?		E in inglese?	
Città	con ☐	senza ☐	con ☐	senza ☐
Continente	con ☐	senza ☐	con ☐	senza ☐
Fiume	con ☐	senza ☐	con ☐	senza ☐
Gruppo di isole	con ☐	senza ☐	con ☐	senza ☐
Isola grande	con ☐	senza ☐	con ☐	senza ☐
Isola piccola	con ☐	senza ☐	con ☐	senza ☐
Lago	con ☐	senza ☐	con ☐	senza ☐
Mare	con ☐	senza ☐	con ☐	senza ☐
Monte	con ☐	senza ☐	con ☐	senza ☐
Catena montuosa	con ☐	senza ☐	con ☐	senza ☐
Nazione	con ☐	senza ☐	con ☐	senza ☐
Parco nazionale	con ☐	senza ☐	con ☐	senza ☐
Regione	con ☐	senza ☐	con ☐	senza ☐
Valle	con ☐	senza ☐	con ☐	senza ☐
Vulcano	con ☐	senza ☐	con ☐	senza ☐
Zona di una regione	con ☐	senza ☐	con ☐	senza ☐

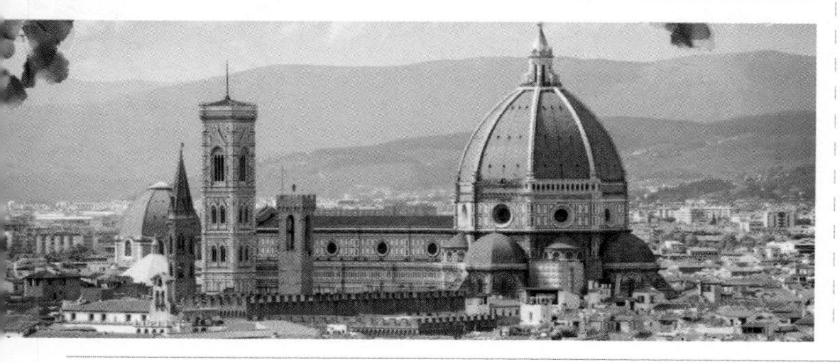

C Scrivi un testo pubblicitario per promuovere il tuo Paese e le sue attrazioni.

[Esercizi]

1 Paul e Simona si sono sposati e sono andati in viaggio di nozze in Italia. Leggi il diario di viaggio che hanno scritto e scegli la forma corretta (con o senza articolo) fra quelle evidenziate.

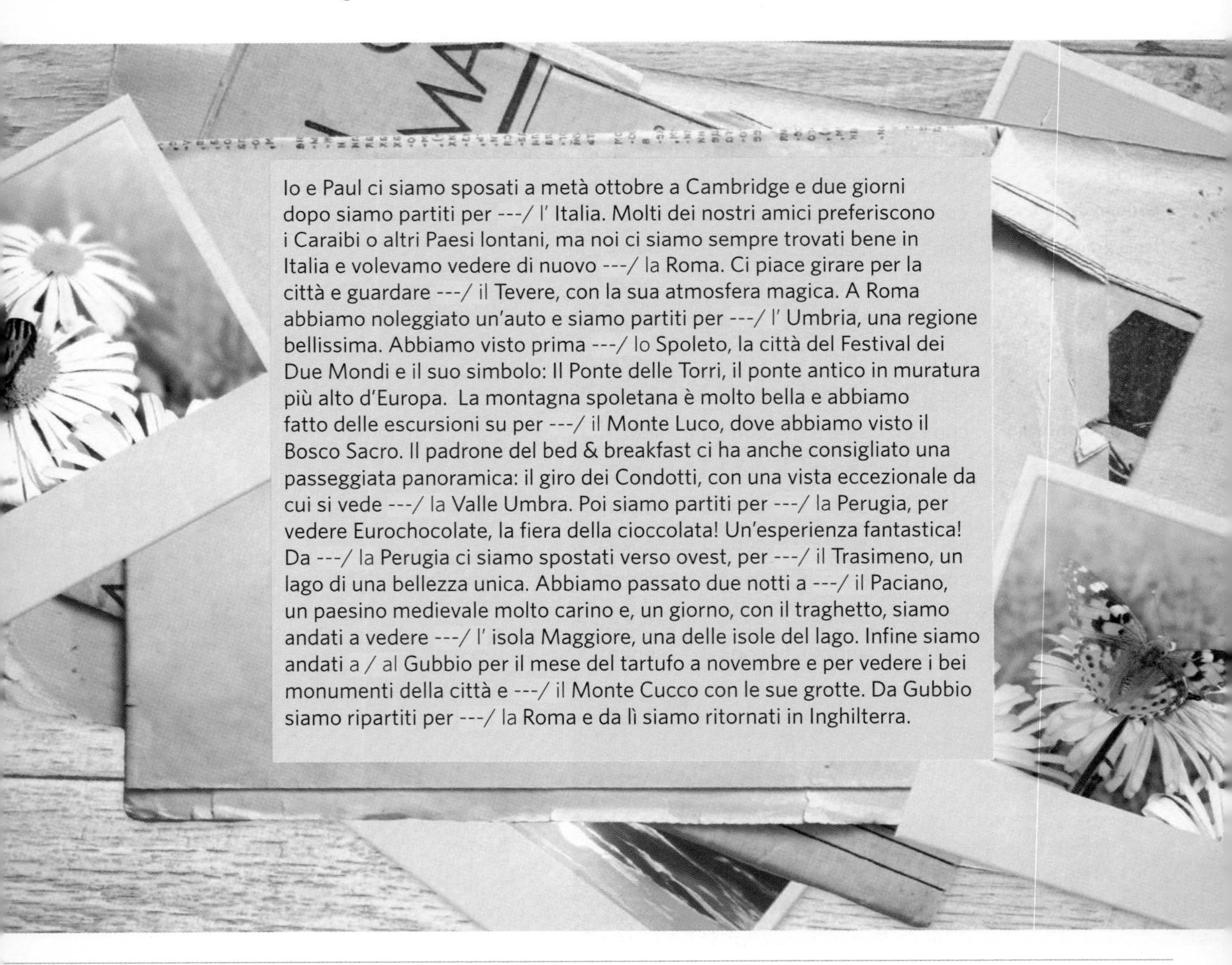

Io e Paul ci siamo sposati a metà ottobre a Cambridge e due giorni dopo siamo partiti per ---/ l' Italia. Molti dei nostri amici preferiscono i Caraibi o altri Paesi lontani, ma noi ci siamo sempre trovati bene in Italia e volevamo vedere di nuovo ---/ la Roma. Ci piace girare per la città e guardare ---/ il Tevere, con la sua atmosfera magica. A Roma abbiamo noleggiato un'auto e siamo partiti per ---/ l' Umbria, una regione bellissima. Abbiamo visto prima ---/ lo Spoleto, la città del Festival dei Due Mondi e il suo simbolo: Il Ponte delle Torri, il ponte antico in muratura più alto d'Europa. La montagna spoletana è molto bella e abbiamo fatto delle escursioni su per ---/ il Monte Luco, dove abbiamo visto il Bosco Sacro. Il padrone del bed & breakfast ci ha anche consigliato una passeggiata panoramica: il giro dei Condotti, con una vista eccezionale da cui si vede ---/ la Valle Umbra. Poi siamo partiti per ---/ la Perugia, per vedere Eurochocolate, la fiera della cioccolata! Un'esperienza fantastica! Da ---/ la Perugia ci siamo spostati verso ovest, per ---/ il Trasimeno, un lago di una bellezza unica. Abbiamo passato due notti a ---/ il Paciano, un paesino medievale molto carino e, un giorno, con il traghetto, siamo andati a vedere ---/ l' isola Maggiore, una delle isole del lago. Infine siamo andati a / al Gubbio per il mese del tartufo a novembre e per vedere i bei monumenti della città e ---/ il Monte Cucco con le sue grotte. Da Gubbio siamo ripartiti per ---/ la Roma e da lì siamo ritornati in Inghilterra.

2 Completa il testo aggiungendo l'articolo determinativo, solo dove è necessario. Fai attenzione alle preposizioni articolate. Segui l'esempio.

Piemonte
È una regione (*di*) *dell'*Italia nord-occidentale, ai confini con .... Svizzera e .... Francia. Come indica il nome stesso, ... Piemonte è la terra delle montagne: è infatti circondato su tre lati dalla catena alpina [...]. .... Monviso, il versante piemontese (*di*) .... Monte Rosa e gli altri spettacolari rilievi offrono paesaggi di singolare bellezza; numerosi sono anche i comprensori sciistici, tra cui la Via Lattea e il Sestriere, che accolgono [...] gli appassionati di sport invernali. Sullo sfondo (*di*) .... Alpi si aprono grandi e pittoresche vallate, tra cui .... Val di Susa, ... Valsesia e .... Val d'Ossola.
Ben diverso [...] è il panorama (*di*) .... Langhe e (*di*) .... Monferrato: un susseguirsi di colline coltivate a vigneti, punteggiate di borghi e castelli. [...] Meta turistica per eccellenza è .... lago Maggiore, con .... Stresa e .... isole Borromee [...] Ma la natura è solo una delle numerose attrattive (*di*) .... Piemonte. Tanti altri sono i volti della regione: da .... Torino [...] con la sua storia e il suo notevole patrimonio artistico, alle altre città [...]. .... Acqui Terme e .... Vinadio, località termali storiche, assicurano [...] un soggiorno di benessere e relax. Scoperte e sorprese di ogni genere attendono i visitatori, compresa una vasta offerta enogastronomica.

(Adattato da www.enit.it)

3 Consulta una mappa dell'Italia e completa i testi con i nomi delle regioni elencate. Poi traduci i brani in italiano.

Lazio - Lombardia - Trentino Alto Adige - Valle d'Aosta -
Campania - Piemonte - Puglia - Friuli Venezia Giulia

1. .... lies to the extreme northwest of the country. Since it extends as far as Lake Maggiore, it is the first view you will get of Italy if you come through Simplon (*Sempione* in Italian).
2. .... is connected to Switzerland by the Great St Bernard Pass [...], and to France by the Little St Bernard Pass and the seven-mile-long tunnel under the Mont Blanc from Chamonix.
3. Just to the east of Valle d'Aosta is the richest, most industrialised and populous northern region, ... [...] The river Po marks its southern border.
4. .... covers most of the Dolomites, one of the loveliest parts of Europe.
5. .... runs eastwards along the bay of the Adriatic to Trieste [...] and nortwest to Austria and Slovenia.
6. .... stretches northwards from the Gulf of Gaeta to the Tuscan *maremma*, and from south of Umbria along the Apennines to Molise.
7. The islands of Capri and Ischia, in ...., emerge from an iridescent sea. Vesuvius gently smokes, Amalfi and Positano are picturesquely perched on the wooded Sorrento peninsula.
8. .... stretches along the Adriatic coast from the Gargano promontory [...] down to the heel of the peninsula.
9. Although geographically close to Sicily, Sardinia is quite different.

(Adattato da A. Falassi e R. Flower, Culture Shock! Italy, *London, Kuperard 1995)*

Lingue, nazionalità e titoli

[ConTesto]

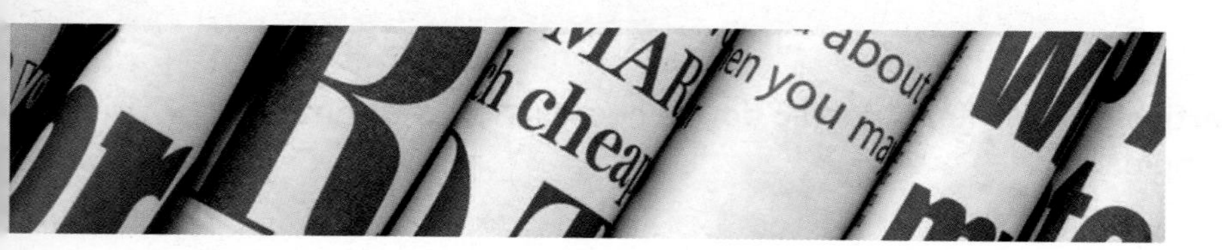

A Osserva queste immagini e leggi il testo. Quale differenza importante noti tra l'italiano e l'inglese?

Nel Milanese, come del resto in tutta Italia, oltre agli italiani vivono anche persone di altre nazionalità. Tra le minoranze più numerose troviamo i cinesi, i singalesi, gli egiziani, i filippini, i sudamericani. Ci sono poi gli albanesi, i rumeni, gli ucraini e gli africani, e al primo posto i marocchini. La presenza di tutte queste nazionalità rende questa zona particolarmente multiculturale e multilingue. Già nel 2004 infatti si parlava di Milano come di una Babele in cui, oltre all'italiano, si parlavano ben 67 lingue, fra cui lo spagnolo, l'arabo, il filippino, il cinese, il singalese, il rumeno, l'albanese, oltre al francese, l'inglese e il tedesco.

→ In italiano ....

→ In inglese ....

B Osserva queste immagini. In italiano, quando si usa l'articolo determinativo con i titoli? Quando non si usa? E in inglese?

→ Si usa ....

→ Non si usa ....

→ In inglese ....

[Esercizi]

1 Traduci alcuni titoli di film, romanzi e canzoni in italiano, come nell'esempio. Fai attenzione anche al diverso modo di scrivere i titoli in inglese e in italiano. Segui l'esempio.

INGLESE	ITALIANO
Doctor Zhivago	*Il dottor Zivago*
The Barefoot Contessa	....
Goodbye, Mr Chips	....
Mrs Doubtfire	....
The Duchess	....
Good Morning, Miss Dove	....
The Queen	....
The Lion King	....
The Prime of Miss Jean Brodie	....
Goodbye Countess	....
Mrs Miniver	....

▶ Cerca se la traduzione italiana ufficiale di questi titoli corrisponde alla tua. Cosa noti?

2 Leggi il brano e completalo con i sostantivi elencati.

Italia - italiano - Malta - Slovenia - francese - Stati Uniti - Svizzera -
Croazia - spagnolo - argentini - Europa - inglese - tedesco

L'italiano fuori d'Italia

L'italiano è la lingua nazionale dell'........................, ma non solo. Non dobbiamo dimenticare infatti che l'italiano è anche una delle lingue parlate in .... insieme al francese, al .... e al romancio, e che è stato una delle lingue nazionali dell'isola di .... fino al 1936. Su *Ethnologue* del 2009 leggiamo anche che la lingua italiana è parlata in due Paesi dell'........................ orientale: la .... e la ...., come lingua ufficiale di alcune zone.
Anche l'emigrazione degli italiani all'estero è stata molto interessante per il successo della lingua; vediamo infatti che in Australia la nostra lingua è la più parlata dopo l'........................ e che, nell'America latina, gli .... che la studiano sono sempre in gran numero. Inoltre, negli .... dal 2005, l'........................ è entrato nell'*Advanced Placement Program*, ed è quindi insegnato in molte scuole secondarie, come già avviene per lo .... e il ....

3 Completa i brani con un articolo determinativo o una preposizione articolata davanti ai titoli solo quando è necessario.

① **Come si chiama l'otorino? Ma è .... dott. Parlapiano! Una salumeria gestita .... signor Rossi e .... signor Grassi. Sembra un segno del destino, ma che dire dello studio dentistico Cavati & Felici? E .... dottor Gatti che fa il veterinario? Sono alcune delle bizzarrie che si scoprono scorrendo l'elenco dei cognomi italiani. [...]**

(Adattato da Focus Extra *n. 2, 2000)*

② .... **PROFESSOR GRAMMATICUS UNA VOLTA ANDÒ A VENEZIA, DOVE LE STRADE SONO D'ACQUA E PER GIRARLE NON VA BENE L'AUTOMOBILE, CI VUOLE IL VAPORETTO. I VENEZIANI PERÒ LO CHIAMANO IL "VAPORETO". PURTROPPO ESSI HANNO L'ABITUDINE DI DIMEZZARE LE DOPPIE [...]**

(G. Rodari, Il libro degli errori*, Torino, Einaudi 1964)*

③ .... PRINCIPESSA SISSI SPOSÒ .... IMPERATORE FRANCESCO GIUSEPPE NEL 1854, SALENDO COSÌ AL TRONO AUSTRIACO.

④ **L'attore e regista Roberto Benigni ha reso famosa la frase Buongiorno .... Principessa, tratta dal suo film *La Vita è bella*.**

⑤ IL FILM *AUGURI* .... *PROFESSORE* RACCONTA LA STORIA DI UN INSEGNANTE DI LETTERE E DEI SUOI STUDENTI.

⑥ PAGANINI S'INCHINÒ GALANTEMENTE, SORRISE ALLA VECCHIA GENTILDONNA E MORMORÒ A FIOR DI LABBRA: "MI DISPIACE, ... MARCHESA, DI NON POTERLA CONTENTARE. ELLA FORSE IGNORA CHE IO, PER DIFENDERMI DALLE RICHIESTE DI BIS CHE NON FINIREBBERO MAI, HO UNA MASSIMA DALLA QUALE NON HO MAI DEROGATO NÉ MAI DEROGHERÒ: PAGANINI NON RIPETE".

(A. Campanile, "Paganini non ripete", in Gli asparagi e l'immortalità dell'anima*, Milano, Rizzoli 1974)*

Date, orari e numeri

[ConTesto]

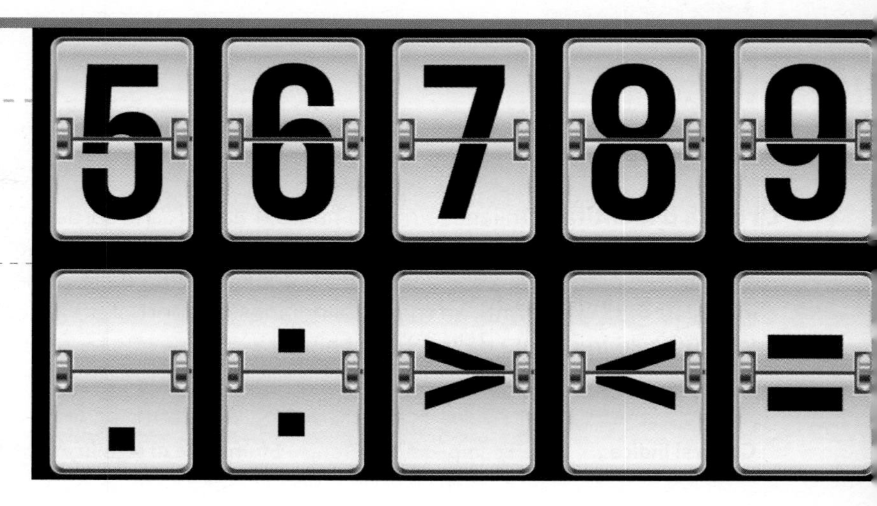

A Osserva le seguenti immagini, leggi i testi e completa la tabella (a p. 16) con le espressioni evidenziate. Come si differenziano le due lingue?

▶ Hai appena lasciato Roma per andare a Milano. Sul treno leggi alcune curiosità sulle due città.

A1 MILANO-ROMA: LE DUE ANIME D'ITALIA

Sono rivali [...] praticamente in tutto. Da una parte i romani, considerati gaudenti ma "improduttivi, perditempo, intriganti". Dall'altra i milanesi, ricchi ma "grigi, ostili, privi del senso dell'humour". La rivalità è antica: "I caratteri della polemica sono gli stessi del '700" sostiene lo storico Francesco Bertolini [...] Così nel 1798 l'illuminista Pietro Verri scriveva dei romani [...]: "Una città ancora grande e magnifica ne' sassi e piccolissima nelle teste umane" [...] E se ben prima della Lega, nel 1909, Giuseppe Prezzolini distingueva "i pigri che amano ridere e sbafare" (cioè i romani) e "gli attivi che vogliono lavorare e conquistare" (i milanesi), a tentare una difesa [...] fu addirittura Benito Mussolini il 10 aprile 1924: "Si diceva che a Roma non esisteva il popolo lavoratore. Voglio, una volta per sempre [...] disperdere questa imbecillissima menzogna: Roma lavora". L'opinione dei milanesi non è poi negativa: secondo un sondaggio condotto dall'Ispo nel 2002, il 57% dei meneghini[1] ha un'opinione "molto o abbastanza positiva" dei romani.

1. **meneghini**: milanesi

(Adattato da Focus Extra *n. 30, inverno 2007-2008)*

IL MILANESE MEDIO

La carta d'identità. Il milanese medio ha 45,4 anni. [...] Guarda due-tre ore al giorno la TV, ascolta la radio, legge libri e giornali. È single. [...] È pigro a tavola. Da qualche anno è record di cibi pronti (take away, rosticcerie) e precotti. Il 28% dei milanesi dedica al cibo dalle 2 alle 4 ore e, se non ha voglia di cucinare, può contare su 4.371 ristoranti. La metà dei milanesi fa sport. Il 50% degli utenti delle palestre ha fra i 31 e i 40 anni, il 70% le frequenta dalle 18 alla chiusura.

(Adattato da Focus Extra *n. 30, inverno 2007-2008)*

Come si indica...	Esempi dai testi	Sfumature di significato	Differenze importanti tra l'italiano e l'inglese
L'ora			
Il giorno della settimana		• Ogni lunedì • Un lunedì particolare	
La data			
L'anno			
Il secolo			
Una percentuale			
Nome + numero			
Numero + nome			
L'età		• Età precisa • Fascia d'età	
La durata di un'azione			

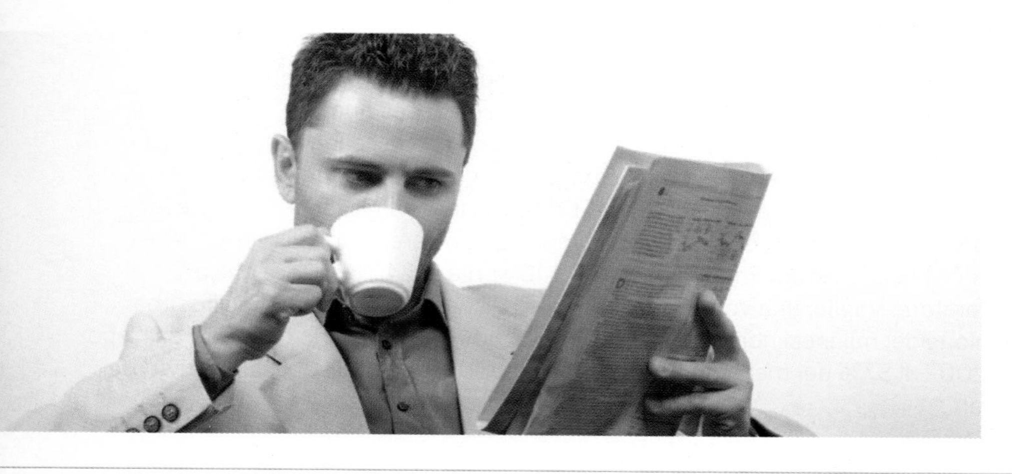

[Esercizi]

1 **Completa le curiosità sull'Italia scegliendo l'opzione corretta.**

1. L'Italia ha --- / le venti regioni.
2. Quasi il / --- 20% della popolazione italiana ha più di 65 anni.
3. L'aspettativa di vita media in Italia è di / dei 79,54 anni.
4. La famiglia italiana media ha --- / i 1,27 figli.
5. Secondo gli stranieri, gli italiani non bevono il cappuccino dopo --- / le 11 del mattino.
6. Alessandro Volta ha inventato la pila in / nel 1779.
7. La pizza è stata inventata a Napoli intorno --- / al 1860.
8. --- / Il numero 17 porta sfortuna in Italia.
9. La Festa della Repubblica è il / --- 2 giugno.
10. Sembra che in Italia si consumino i / --- 28 chili di pasta per persona ogni anno.
11. --- / L' articolo 6 della Costituzione italiana riguarda le minoranze linguistiche che vivono nella penisola.
12. Da / Dall' ottobre 1946, l'inno nazionale italiano è l'Inno di Mameli.
13. L'Italia ha più di / dei 3000 musei.
14. Generalmente in Italia non si lavora la / --- domenica.

2 **Chi ha trascritto il brano seguente ha dimenticato 4 articoli determinativi. Trova gli errori, riportali in fondo e scrivi la forma corretta.**

La romana media

La carta d'identità: A Roma ci sono 10 donne ogni 9 uomini. [...] La romana media ha quasi 44 anni, ama la sua città, viaggia in auto e [...] spende quasi tutto ciò che guadagna, soprattutto per la casa e il cibo.
Spendacciona: I romani spendono 94,4% di quel che guadagnano. La spesa media mensile per famiglia si attesta sui 2542 euro, di cui il 29,8% per la casa, il 18,8% per generi alimentari, il 13,5% per i trasporti, il 6,3% per vestiti e calzature.
Ama la tv: Due romani su tre guardano la tv da un'ora e mezza alle tre ore a giorno.
Si informa: Un romano su tre legge i giornali tutti i giorni e solo il 19% non lo fa mai. Il quotidiano più letto è *Il Messaggero*, seguito da *La Repubblica*. Due su 10 leggono quotidiani locali.
Ha un lavoro stabile: Svolge la sua attività a Roma e in 64,4% dei casi ha un contratto a tempo indeterminato. [...] Sette su 10 lavorano da 36 alle 40 ore settimanali.
Va in vacanza al mare: Nel 2006, quasi la metà dei romani è andata in vacanza sulle coste italiane; il 21,62% ha scelto la montagna, il 9,38% le città d'arte, l'8,88% l'Europa continentale.

(Adattato da Focus Extra, *n. 35, autunno 2008)*

→ Forma sbagliata: ....

....

→ Forma corretta: ....

....

3 Nel brano seguente inserisci l'articolo determinativo o la preposizione articolata appropriati, solo quando è necessario.

LE TAPPE PRINCIPALI DELL'UNITÀ D'ITALIA

1860: .... 5 maggio Giuseppe Garibaldi guida la Spedizione dei Mille da Quarto (Genova) per la Sicilia con circa .... 1000 volontari. .... 18 settembre l'esercito pontificio[1] viene sconfitto dall'esercito piemontese. .... 26 ottobre Garibaldi e Vittorio Emanuele II si incontrano a Teano. Garibaldi consegna al futuro re il Regno delle due Sicilie, che ha votato a favore dell'annessione al Piemonte in un plebiscito[2], così come l'Umbria e le Marche. Per il momento Roma appartiene ancora al Papa.
1861: .... 18 febbraio il Parlamento italiano si riunisce per la prima volta a Torino, prima capitale d'Italia. Il mese successivo è ricco di eventi e la legge .... 4671 viene promulgata[3] .... domenica 17 marzo 1861, che diventa la data ufficiale dell'Unità d'Italia. Vittorio Emanuele II diventa Re d'Italia.
L'Italia ha circa .... 22 milioni di abitanti. Massimo d'Azeglio pronuncia le famose parole "Fatta l'Italia, ora bisogna fare gli italiani": un'impresa non facile, anche dal punto di vista linguistico: si calcola che al momento dell'unità la percentuale di italiani che parlava l'italiano andasse .... 2,5% .... 10%.
1864: .... 15 settembre , la capitale d'Italia si sposta da Torino a Firenze.
.... 3 novembre **1867** Garibaldi e le sue camicie rosse[4] provano a conquistare Roma, ma vengono sconfitti nella battaglia di Mentana. Tre anni più tardi, ... 20 settembre 1870, l'esercito italiano entra a Roma attraverso la breccia[5] di Porta Pia e conquista la città: il Papa si chiude in Vaticano.
.... 1° luglio **1871** Roma diventa ufficialmente la capitale d'Italia. Il Paese ha circa .... 27 milioni di abitanti, di cui circa .... 70% sono analfabeti. Il diritto di voto è riconosciuto solo .... 2% della popolazione.

1. **pontificio**: del Papa
2. **plebiscito**: referendum
3. **promulgare**: pubblicare (una legge, una norma)
4. **camicie rosse**: garibaldini. I seguaci di Garibaldi portavano infatti una camicia rossa
5. **breccia**: passaggio, varco aperto per penetrare in un luogo

4 Traduci il seguente brano tratto da un articolo di *The Economist*.

ITA ENG

A year of palindromes

John Grimond

Do you enjoy writing the date? Do you get particular satisfaction when you do so on days that provide a pattern, such as 01:02:03, which presented itself for Americans on January 2nd 2003 and for Europeans a little later, on February 1st? Sometimes the different order of day and month in American and European practice is unimportant: June 6th 2006 is 06:06:06 either way. Sometimes the order is crucial: two years hence Americans will be denied the pleasure of 31:1:13. But no numerological thrill-seeker need feel short-changed in 2011.

Europeans will get little patterns on the 11th of every month except October and December. Americans can look forward to a thrilling first nine days of November. Everyone will have their own 9:10:11. And 2011 will be special in two respects. [...]

First, it will bring 11:11:11. November 11th has been a significant date in many countries since 1918, when, at 11am that day, the armistice ending the first world war came into effect. [...]
Second, like 2010, [...] it will bring a sprinkling of dates with nothing but noughts and ones. [...]

(Adattato da The Economist, *"The World in 2011")*

Patrimonio artistico, politica, società e prodotti

[ConTesto]

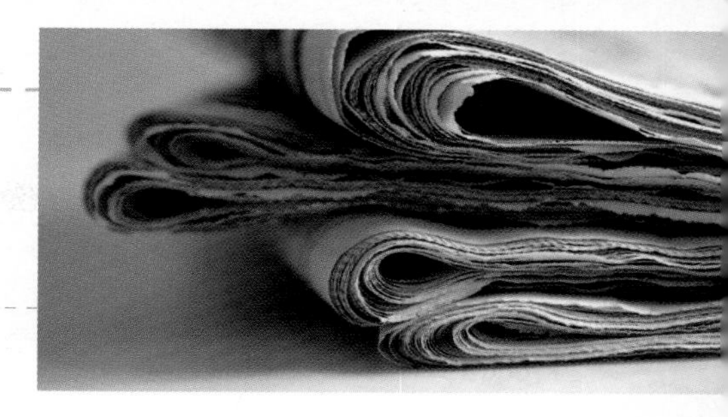

A Leggi questi titoli di giornale e riporta i nomi evidenziati nella tabella alla pagina successiva collocandoli nella categoria corretta. Controlla in rete quando non sei sicuro. Cosa noti di particolare?

Uragano Irene, il peggio è passato. L'Alitalia torna a volare per New York

AFFITTI, LA BANCA D'ITALIA CRITICA L'ISTAT.
"SOTTOSTIMATI GLI AUMENTI TRA IL 1998 E IL 2006"

LA FIAT SALE AL 53,5% DELLA CHRYSLER

LA MOZZARELLA DOC NON È IN SVENDITA. IL CONSORZIO: «PREZZO MINIMO 9 EURO»

Politici in bianco e nero:
Greenpeace a Palazzo Chigi.

L'UDINESE CROLLA CON
L'ATLETICO MADRID E PERDE 4-0

NOTA BENE

In italiano l'articolo determinativo prima del nome di un palazzo famoso è facoltativo se il nome è seguito da un aggettivo (es: *il Palazzo Reale* o *Palazzo Reale*). L'articolo viene però quasi sempre omesso se il nome del palazzo è seguito da un cognome di famiglia (es: *Palazzo Chigi, Palazzo Pitti*).

USA, UNA MAMMA CONTRO LA NUTELLA. «SPOT FALSI, FA INGRASSARE I BAMBINI»

IL BIG BEN SI È MESSO A FARE
CONCORRENZA ALLA TORRE DI PISA.

Il Pd esulta, il Fli:
"Rispettare la decisione"

Grandi gli U2 berlinesi

L'anno del Prosecco:
«Vendemmia record ma i prezzi saliranno»

Squadra di calcio	
Ente pubblico	
Prodotto	
Industria/società	
Partito politico	
Compagnia aerea	
Gruppo musicale	
Palazzo (con un nome di famiglia)	
Monumento	

NOTA BENE

Consultando i quotidiani e i periodici italiani, noterai che molto spesso nei titoli degli articoli manca l'articolo determinativo davanti a nomi che dovrebbero averlo. L'omissione dell'articolo (così come di altre parti del discorso) è uno degli espedienti usati dal linguaggio giornalistico per richiamare l'attenzione del lettore, comunicandogli solo le informazioni essenziali e invogliandolo a leggere l'articolo.

► Prova ora a cercare su quotidiani e periodici italiani esempi di titoli in cui gli articoli sono stati omessi e riportali nello spazio sotto.

[Esercizi]

1. **Compagnia di bandiera**: compagnia aerea che è di totale o parziale proprietà di uno Stato

1 **Completa il seguente brano con le parole elencate precedute dall'articolo determinativo corretto, come nell'esempio. Se non sei sicuro di alcune parole, cerca in rete.**

Timberland (una famosa marca di scarpe) - **porcellana** - **Arctic Monkeys** (un gruppo rock) - **Inter** (una squadra di calcio di Milano) - **Alitalia** - **Belstaff** (una marca di abbigliamento) - **sake** - **Vespa** - **Ducati** (una famosa marca di moto)

Gianfranco lavora alla Piaggio, nel reparto di Pubbliche Relazioni, e va spesso in Cina e Giappone, dove ...., uno dei prodotti più famosi della Piaggio, è particolarmente amata. Quando deve partire prende sempre ...., perché pensa che sia importante servirsi della compagnia di bandiera[1]. Quando poi è all'estero cerca di comprare prodotti tipici del Paese in cui si trova. La prossima volta che andrà in Cina, per esempio, comprerà .... per sua madre, l'ultima volta in Giappone ha comprato .... e a New York, naturalmente, ... per Filippo, suo nipote. Lui e Filippo vanno spesso insieme allo stadio a vedere ...., di cui sono accaniti tifosi e fra un mese lo porterà a Londra a vedere .... in concerto. Gianfranco ha già pensato di approfittare della visita in Inghilterra per comprarsi *il Belstaff* nuovo per ...., la moto che ha comprato l'estate scorsa.

2 **Leggi il seguente brano tratto da un articolo di giornale. Inserisci l'articolo determinativo negli spazi vuoti solo dove necessario. Fai attenzione alla presenza di preposizioni.**

1. **Pci: Partito comunista italiano.** Nato nel 1921 e scioltosi nel 1991
2. **Udc: Unione di centro.** Movimento politico elettorale attuale, avviato da tre forze politiche di centro
3. **Pd: Partito democratico.** Partito politico di centro-sinistra, nato nel 2007

Casini elogia .... Pci[1]: "Allora era meglio"

Il leader di .... Udc[2] in Sala Borsa: "Adesso la politica è senza ideali"

Bologna, 8 ottobre 2011 - L'hanno atteso per quasi un'ora [...]. Poi, però, ... Pierferdinando Casini ha ripagato le aspettative, portando in Sala Borsa un vero e proprio omaggio a .... Pci: la sua è stata una stagione politica "migliore" rispetto a quella attuale. "E .... Pd",[3] ha aggiunto poi, "è un partito che ha fatto .... molta strada."

(Adattato da www.ilrestodelcarlino.it, 8-10-2011)

3 **Leggi il seguente brano in inglese, scritto da un traduttore italiano poco esperto. Ci sono alcuni errori, trovali e correggili. Secondo te perché il traduttore li ha fatti?**

Italy, a land of flavours

Italy has always been a synonym for "good food". It's the most popular cuisine in the world and it offers, better than any other, an incredible choice of different dishes and recipes for every town, province and region. [...] The famous Parmesan, the Parma or San Daniele ham, the Modena balsamic vinegar, the Liguria pesto, the buffalo mozzarella from Campania, the Alba truffle and the cured meats are just some of the products that make Italy the land of taste. And how could we forget the pasta or the pizza, that are seen universally as a synonym for Italy?

Aspetto fisico e malesseri

[ConTesto]

A Leggi i seguenti testi in italiano e in inglese. Cosa noti nella descrizione fisica delle persone e nella descrizione delle malattie?

"Malpelo si chiamava così perché aveva i capelli rossi; ed aveva i capelli rossi perché era un ragazzo malizioso e cattivo […]."

"He was called Nasty Foxfur because he had red hair. And he had red hair because he was a bad, malicious boy […]."

"Chi ha la barba è più che un giovane, e chi non ha barba è meno che un uomo."

"He that hath a beard is more than a youth, and he that hath no beard is less than a man."

"I primi sintomi del raffreddore spesso sono:
il bruciore alla gola, il naso pieno o che cola, gli starnuti"

"The first symptoms of a cold are often a tickle in the throat, a runny or stuffy nose, and sneezing."

Il ragazzo dai capelli verdi

The boy with green hair

[Esercizi]

1 Collega il rimedio più efficace ad ognuno di questi malesseri. Segui l'esempio.

1. **Hai il mal di testa?** → d
2. Hai il mal di denti?
3. Hai la febbre?
4. Hai le vertigini?
5. Hai il raffreddore?
6. Hai l'ansia?
7. Hai la tosse?
8. Hai i brividi?

a. Va' dal dentista
b. Parla con qualcuno e cerca di rilassarti
c. Prendi uno sciroppo
d. Prendi un analgesico
e. Bevi qualcosa di caldo
f. Prendi un'aspirina
g. Siediti e non muoverti
h. Prendi qualcosa che la faccia abbassare

2 Traduci i seguenti titoli dall'inglese all'italiano.

① FAIR-SKINNED PEOPLE MAY NEED EXTRA VITAMIN D

....

② **The £1-a-day 'happy pill' that eases the agony of arthritis**

....

③ Everyday Activities That Make Your Allergies Worse

....

④ A tasty treat for mind and mouth

....

⑤ Why cancer trends on social media

....

⑥ Dyslexia is a meaningless label

....

3 Osserva le immagini di in gruppo di amiche e completa le frasi con i termini che trovi nel riquadro.

i capelli ricci e grandi occhi scuri - lunghi capelli castani - i capelli corti e biondi - dai capelli biondi e gli occhi azzurri - la carnagione abbronzata - capelli rosso fuoco - dai bellissimi occhi verdi - la carnagione molto chiara

1. Sara è una brava dottoressa .... Adora passare il tempo libero cucinando per i suoi amici.

2. Lisa studia Lettere all'università. Ha .... e .... perché va in spiaggia ogni fine settimana, se il tempo è bello.

3. Cindy è afroamericana, ha .... Lavora come insegnante ed è molto amata dai suoi studenti.

4. Serena è la più giovane e allegra del gruppo. Ha i .... e ....

5. Stella ha .... Lavora come parrucchiera e le piace essere sempre alla moda.

6. Paola è una mamma .... Quando non è impegnata con i suoi due bambini passa il tempo ascoltando la sua musica preferita.

Sostantivi non numerabili, plurali generali, colori, sostanze e materiali

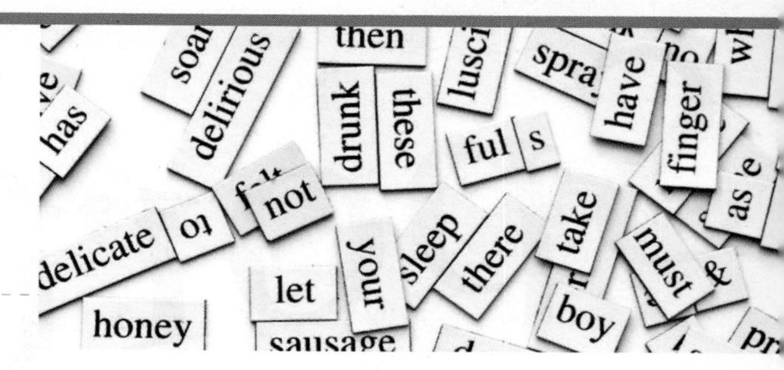

A Osserva le seguenti locandine di film, copertine di libri e titoli di giornale. Quali titoli mostrano casi in cui si usa l'articolo determinativo in italiano, ma non in inglese? Affianca gli esempi alle categorie giuste nella tabella. Segui l'esempio.

colori - materiali - sostantivi non numerabili - plurali generali per categorie

BORSA - APERTURA IN CALO. SALE L'ORO, IN RIBASSO IL PETROLIO.

(www.ogginotizie.it, 19-11-2011)

Una su quattro ha il mal d'autunno.
Il "nuovo disturbo" colpisce le donne

Calo del desiderio, insonnia, attacchi di fame e irritabilità: "Tutta colpa della serotonina"

(www.lastampa.it, 27-09-2011)

GLI uomini	plurali generali per categorie

Sports

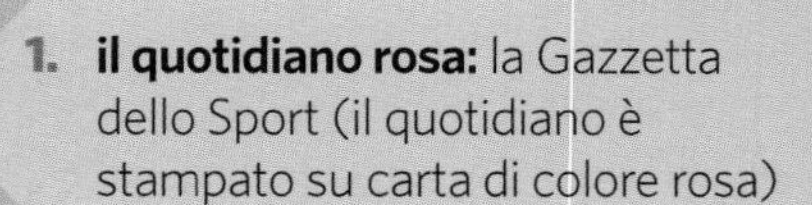

1. **il quotidiano rosa:** la Gazzetta dello Sport (il quotidiano è stampato su carta di colore rosa)

B Leggi una prima volta il testo per capire l'argomento di cui si parla.

SOGNI AZZURRI

"[...] la Gazzetta dello Sport indice per la prossima primavera il primo Giro d'Italia" [...] (*notizia pubblicata sulla prima pagina del quotidiano rosa*[1] *il 24 agosto 1908*).
(1) **Nasceva così il Giro d'Italia** [...] . Gli italiani affollavano le strade per incitare i corridori. (2) **Fu infatti il ciclismo – e non il calcio – a diventare il nostro primo rito sportivo collettivo.**
[...] "Il concetto di sport è legato al tempo libero, quindi la pratica sportiva di massa si diffuse prima nei Paesi in cui l'industrializzazione avanzata lasciava più tempo per sé" spiega Alessandro Perissinotto, docente di Sociologia dello Sport all'Università di Torino. (3) "**In un Paese come il nostro, dove l'economia rurale prevalse fino agli anni '50, questo passaggio tardò ad avvenire**".
(4) **Fu il fascismo a far scoprire lo sport agli italiani**, anche se con scopi propagandistici. (5) "**La retorica della cultura fisica è tipica dei regimi totalitari**" sottolinea Perissinotto. [...] Nel giugno del 1933 il pugile friulano Primo Carnera fece grande l'Italia all'estero: al Madison Square Garden bowl di Long Island (New York) stese alla sesta ripresa lo statunitense Jack Sharkey [...]. Il pugilato, dopo il ciclismo, divenne il secondo sport "umile" capace di unire gli italiani [...] (6) **L'anno seguente [...] la nazionale allenata da Vittorio Pozzo vinse il suo primo Campionato del mondo di calcio battendo 2-1 la Cecoslovacchia** [...].

(Adattato da Focus Storia *n. 20, giugno 2008)*

▶ Ora traduci in inglese le frasi in grassetto nel testo. Poi metti a confronto l'originale e la tua traduzione e riporta, nella tabella, le somiglianze e le differenze che noti tra l'italiano e l'inglese per quanto riguarda l'uso dell'articolo. Quali altre categorie di parole emergono, oltre a quelle che conosci già?

Frase	Somiglianze e differenze tra l'italiano e l'inglese	Nuove categorie di parole
1		
2		
3		
4		
5		
6		

[Esercizi]

1 Leggi le descrizioni dei sette vizi capitali e decidi quando usare l'articolo determinativo.

1. L'**avarizia** è un istinto della / di protezione che ci rende egoisti e ci impedisce di essere generosi con gli altri.
2. La /--- **superbia** è considerata il vizio peggiore. Il superbo vuole il /--- privilegio e che tutti ne riconoscano la /--- superiorità.
3. L'/ --- **accidia** si rivela attraverso la noia e l'/--- indifferenza. Per l'accidioso niente ha davvero l' /--- importanza.
4. L'**ira** è una rabbia smisurata e senza una ragione che ne giustifica la /--- violenza. La /--- rabbia può essere una reazione a situazioni sfavorevoli.
5. La /--- **lussuria** è un'oggettivazione del corpo in cui le /--- passioni sono senza i /--- limiti.
6. L'/--- **invidia** evidenzia la /--- scarsa stima di sé. Ci rende gelosi dello / di quello che gli altri hanno e che, secondo noi, non si meritano.
7. La /--- **gola** è un eccesso legato agli alimenti e alle bevande. Spesso i golosi sono mossi dal / da bisogno di sentirsi appagati e dall' / da insicurezza.

2 Nel seguente articolo inserisci negli spazi un articolo determinativo o una preposizione articolata, solo se necessario. Segui l'esempio.

Cina, *le* bacchette non sono più chic

Ora i figli dei ricchi preferiscono .... *posate* (a) ***all'****occidentale*

NOTA BENE

In questo caso la preposizione articolata ***alla*** (o ***all'***) significa *alla maniera di, come*.

Le bacchette cinesi sono (*in*) ....declino? I figli del boom economico le snobbano, mentre nei ristoranti alla moda sono d'ordinanza forchetta e coltello, e .... sociologi più conservatori si preoccupano (*di*) .... questo nuovo fenomeno della Cina moderna che strappa valore a un altro pezzo di tradizione. «Non provare a tornare senza aver imparato a usare .... posate», dice la mamma a Shi Weidong, 12 anni, che sta prendendo il suo primo volo internazionale. Destinazione Bonn, Germania. Insieme a 250 coetanei frequenterà un campo estivo dove le bacchette saranno bandite.
Le bacchette, di decine di materiali (*da*) .... legno (*a*) ....osso, servono per mangiare ma anche, nelle varianti più preziose, come .... oggetto regalo. [...] Ma i salotti bene[1], sempre più spesso, si associano (*a*) .... ristoranti in stile occidentale [...]. I tradizionali «kuaizi» di legno, incartati ad uno a uno e destinati (*a*) .... spazzatura dopo .... uso, [...] sono spariti anche da molti voli della compagnia di bandiera Air China. Al loro posto .... posate, che .... viaggiatori cinesi [...] si trovano a tenere in mano e molto spesso a non lasciare mai più. Un trend ancora poco diffuso se si considera che centinaia di milioni di cinesi hanno visto forchetta e coltello solo in televisione, ma significativo, perché l'immagine della Cina (*in*) .... mondo è rappresentata dai «pochi» sempre più abili ad arrotolare .... spaghetti. Sul web il dibattito è acceso. Come e a che età insegnare a usare i «kuaizi»? È giusto che una ragazza alla moda esibisca .... posate se invita gli amici a cena? Per arrivare a discussioni impegnate [...]. Sembra infatti [...] che .... uso delle bacchette contribuisca (*a*) .... sviluppo (*di*) .... intelligenza [...] Ne è convinto il professor Li Zhengtong [...]: «L'ingegno degli infanti[2] sta nelle mani, di cui le bacchette sono il prolungamento».

(*Adattato da www.lastampa.it, 10-08-2011*)

1. **i salotti bene**: ambienti di livello sociale alto
2. **infanti**: bambini

L'articolo indeterminativo

[ConTesto]

A Osserva i seguenti titoli tratti da diverse fonti. Quali differenze noti fra l'italiano e l'inglese per quanto riguarda l'uso dell'articolo indeterminativo? Riporta le tue riflessioni nella tabella in fondo.

HUGH GRANT DIVENTA PAPÀ A 51 ANNI DOPO UNA «RELAZIONE FUGACE»
(*www.corriere.it, 2-11-2011*)

Not-Two is Peace. La danza come simbolo di pace.
(*www.lanazione.it, 1-12-2011*)

Carlo ha trovato lavoro?

Sì, fa il professore in un liceo privato.

Proprio il lavoro per lui, parla come un professore!

NOTA BENE

Quando ci si riferisce a un lavoro o una professione, spesso usiamo il verbo ***fare*** **+ articolo determinativo + lavoro/professione**.

In italiano	In inglese

[Esercizi]

1 **Nella seguente rielaborazione di un testo che hai già letto mancano 10 articoli indeterminativi. Inseriscili al posto giusto e nella forma corretta.**

Io e Paul ci siamo sposati a metà ottobre a Cambridge e due giorni dopo siamo partiti per l'Italia. Ci siamo sempre trovati bene in Italia e volevamo vedere di nuovo Roma. A Roma abbiamo noleggiato auto e siamo partiti per l'Umbria, regione bellissima. Abbiamo visto prima Spoleto, la città del Festival dei Due Mondi. La montagna spoletana è molto bella e abbiamo fatto escursione sul Monte Luco, dove abbiamo visto il Bosco Sacro e da cui si gode splendido panorama. Ci hanno anche consigliato altra passeggiata panoramica: il giro dei Condotti, con vista eccezionale da cui si vede la Valle Umbra. Poi siamo partiti per Perugia, per vedere Eurochocolate, la fiera della cioccolata! Da Perugia siamo partiti per il Trasimeno, lago di bellezza unica.
Abbiamo passato due notti a Paciano, paesino medievale molto carino e, giorno, con il traghetto, siamo andati a vedere l'isola Maggiore, delle isole del lago. Infine siamo andati a Gubbio per il mese del tartufo a novembre. Da Gubbio siamo ripartiti per Roma e da lì siamo ritornati in Inghilterra.

2 **Nel seguente testo, scegli se usare l'articolo indeterminativo o no.**

Lucia è --- / una contabile e prima lavorava come --- / un'impiegata in un ufficio, ma recentemente ha perso il lavoro e non è riuscita a trovare un / --- altro posto fisso. I primi tempi aveva un / --- mal di stomaco dalla preoccupazione di non trovare lavoro, poi si è messa pensare in --- / un modo più positivo. Siccome ha --- / una vera passione per gli animali, soprattutto i cani, ha deciso di diventare --- / una dog-sitter.
Prima ha frequentato un / --- corso di formazione di base. Poi ha messo --- / un annuncio nel supermercato vicino a casa sua e ha ricevuto subito molte richieste. Infatti ci sono molte persone che non hanno --- / un tempo di occuparsi dei loro animali. Lucia ha scoperto che questo lavoro è ideale per lei: è flessibile, è anche un hobby oltre che un lavoro, guadagna dei soldi facendo una / --- cosa che le piace veramente, e può stare molto all'aria aperta e mantenersi in forma. Finora questa è --- / un'esperienza molto positiva per lei e non vorrebbe tornare indietro. Che bella --- / un'idea che ha avuto!

3 Completa la seguente intervista scegliendo l'opzione corretta tra le tre proposte.

Roma - **Richard Gere torna al Festival per il premio alla carriera**
(A cura di *Francesca Fiorentino*)

[...] È durata due anni un' / l' /--- assenza di Richard Gere dal Festival Internazionale del Film di Roma che lo accoglie di nuovo a braccia aperte dopo l'exploit di *Hachiko - Il tuo migliore amico* [...] Gli organizzatori di una / di / della rassegna cinematografica capitolina hanno deciso di assegnare al brizzolato più famoso di Hollywood il Marc'Aurelio a / all' / a un attore [...]; questa una /--- / la sera [...] Gere presenzierà alla proiezione della versione restaurata di *I giorni del cielo*, il film di Terrence Malick in cui recitava al fianco di Brooke Adams e Sam Shepard. [...]

Signor Gere, che effetto le fa rivedersi giovanissimo nel film di Malick?

Io non mi ricordo quasi niente di quei momenti, ero così giovane, avevo solo 26 anni. Oltretutto non mi sono mai rivisto in quel film. Io e mia moglie non vediamo --- / un' / l' ora di assistere a / alla / a una proiezione. So che la / una /--- copia che verrà presentata è davvero molto bella, quasi perfetta. Lo so che questo discorso può sembrare strano, ma per me fare --- / l' / un attore è solo un / il / --- mestiere, non ho aspettative eccessive nei confronti di questo lavoro. [...]

E qual è la sua storia? Ricorda il momento preciso in cui ha deciso di diventare attore?

Ma io non ho ancora deciso! (Ride) Quando crescerò forse... Torniamo seri. Immagino volessi diventare un / l' /--- attore, altrimenti non sarebbe successo. Io amavo il teatro ed esibirmi sul palcoscenico davanti al pubblico. Era la /--- / una cura contro la / una /--- timidezza.

(Adattato da www.movieplayer.it)

4 Leggi l'intervista fatta al giornalista e scrittore Beppe Severgnini. Alcuni degli articoli sono evidenziati. Decidi se sono corretti o sbagliati e completa la tabella indicando la forma corretta per i casi in cui l'articolo è sbagliato o non andrebbe usato. Segui l'esempio.

Ha mai pensato di scrivere un libro, in stile Severgnini, per chi vuole fare un giornalista?

Un libro? Francamente, no. Tuttavia, nel mio forum "Italians" [...], rispondo spesso su questo l'argomento. Sempre con una certa malinconia, devo dire. [...] Per i giovani non è entusiasmante. Però è vero che le stesse cose - più o meno - le dicevano a me, 25 anni fa, quando ho cominciato. Eppure adesso sono qui a rispondere a voi come un professionista più o meno affermato [...].

Si metta nei panni dell'aspirante giornalista [...] che cerca lavoro. Che suggerimenti pratici gli darebbe per evitare che la sua candidatura sia subito cestinata?

[...] Dunque, gli direi: non offrire solo la tua buona volontà e la tua disponibilità (che sono scontate). Offri le tue competenze (laurea utile, scuola di giornalismo, inglese ottimo), le tue informazioni (viaggi, letture) e le tue idee. [...]

E lei come ha mosso i primi passi?

Durante l'università (a Pavia) tenevo una rubrica sul quotidiano "La Provincia" di Cremona (ci ho messo l'anno per ottenerla!). Primo pezzo: 21 gennaio 1979, avevo compiuto da poco 22 anni. Un lettore ritagliò i miei pezzi e li spedì a Montanelli: lui mi mandò a chiamare, alla fine del 1980. [...] Ricordo: non trovavo via Negri, sede del "Giornale", e pioveva. Sono arrivato nel suo studio con la giacca a vento zuppa, e gliel'ho allagato. È stato il signore: mi ha chiesto se ero stato a sciare. Comunque è andata bene: nel 1981 bazzicavo già la redazione, e nel 1984 ero a Londra come un corrispondente.

I suoi libri mettono spesso in confronto l'Italia col resto del mondo. Facciamo allora un confronto tra le modalità di accesso alla professione giornalistica: c'è un paese che presenta un modello particolarmente efficace?

Forse la Gran Bretagna, dove un mercato è davvero aperto. Il posto non è garantito per legge, ma lo diventa di fatto, se sei bravo e utile. [...]

Riepilogando, quali consigli in pillole suggerisce agli aspiranti e quali le avvertenze?

[...] l'attitudine, una voglia, la grinta, una fatica, qualche buon incontro, la testardaggine, la lettura, l'allenamento, la fortuna, la fantasia, la lingua inglese e internet possono portare lontano. Quindi: non mollare (mai).

(Adattato da www.pennedigitali.wordpress.com)

ARTICOLO	CORRETTO	SBAGLIATO	FORMA CORRETTA
Un		X	il

5 Traduci in inglese questo brano tratto dall'intervista a Severgnini dell'esercizio 4. Naturalmente dovrai utilizzare la versione corretta dell'intervista. Controlla quindi di aver risolto correttamente l'esercizio precedente.

Durante l'università (a Pavia) tenevo una rubrica sul quotidiano "La Provincia" di Cremona (ci ho messo l'anno per ottenerla!). Primo pezzo: 21 gennaio 1979, avevo compiuto da poco 22 anni. Un lettore ritagliò i miei pezzi e li spedì a Montanelli: lui mi mandò a chiamare, alla fine del 1980. [...] Ricordo: non trovavo via Negri, sede del "Giornale", e pioveva. Sono arrivato nel suo studio con la giacca a vento zuppa, e gliel'ho allagato. È stato il signore: mi ha chiesto se ero stato a sciare. Comunque è andata bene: nel 1981 bazzicavo già la redazione, e nel 1984 ero a Londra come un corrispondente.

[Sintesi Grammaticale]

L'ARTICOLO DETERMINATIVO

In italiano l'articolo determinativo viene usato in molti casi in cui invece in inglese non si usa, come illustrato nel capitolo e negli esempi in questa sintesi grammaticale.

ITALIANO E INGLESE A CONFRONTO	Esempi	
In italiano l'articolo determinativo si usa prima di:		
• parole che indicano termini geografici come continenti, nazioni, regioni, zone geografiche, valli, monti, mari, laghi, fiumi, isole grandi, gruppi di isole, parchi nazionali, vulcani; l'articolo **non** si usa quando queste parole sono al singolare, non specificate e precedute dalla preposizione *in*;	***L'Europa*** *Europe* • ***l'Italia*** *Italy* • ***la Toscana*** *Tuscany* • ***l'Everest*** *Mount Everest* • ***il Vesuvio*** *Mount Vesuvius* • ***la Corsica*** *Corsica* • ***il Trasimeno*** *Lake Trasimeno* • ***il Mediterraneo*** *the Mediterranean (Sea)* • ***il Tevere*** *the river Tiber* • ***il Parco Nazionale d'Abruzzo*** *Abruzzo National Park* ***Vado in Australia.*** *I'm going to Australia.*	
• parole che indicano nazionalità, lingue e titoli onorifici; l'articolo invece **non** si usa quando usiamo il titolo rivolgendoci in maniera diretta alla persona;	***gli italiani***	*the Italians/Italians/Italian people*
	Parlo bene il francese.	*I speak French well.*
	il Dottor Rossi	*Doctor Rossi*
	Come sta, Dottor Rossi?	*How are you, Doctor Rossi?*
• con i cognomi di donne, anche se in questo caso l'articolo è largamente usato ma non più obbligatorio;	***La Loren***	*Sophia Loren*
• parole che indicano una data, un anno specifico, un secolo, un orario, un giorno della settimana ripetuto nel tempo, un nome seguito da un numero, una fascia d'età e una percentuale;	***il 10 aprile 1924*** *10 April 1924* • ***il 2014*** *2014* • ***il '700*** *the 18th century/the 1700s* • ***le 2*** *2 o'clock*	
	Vado al cinema il sabato.	*I go to the cinema on Saturdays.*
	la camera 223	*room 223*
	Ha fra i 31 e i 40 anni.	*He is between 31 and 40.*
	il 20%	*20 %*
• con la preposizione *su* seguita da un numero cardinale per indicare che è approssimativo;	***Ha sui vent'anni.*** *He's around 20.*	
• nomi di monumenti, istituti, partiti, associazioni, società, aziende, marchi e prodotti;	***il Colosseo***	*the Colosseum*
	il Partito Democratico	*the Democratic Party*
	il Liverpool	*Liverpool F.C.*
	la Fiat	*Fiat*
	gli U2	*U2* ma ***i Beatles*** *the Beatles*
• talvolta prima di nomi di palazzi (se non sono seguiti da un cognome di famiglia);	***il Palazzo Reale***	*the Royal Palace*
	Palazzo Pitti	*Pitti Palace*

ITALIANO E INGLESE A CONFRONTO	Esempi	
• parole relative a parti del corpo, frasi che indicano una descrizione fisica e parole relative a sintomi, malesseri o malattie;	***il cuore*** ***Ho gli occhi azzurri.*** ***Ho il raffreddore.***	*the heart* *I have blue eyes.* *I have a cold.*
• plurali generali, sostantivi non numerabili (come sport, religioni, sentimenti ecc.), colori, sostanze e materiali. Negli elenchi, però, si tende a non usare l'articolo determinativo.	***Mi piace la pasta.*** *I like pasta.* • ***il buddismo*** *Buddhism* • ***il calcio*** *football* • ***l'onestà*** *honesty* • ***i giovani*** *young people* ***Dobbiamo comprare pane, latte, caffè e pasta.*** *We must buy bread, milk, coffee and pasta.*	

L'ARTICOLO INDETERMINATIVO

L'italiano e l'inglese sono simili nell'uso dell'articolo indeterminativo, anche se ci sono alcune differenze.

ITALIANO E INGLESE A CONFRONTO	Esempi	
I casi in cui in italiano **non** si usa, a differenza dell'inglese, sono:		
• in frasi enfatiche espresse da *che* + sostantivo singolare o plurale;	***Che bella giornata!***	*What a beautiful day!*
• con i verbi *essere, diventare* e *avere* seguiti da professione, stato civile, stato sociale e stato di salute;	***Sono architetto.*** ***Sono scapolo.*** ***Voglio diventare pilota.*** ***Ho mal di gola.***	*I'm an architect.* *I'm a bachelor.* *I want to become a pilot.* *I have a sore throat.*
• in frasi introdotte da *come* + sostantivo quando *come* ha il significato di *in funzione/in qualità di*.	***Lavoro come segretaria.***	*I work as a secretary.*

2 IL SOSTANTIVO

- **Il genere dei sostantivi in italiano**
- **La formazione del plurale**

Il genere: maschile o femminile? Persone, cose, animali

[ConTesto]

A **Leggi i testi e sottolinea tutti i sostantivi.**

“Tre famiglie

Anna e Riccardo abitano fuori Roma con le due figlie e il figlio. Abitano in una casa con giardino e hanno un cane, un magnifico springer spaniel. Lei è insegnante di matematica, mentre Riccardo ha studiato economia ed è impiegato di banca. Lei adora il suo lavoro e non lo cambierebbe, mentre lui avrebbe preferito fare il pilota, tanto che ha anche preso il brevetto. In mancanza di un aereo, va in giro con la moto! Anche per Anna però fare la professoressa non è l'unica passione, e a tempo perso fa l'attrice in una compagnia teatrale amatoriale in cui è entrata grazie a una collega.

Elisabetta è una madre single e ha una figlia di 10 anni. È parrucchiera e quindi sta fuori casa molte ore al giorno, ma per fortuna i suoi genitori sono molto disponibili e la nipote sta con loro durante il pomeriggio che è sempre impegnativo perché oltre ai compiti fa anche molto sport. La domenica e il lunedì Elisabetta è libera dal lavoro e si dedica completamente alla figlia. Anche se a volte è faticoso crescere una figlia da sola, Elisabetta è fortunata perché ha l'aiuto dei suoi genitori. Cosa farebbe l'Italia senza i nonni?

Patrizia e Giovanni sono sposati da 16 anni e la loro è una famiglia allargata. Abitano con la figlia che Patrizia ha avuto dal primo marito, i due figli maschi che Giovanni ha avuto dalla prima moglie e la figlia che hanno avuto insieme. E non bisogna dimenticare la gatta! Il figlio grande di Giovanni è sposato e ha un bambino, quindi Giovanni è già nonno. Nonostante la grande famiglia, Giovanni e Patrizia hanno anche il tempo di lavorare: lui è barista, mentre lei fa la receptionist in un albergo. ”

NOTA BENE

In italiano le abbreviazioni mantengono il genere della parola completa. La parola ***moto*** sembra maschile perché termina in *-o*, ma è femminile perché viene da *motocicletta*. Altre parole comuni in questa categoria sono ***foto*** (fotografia), ***auto*** (automobile) e ***bici*** (bicicletta).

NOTA BENE

L'italiano in generale attribuisce alle parole straniere il genere che queste hanno nella lingua d'origine (nel caso di altre lingue che attribuiscono un genere ai sostantivi: ***il parquet***, ***la movida***, ecc.) o quello del corrispondente italiano (***il look/l'aspetto, la t-shirt/ la maglietta***). Nel caso delle parole inglesi non c'è sempre un corrispondente italiano a disposizione, soprattutto per le parole introdotte più recentemente, come ***il social network*** e ***il mobbing***. A queste parole si attribuisce generalmente il genere maschile.

NOTA BENE

In italiano alcuni nomi di animali hanno due forme distinte per indicare il maschio e la femmina, come ***il gallo*** e ***la gallina***, ma per molti animali c'è una sola forma che indica entrambi i generi: ***la volpe***, ***la giraffa***, ***il delfino***, ***il serpente***, ecc.

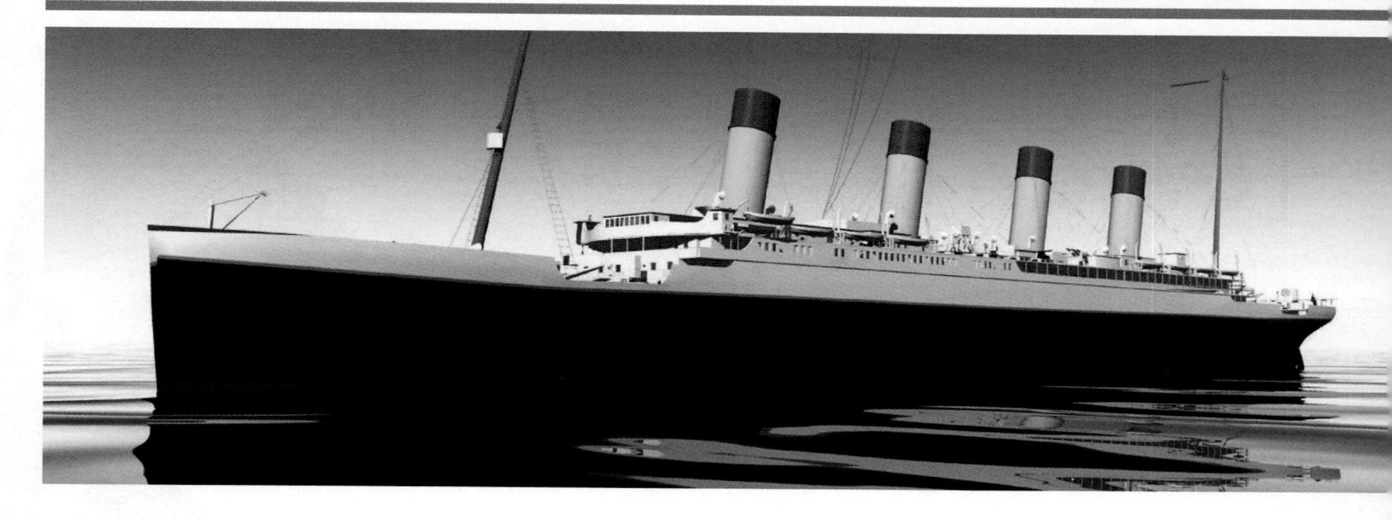

B Ora indica se i sostantivi dell'attività A sono maschili, femminili o se si possono associare a entrambi i generi. Poi rifletti: gli equivalenti inglesi indicano un nome maschile, femminile o neutro?

C Ora leggi questi due brevi testi sull'affondamento della famosissima nave Titanic. Cosa noti rispetto al nome della nave in italiano e in inglese?

La RMS Titanic è stata una nave passeggeri britannica, diventata famosa per la collisione con un iceberg nella notte del 14 aprile 1912 e il conseguente drammatico affondamento avvenuto nelle prime ore del giorno successivo. [...] Il Titanic rappresentava la massima espressione della tecnologia navale di quei tempi ed era il più grande e lussuoso transatlantico del mondo.

(Adattato da http://it.wikipedia.org)

The story of the Titanic and the iceberg has grown into a legend of the sea. It took her discovery in 1985 to begin to find the truth behind the myth. One of the things that makes the Titanic so fascinating is that she represented the best of technology when she set sail on her ill-fated voyage in 1912.

(Adattato da http://octopus.gma.org)

D Nella seguente tabella indica la forma maschile o femminile dei sostantivi riferiti a persone e animali, che sono tratti dai testi dell'attività A. Come si può formare il femminile di un sostantivo? E in inglese? Quali sono le differenze e i punti di contatto tra le due lingue?

MASCHILE	FEMMINILE	IN INGLESE
figlio		
insegnante		
impiegato		
pilota		
	professoressa	
	attrice	
	collega	
cane		
	madre	
	parrucchiera	
	nipote	
marito		
	gatta	
bambino		
nonno		
barista		
	receptionist	

[Esercizi]

1 Leggi le caratteristiche attribuite ai piemontesi e ai torinesi, sottolinea tutti i sostantivi e decidi se sono maschili o femminili inserendoli nella tabella a fianco come nell'esempio.

CARATTERISTICHE DEI PIEMONTESI

1. *senso del dovere*
2. *serietà e durezza del carattere*
3. *severità e rigidità nell'educazione*
4. *rispetto e discrezione*
5. *prudenza e misuratezza*
6. *diplomazia (piemontesi falsi e cortesi)*
7. *avversione per la confusione e il disordine*
8. *avarizia (parsimoniosità e abilità amministrative)*
9. *carattere chiuso e diffidente*
10. *pignoleria (fino alla maniacalità)*

CARATTERISTICHE DEI TORINESI

1. *innato riserbo sabaudo*[1] *e individualismo*
2. *perseveranza, ostinazione, abitudinarietà*
3. *insofferenza verso le novità e sospetto per le innovazioni*
4. *fede nella magia e nel soprannaturale*
5. *sobrietà (mai fare il passo più lungo della gamba*[2]*)*
6. *efficientismo sabaudo (inventiva e creatività)*
7. *provincialismo sabaudo*

(Adattato da http://forum.ilmeteo.it)

1. **sabaudo**: relativo ai Savoia, la casa reale italiana che governava prima della Repubblica
2. **fare il passo più lungo della gamba**: impegnarsi in qualcosa o vivere al di sopra delle proprie possibilità

MASCHILE	FEMMINILE
senso	serietà
dovere	durezza

2 Probabilmente qualche volta hai trovato difficile decidere se una parola che termina in *-e* al singolare oppure in *-i* al plurale è maschile o femminile. Decidi se le parole sottolineate nell'articolo seguente sono maschili o femminili inserendole nella tabella, e rifletti su cosa ci aiuta a capirlo.

Famiglia sì, ma allargata!

di Laura Simoncelli

Alcuni mesi fa, mentre guardavo la televisione, sono incappata nella pubblicità di una nota autovettura station-wagon. Un papà che porta a scuola il figlio avuto dalle prime nozze. Quindi accompagna la bimba più piccola, quella nata dal secondo matrimonio, a scuola di danza e infine riporta a casa il terzo ragazzo, il figlio dell'attuale moglie con il suo primo marito. In pochi minuti lo spot ha dimostrato, ovviamente, la spaziosità dell'auto. Allo stesso tempo [...] il ritratto della società moderna conferma che siamo negli anni della famiglia allargata.
A sottolinearlo è anche l'ultimo studio dell'Ined (Ente nazionale studi demografici), che evidenzia la nuova inclinazione: più separazioni, nuovi amori, più figli. [...]
È infatti la seconda unione ad incentivare il desiderio di un altro figlio, frutto e prova del nuovo amore che si consolida. Avere avuto figli da precedenti relazioni non inibisce, quindi, il desiderio della cicogna[1]. Anzi, è vero il contrario. [...] Ormai non fa certo più scalpore il figlio di divorziati sui banchi di scuola. Non sono passati poi secoli da quando ero piccola io, ma come sono cambiate le cose: ricordo che nella mia classe c'era un compagno con i genitori separati e tutti noi alunni ci chiedevamo come vivesse, quando vedeva il papà e la mamma e con chi andava a dormire la sera. [...] Niente a che vedere con la situazione di oggi. Maggiore libertà ed emancipazione hanno, giustamente, sostituito tabù e pregiudizi. [...] Però nella mia attuale famiglia siamo solo in tre: io, mio marito e nostra figlia. E già mi accorgo che complicanze, disguidi e incomprensioni sono all'ordine del giorno. Non oso immaginare la complessità della gestione di una realtà allargata!

(Adattato da www.popolis.it)

MASCHILE	FEMMINILE

1. **il desiderio della cicogna**: il desiderio di avere bambini

3 Immagina che il mondo sia popolato solo da donne e trasforma di conseguenza le parole evidenziate nella lettera seguente.

Troppo furbetti su metrò e tram e se tornassero i bigliettai?

Cara signora Bossi, sono molto stupito del fatto che nessun politico o amministratore pubblico italiano adotti la soluzione più semplice per risolvere il problema dei cosiddetti portoghesi[1]. In tutti i Paesi civili europei e americani il passeggero sale in vettura dalla porta anteriore e mostra oppure oblitera il biglietto o semplicemente paga la corsa direttamente al conducente del mezzo pubblico. La faccenda si svolge senza alcun trauma da parte del conducente che una volta caricati i passeggeri, riparte.
Chi non ha monete viene invitato a scendere e se non è l'autista sono gli stessi passeggeri che attendono di salire sul bus ad invitarlo a scendere celermente. È mai possibile che da noi sia impossibile adottare una simile semplice procedura? Lo stesso dicasi per la metropolitana dove si entra ed esce sempre e solo con il biglietto. Chi non ce l'ha non può uscire dai tornelli e automaticamente viene pizzicato dai controllori. Cerchiamo di fare i piccoli passi che restituiscono ai cittadini onesti la dignità di essere riconosciuti tali stoppando la dilagante furbizia di chi è sempre sicuro di farla franca.

1. **i portoghesi**: qui non si fa riferimento alle persone originarie del Portogallo. È un'espressione idiomatica per indicare le persone che usufruiscono di un servizio senza pagare il biglietto (in questo caso chi prende l'autobus senza il biglietto)

4 Per fare pratica con il genere dei sostantivi, completa la risposta alla lettera dell'attività 3 con gli articoli determinativi e l'ultima lettera degli aggettivi. Nel caso di una preposizione o di un articolo indeterminativo, scegli l'opzione corretta tra le due proposte.

Sono molt...... .... lettere che trattano .... problema dei portoghesi e sono molti i lettori che propongono .... stess...... su...... soluzione adottando quell...... in uso nella maggioranza degli / delle altr...... Paesi: di pagare, cioè, il biglietto direttamente al conducente. Vista la frequenza della / del tema, a suo tempo mi ero informata e mi era stato detto che in Italia veniva considerato pericoloso far viaggiare dei mezzi pubblici [...] con del danaro a bordo, sia pure chiuso dentro a delle macchinette. Tropp...... .... tentazione, per i malintenzionati, di andare all'assalto di autobus o tram [...]. E posso immaginare che su questo argomento sia decisivo .... parere dei / delle sindacati. L'informazione ricevut...... a suo tempo mi fece una / un cert...... impressione, perché lasciava supporre una / un situazione simile a qualche contrada violenta dell'America Latina; e non ho potuto non ripensare agli anni – nemmeno così straordinariamente lontani – nei quali sugli / sulle autobus c'erano i bigliettai che ancora non riponevano il danaro in qualche macchinetta a chiusura ermetica bensì in un borsellino legato in vita.

(Adattato da http://milano.corriere.it)

5 Traduci in italiano le seguenti frasi spiritose sugli italiani.

ITA ENG

1. Italians have only two things on their mind. The other one is spaghetti. (*Catherine Deneuve*)
2. Humility is a stupendous virtue. The trouble is that many Italians apply it when filling in the tax form. (*Giulio Andreotti*)
3. An Italian is a Latin lover, two are a mess, three make up four political parties. (*Beppe Grillo*)
4. French are Italians with bad temper. Italians, on the contrary, are French with good humour. (*Jean Cocteau*)
5. If you meet three car drivers: in England they set up a club, in France a "menage à trois", in Italy they create a traffic jam.
6. In Germany a new patent of a special machine made sensation. It catches thieves in only five minutes. Installed in the USA, it allowed 1000 thieves to be caught in five minutes while in Japan 6000 thieves were nabbed in five minutes. Installed in Italy it was stolen in five minutes.

(Adattato da www.lifeinitaly.com)

Il genere: le professioni delle donne

[ConTesto]

Nella lingua italiana, il femminile di alcune professioni un tempo solo maschili si trova in una "zona grigia" e gli italiani non si sono ancora messi d'accordo su come chiamare una donna che fa, per esempio, il ministro. Quando le donne hanno iniziato a svolgere questa professione, come altre, si usava semplicemente la forma maschile anche per loro. In anni più recenti, accanto a questa, la nostra lingua ne ha adottate altre meno sessiste, come donna ministro *e* ministra.

A Leggi l'articolo. In inglese come si distingue una donna da un uomo nell'ambito delle professioni evidenziate in neretto? Come si differenziano le due lingue?

Le professioni delle donne

I linguisti Valeria Della Valle e Giuseppe Patota hanno scritto un articolo in cui parlano, tra le altre cose, di questo problema. In sintesi, dicono che accanto ai più vecchi termini *operaia*, *impiegata*, *dottoressa*, *professoressa*, *ispettrice*, *segretaria*, che esistono da moltissimo tempo, oggi siamo incerti se dire *vigile* o *vigilessa*, *avvocata*, *donna avvocato* o *avvocatessa*, *ministro*, *donna ministro* o *ministra*. Per fare un po' d'ordine nella nostra lingua, ci danno alcuni consigli:

1. evitare il più possibile le parole che terminano in *essa*. A parte *campionessa*, *dottoressa*, *poetessa*, *professoressa*, *studentessa*, che ormai si sono affermati nell'uso, gli altri femminili in "essa" hanno una sfumatura ironica o spregiativa;
2. non formare il femminile unendo la parola *donna* al nome della professione. Ciò suggerisce di considerare particolare una condizione che dovrebbe essere normale;
3. estendere il più possibile l'uscita in *a*, perché non c'è nessun motivo, grammaticale o sociale, per non farlo: via libera, dunque, ad *architetta*, *assessora*, *avvocata*, *chimica*, *consigliera comunale*, *controllora*, *deputata*, *ferroviera*, *filosofa*, *fisica*, *grafica*, *ingegnera*, *magistrata*, *matematica*, *ministra*, *notaia*, *poliziotta*, *prefetta*, *sindaca*, *soldata*, e così via;
4. considerare non solo maschili, ma anche femminili molti nomi di professione che escono in e, semplicemente premettendo l'articolo *la*: *la giudice*, *la presidente*, *la vigile* (naturalmente il suggerimento non vale per quei nomi maschili che finiscono in e e che hanno un corrispettivo femminile già affermato: *ambasciatore/ambasciatrice, ispettore/ispettrice* [...]).

(Adattato da www.sanpaolo.org)

[Esercizi]

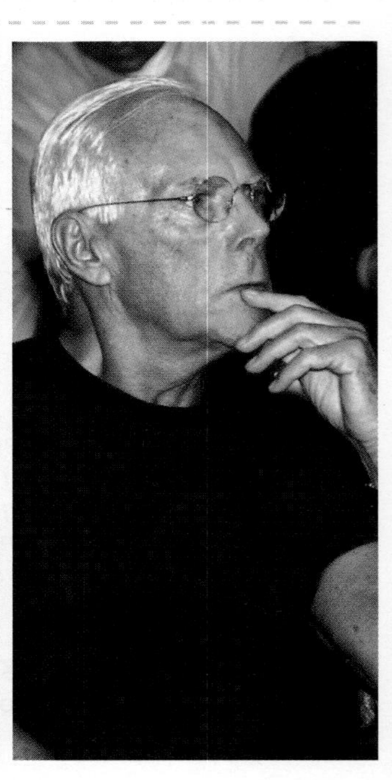

1 **Le seguenti coppie di persone svolgono o hanno svolto la stessa professione. Completa le frasi con la parola che manca, al maschile o al femminile, senza dimenticare l'articolo appropriato! Segui i suggerimenti del testo dell'attività A alla pagina precedente.**

1. Giorgio Armani è uno stilista famoso in tutto il mondo, come .... Elsa Schiaparelli lo era negli anni Trenta del Novecento.
2. .... irlandese Seamus Heaney ha vinto il premio Nobel, ma a me piace anche la poetessa italiana Alda Merini, anche se è molto meno nota.
3. Preferisci lo scrittore Stefano Benni o .... Dacia Maraini?
4. Il dottore e .... Biagini sono una coppia nella vita e nel lavoro.
5. .... Andrea Galli e la giornalista Marta Segantini sono partiti per il Medio Oriente per un servizio molto importante.
6. Il professore di italiano del liceo ha avuto una forte influenza su di me, così come .... di storia e quella di latino.
7. In una sala così piena di gente ci sono solo .... e una cameriera. Ma quanto dovremo aspettare per essere serviti?
8. L'atleta Fiona May è stata .... di salto in lungo. Il marito Gianni Iapichino non è stato un campione, ma è stato anche lui .... , specializzato nel salto in lungo e nel salto con l'asta.
9. Preferisci il cantante Bono o .... Sinéad O'Connor?
10. La romanità moderna è stata molto ben rappresentata da un attore come Alberto Sordi e da .... come Anna Magnani.
11. L'incarico di sindaco di Roma è stato ricoperto da Giorgio Alemanno, Walter Veltroni e tanti prima di loro. La capitale non ha ancora avuto ....
12. L'.................... Giorgio Squinzi è l'attuale presidente della Confindustria. Lo ha preceduto l'imprenditrice Emma Marcegaglia, che è stata la prima donna a ricoprire il ruolo di ....
13. Normalmente sui treni passa un controllore, ma ora si vede spesso anche ....
14. Il nuovo grafico è bravissimo, ma andavo più d'accordo con .... con cui lavoravo prima.

I sostantivi che cambiano genere

[ConTesto]

Mentre in inglese ci sono parole che si scrivono in modo diverso ma si pronunciano nello stesso modo, in italiano ci sono sostantivi che cambiano genere, e di conseguenza cambiano anche significato. Qualche volta questi diversi significati sono abbastanza vicini, altre volte non hanno niente a che vedere l'uno con l'altro.

A Leggi le seguenti coppie di estratti da articoli di giornale. Qual è la differenza tra le coppie di parole evidenziate?

Emma stringe un piccolo **foglio** di carta in mano come se fosse un trofeo

[...] NELLE STATUE, È IMPORTANTE OGNI MINIMO SEGNO, DETTAGLIO: OGNI **FOGLIA** D'ALBERO, COLORE, GESTO [...]

Mattia (Luca Argentero) decide di partecipare a un **corso** di pasticceria.

Una **corsa** leggera, andare in bici, nuotare [...]

IL **PARTITO** DEMOCRATICO SI PREPARA ALLA SFIDA DELLE PRIMARIE (14 OTTOBRE L'IPOTESI) PER SCEGLIERE IL CANDIDATO PREMIER.

[...] Abbiamo preso un caffè dopo la **partita** dell'Olimpico

(www.corriere.it)

[Esercizi]

1 **Le seguenti frasi spiegano la differenza tra coppie di parole, una maschile, l'altra femminile, con cui spesso ci si confonde. Completa con la parola corretta tra le due proposte.**

1. Il banco o la banca?
.... è il luogo in cui abbiamo il conto corrente, mentre .... è un mobile, che si trova per esempio in un'aula scolastica.

2. Il porto o la porta?
.... è quella cosa che si apre per entrare o uscire da una stanza, mentre .... è un luogo dove arrivano e da cui partono le navi.

3. Il mento o la menta?
.... è una parte del corpo che si trova sotto la bocca, mentre .... è un'erba aromatica.

4. Il tavolo o la tavola?
.... è un mobile che usiamo per esempio per mangiare. Quando questo mobile è apparecchiato per un pasto lo chiamiamo .... E non dimenticare .... da surf!

5. Il suolo o la suola?
.... è la parte della scarpa che è a contatto con .... !

6. Il politico o la politica?
.... è un uomo il cui lavoro è... .... !

7. Il buco o la buca?
.... è un'apertura generalmente abbastanza piccola, mentre .... è una cavità nel terreno, per esempio su una strada tenuta male o su un campo da golf. E se vuoi mandare una lettera, devi usare .... delle lettere!

8. Il costo o la costa?
.... è quella parte di un territorio che si trova tra la terra e il mare. Niente a che vedere con .... , che è la somma di denaro che bisogna spendere per comprare qualcosa!

2 **Completa i seguenti brani scegliendo l'opzione corretta.**

1. L'Is Molas Golf Club è situato a 30 km da Cagliari, nella costa / nel costo sud-occidentale della Sardegna. [...] Consta complessivamente di 27 buchi / buche.

2. Modena trema, due forti scosse di terremoto. Clini: "15 anni per la sicurezza del suolo / della suola" [...] In 15mila senza casa. [...]Le misure delle banche / dei banchi per la popolazione colpita.

3. [...] L'assenso alla donazione può essere espresso iscrivendosi all'AIDO [...]; oppure è sufficiente scrivere su una foglia / un foglio [...] la propria volontà con l'indicazione dei dati anagrafici personali, data e firma.

4. Le bocce *petanque* sono un tipo particolare di bocce, nato in Francia. Oggi a scuola è stata festeggiata la fine del corso / della corsa, tenuto in orario scolastico da istruttori della Ponchielli.

5. Ilias Kasidiaris, un parlamentare della partita / del partito filonazista greco Chrysi Avgì [...] ha aggredito fisicamente altri due deputati nella corsa / nel corso di una trasmissione in diretta sulla tv privata Antenna.

6. Volodymyr Babynets è apparso in fondo al corridoio che porta all'aula del gip[1] . Capo basso, manette ai polsi, è stato inghiottito dall'aula [...]. Poi il porto / la porta si è chiusa e l'udienza è iniziata. Stesso atteggiamento all'uscita: occhi e mento / menta rivolti al pavimento [...].

1. **gip**: giudice per le indagini preliminari

La formazione del plurale: nomi collettivi, sostantivi che non cambiano al plurale e plurali irregolari

[ConTesto]

A Leggi i seguenti stereotipi sugli italiani. Poi scrivi le parole evidenziate accanto alle categorie giuste, come nell'esempio. Attenzione: alcune parole non vanno inserite in nessuna categoria.

- La loro cucina è la migliore e sono magri grazie alla dieta mediterranea, pur mangiando gli spaghetti tutti i giorni.
- Gli uomini sono mammoni. Oltre alla mamma amano il calcio e le donne. Infatti hanno la fama di essere i migliori amanti del mondo. Fascino e seduzione sono armi molto in uso in Italia!
- Parlano tutti allo stesso tempo e gesticolano. Hanno le mani sempre in movimento e sono molto rumorosi!
- Sono imbroglioni. O almeno questo si deduce da molti film e serie TV all'estero.
- Non usano molto gli autobus, amano le auto veloci e guidano come pazzi. E non lasciano attraversare i pedoni... Forse perché non sono molto abituati ad andare a piedi.
- In Italia si può bere a tutte le età.
- Il governo fa quello che vuole, ma il popolo non dice niente!
- La famiglia protegge sempre i suoi membri ed è l'istituzione italiana che funziona meglio. Le mamme sono molto protettive e difendono i figli con le unghie e con i denti.
- Il sole splende tutto l'anno, in tutte le regioni.
- Ci sono milioni di scooter sulle strade, ma molte meno bici che da noi.
- Bevono molti caffè al giorno, ma il cappuccino solo la mattina.
- Gli uomini curano i capelli quanto le donne.
- Portano sempre gli occhiali da sole, con qualunque tempo e a qualunque ora.
- Non rispettano le leggi.
- Non parlano bene le lingue straniere, ma in qualche modo si fanno capire. Amano tutti gli sport... soprattutto in poltrona!
- Mangiano il panettone solo a Natale, e le uova di cioccolato solo a Pasqua.
- Sono molto abituati alle crisi di governo, praticamente da sempre.

NOTA BENE

I nomi collettivi come ***gente***, ***governo***, ***polizia*** ecc. in italiano sono sempre singolari.

NOTA BENE

La parola ***uova*** è un plurale irregolare particolare: non solo finisce in *-a*, ma cambia anche genere, diventando femminile. Il singolare è infatti maschile (*l'uovo*). Ricordi altre parole che hanno questo comportamento?

→ Parole che non cambiano al plurale (e perché) ....

....

→ Plurali irregolari in italiano e in inglese ....

→ Plurali irregolari in italiano e regolari in inglese *uova,* ....

→ Plurali regolari in italiano e irregolari in inglese ....

→ Parole con significato singolare in italiano e plurale in inglese *governo,* ....

→ Parole con significato plurale in italiano e singolare in inglese ....

[Esercizi]

1 Scrivi sotto ogni foto i nomi degli animali del bosco, della fattoria o dello zoo e poi completa la tabella. Attenzione: nella tabella non devi inserire tutte le parole.

buoi - anatre - cavalli - pecore - galline - daini - tacchini - cani - capre - oche - maiali - topi - gatti - panda

1 ....

2 ....

3 ....

4 ....

5 ....

6 ....

7 ....

8 ....

9 ....

10 ....

11 ....

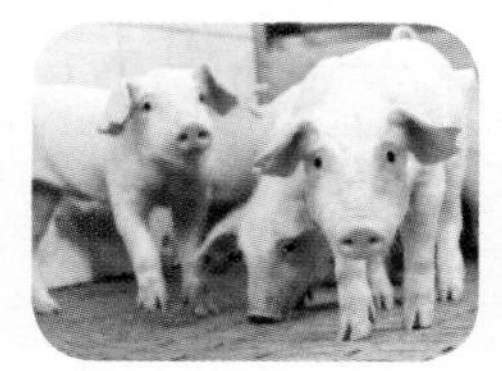

12 ....

13 ....

14 ....

PLURALI REGOLARI IN ITALIANO E IRREGOLARI IN INGLESE	PLURALI IRREGOLARI IN ITALIANO E IN INGLESE

NOTA BENE

Alcuni sostantivi di animali che finiscono in ***-a*** al singolare rimangono invariati al plurale: ***panda***, ***puma***, ***lama***, ***cobra***, ***gorilla***, ***koala***. E in inglese?

2 Completa i seguenti titoli di giornale con la forma corretta dei verbi nel riquadro. I verbi non sono in ordine.

vincere - arrestare - battere - fare - mettere

① **Polizia .... due ladri grazie a un passante**

② **L'INTER .... L'INDONESIA 4-2**

③ LO STAFF ORGANIZZATIVO .... IN RETE UN SITO INTERNET

④ **Bolt .... il bis nella finale dei 200 metri**

⑤ RUGBY: L'INGHILTERRA .... MA CON FATICA

3 Leggi il testo e sottolinea tutti i plurali irregolari. Qual è il singolare?

Voglio dirvi qualcosa in più sul nostro viaggio di nozze in Umbria. La nostra base era Spoleto, che si trova a circa 28 miglia da Todi. Anzi, scusate, dovrei dire circa 45 chilometri! Il padrone del nostro bed & breakfast era gentilissimo e ci ha dato molti consigli su dove andare e informazioni utili. Spoleto è molto conosciuta per la sua bellezza e per il Festival dei Due Mondi, che attira migliaia di visitatori. Noi purtroppo non ci siamo andati nel periodo del Festival, ma c'erano comunque centinaia di turisti, italiani e stranieri. Abbiamo conosciuto diverse persone e abbiamo fatto particolarmente amicizia con dei belgi con cui siamo ancora in contatto. Da Spoleto abbiamo fatto molte escursioni di tipo culturale e naturalistico (qualche volta con una guida, qualche volta da soli), ma quando siamo andati a Perugia oltre a visitare Eurochocolate abbiamo fatto un po' di shopping e io ho comprato ben tre paia di scarpe. Come resistere alle scarpe italiane?

NOTA BENE

Come vedi qui le parole ***consigli*** e ***informazioni*** sono usate al plurale, ma è anche possibile usarle al singolare. Qual è la differenza tra l'italiano e l'inglese? Ti vengono in mente altre parole che hanno questa caratteristica?

NOTA BENE

La parola ***guida*** è di forma femminile, ma si può riferire anche a un uomo. Altre parole del genere sono, per esempio, ***la vittima***, ***la spia***, ***la guardia***.

I sostantivi con plurale irregolare e con due plurali

[ConTesto]

A Associa i nomi delle parti del corpo nel riquadro alle immagini relative. Quali di queste parole sono plurali irregolari in italiano? E in inglese? Rifletti sulle differenze tra le due lingue.

occhi - orecchie - sopracciglia - ~~ciglia~~ - zigomi - capelli - labbra - denti - spalle - braccia
mani - dita - gambe - fianchi - ginocchia - piedi

1 ....
2 *ciglia*
3 ....
4 ....
5 ....
6 ....
7 ....
8 ....
9 ....
10 ....
11 ....
12 ....
13 ....
14 ....
15 ....
16 ....

B Ora leggi i seguenti titoli e occhielli. Ci sono parole che in italiano hanno due plurali, uno regolare, l'altro irregolare, con significato diverso. Completa la tabella con i due plurali di ciascuna parola, come nell'esempio, e indica la differenza di significato. In inglese come si esprime questa differenza?

Salute: lavoro, incubo sotto le lenzuola. Agita il sonno di 7 su 10

[...]la facciata della cattedrale di Santa Maria del Fiore, frutto di un lavoro durato più di 30 anni, tirando giù i tre enormi lenzuoli che ne coprivano i lati.

Quei canili come lager, l'Europa si mobilita
Eppure è davvero nulla rispetto alla realtà delle "perreras", i canili municipali spagnoli, che sono veri e propri bracci della morte [...]

Giro in bici sulle mura

Gli alberi di Central Park, a New York, sono per turisti e abitanti uno dei regali più belli per la vista: e secondo gli scienziati della Cornell University tale meraviglia avrebbe fondamenti biologici.

Troppo vecchi per i terremoti. Inadeguato il 70% degli edifici.
Secondo Preziosi «servono controlli alle fondamenta»

NOTA BENE

La parola ***turista*** ha una sola forma per il maschile e femminile singolare, ma al plurale ha due forme: ***turisti*** e ***turiste***.
Qual è il plurale di ***protagonista*** e di ***collega***?

SINGOLARE	PLURALE REGOLARE	PLURALE IRREGOLARE	IN INGLESE
il braccio			
il muro		le mura (muri di protezione che circondavano una città)	
il fondamento			
il lenzuolo			

[Esercizi]

1 Completa le seguenti frasi come nell'esempio scegliendo la parte del corpo corretta tra quelle elencate.

braccia - cervella - ciglia - corna - dita - ginocchia - labbra - mani - ossa

1. Il gesto di fregarsi le .... si fa per esprimere soddisfazione.

2. Incrociamo le .... in segno di buon augurio.

3. Il gesto per esprimere rammarico o rabbia è quello di mordersi le ....

4. Quando una persona o una cosa è molto noiosa diciamo che ci fa venire il latte alle ....

5. In un nuovo lavoro è necessario farsi le .... , cioè fare esperienza.

6. Far saltare le *cervella* .... a qualcuno significa ucciderlo sparandogli.

7. Spesso è necessario sbattere le .... contro un problema per poterlo risolvere.

8. Paola conosce bene l'arte di sbattere le .... per ottenere quello che vuole dagli uomini!

9. Oggi gli operai hanno incrociato le .... in segno di protesta.

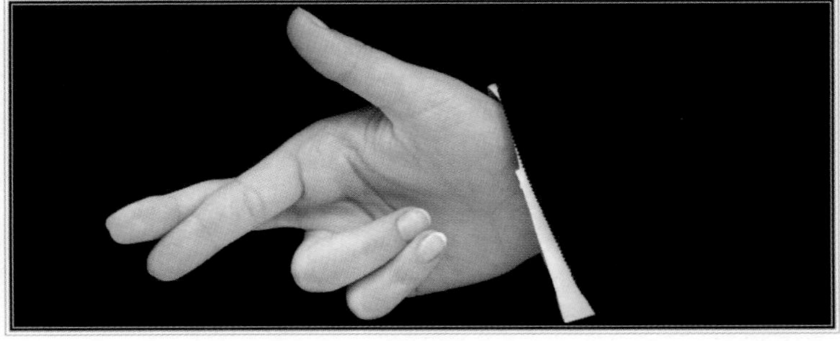

2 Completa il testo scegliendo l'opzione corretta tra le due proposte.

Disavventure domestiche

Chiara ha cambiato casa, ma i primi giorni non sono andati molto bene...
Il primo giorno il suo cane non era per niente contento di trovarsi in un nuovo ambiente e abbaiava continuamente, non ha smesso nemmeno quando Chiara gli ha dato **i suoi ossi preferiti / le sua ossa preferite**. Poi, nella confusione del trasloco non ha trovato **i lenzuoli / le lenzuola** per fare il letto e ha dovuto dormire vestita sul materasso. La mattina dopo ha deciso di dedicarsi al salotto e si è accorta che **i bracci / le braccia** della poltrona antica della bisnonna erano stati danneggiati durante il trasloco. Poi, mentre attaccava un quadro **al muro / alle mura** si è fatta male a due **diti / dita** della mano sinistra con il martello. Il terzo giorno il tempo è cambiato, e siccome Chiara è meteoropatica, ha avuto forti dolori **agli ossi / alle ossa** per tutta la giornata. Per consolarsi la sera ha aperto una bottiglia di vino per bere un bicchiere, ma non si è accorta che era rotto e si è ferita leggermente un **labbro / labbra**. Siccome è un po' superstiziosa, dopo questo ultimo evento ha fatto un gesto molto italiano, quello di fare **i corni / le corna!**

3 Traduci i seguenti testi in italiano.

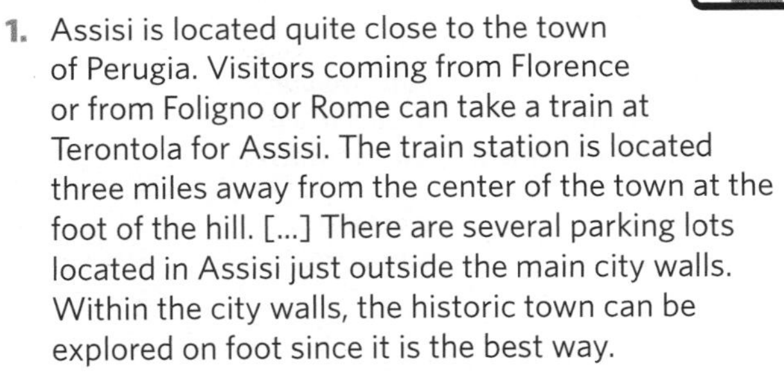

1. Assisi is located quite close to the town of Perugia. Visitors coming from Florence or from Foligno or Rome can take a train at Terontola for Assisi. The train station is located three miles away from the center of the town at the foot of the hill. [...] There are several parking lots located in Assisi just outside the main city walls. Within the city walls, the historic town can be explored on foot since it is the best way.

(Adattato da www.lifeinitaly.com)

2. In Spoleto, the first church of the Saints Ansano e Antonio da Padova was built here in the 9th century, on the foundations of a Roman temple.

(Adattato da www.keytoumbria.com)

3. In the church in San Brizio, near Spoleto, there is a very attractive small crypt housing a Roman sarcophagus, maybe the very one to have enclosed the bones of the saint.

(Adattato da http://penelope.uchicago.edu)

[Sintesi Grammaticale]

IL GENERE

In italiano tutti i sostantivi si dividono in **maschili** e **femminili**. In inglese, invece, questa distinzione non c'è e i sostantivi sono neutri, tranne, per esempio, quelli che si riferiscono a persone o animali di sesso maschile o femminile. Mentre in inglese questo influisce solo sul pronome soggetto (*he / she*) e sull'aggettivo possessivo (*his / her*), in italiano il genere determina anche l'articolo e la desinenza degli aggettivi associati a una parola. Conosci già le regole generali che ti permettono di riconoscere il genere di un sostantivo italiano, ma prendiamo in considerazione alcuni elementi di confronto tra le due lingue.

ITALIANO E INGLESE A CONFRONTO	Esempi	
Maschile o femminile		
Se un sostantivo si riferisce a una persona o a un animale di sesso maschile o femminile è facile riconoscerne il genere perché questa associazione si fa anche in inglese.	***uomo/donna*** ***marito/moglie*** ***cameriere/cameriera***	*man/woman* *husband/wife* *waiter/waitress*
I sostantivi inglesi che terminano in ***-ist*** al singolare possono riferirsi a un uomo o a una donna, come accade in italiano per le parole che finiscono in ***-ista.***	*journalist* *pharmacist*	***giornalista*** ***farmacista***
Le parole inglesi entrate nella lingua italiana sono generalmente maschili, a meno che non siano collegabili a una parola italiana femminile al singolare.	***il computer, il look, il pub*** ***l'e-mail (posta), la password (parola)***	
I sostantivi inglesi che finiscono in ***-cs*** hanno un corrispondente italiano molto simile, che è **femminile singolare**.	*politics* *economics*	***politica*** ***economia***
Molti sostantivi inglesi che finiscono in ***-sion*** e ***-tion*** hanno un corrispondente italiano che finisce rispettivamente in ***-sione*** e ***-zione***, che è **femminile singolare**.	*passion* *station* *reduction* *adoption*	***passione*** ***stazione*** ***riduzione*** ***adozione***
In inglese la parola ***ship*** e il nome di una nave sono considerati femminili. In italiano la regola è meno ferma, ma nell'uso comune si usa il femminile se la parola ***nave*** accompagna il nome della stessa, altrimenti si usa il maschile, specialmente per navi molto grandi e famose.	***la nave Titanic*** ***la nave Vespucci***	***il Titanic*** ***il Vespucci***

ITALIANO E INGLESE A CONFRONTO	Esempi
È inoltre importante ricordare che in **italiano** sono **maschili** i sostantivi che si riferiscono a:	
• i giorni della settimana tranne la domenica • le lingue • i mesi • i monti (eccetto alcuni)	***il lunedì, il martedì...*** ***l'italiano, l'inglese, il tedesco...*** ***febbraio è il mese più corto*** ***il Cervino, i Pirenei...*** ma ***le Alpi, le Dolomiti, le Ande***
• i laghi, i fiumi e i mari • i punti cardinali • alcune regioni	***il Garda, il Po, il Tirreno...*** ***il Nord, il Sud...*** ***l'Abruzzo, il Friuli, il Lazio, il Molise, il Piemonte, il Trentino, il Veneto***
Sono invece **femminili** i sostantivi che si riferiscono a: • le città • i frutti (eccetto alcuni) • le scienze • i continenti • alcune regioni • molti nomi di Paesi, ma con diverse eccezioni	 ***Roma è bellissima.*** ***la banana, la mela, la pera...*** ma ***il limone, il fico, l'ananas*** ***la biologia, la fisica, la chimica...*** ***l'Europa, l'America...*** ***la Basilicata, la Calabria...*** ***la Francia, la Spagna, la Svezia...*** ma ***il Portogallo, il Messico, il Belgio, il Canada, il Brasile, il Giappone, il Sudafrica, l'Egitto...***
Dal maschile al femminile	
Al contrario dell'inglese, in italiano il femminile di un nome si può formare cambiando la vocale finale del corrispondente maschile.	***ragazzo/ragazza*** ***cameriere/cameriera***
Come in inglese, il femminile si può formare anche: • aggiungendo il suffisso ***-essa*** (***-ess*** in inglese) • con un nome indipendente dal maschile • con un un'unica forma per il maschile e il femminile	***professore/professoressa*** *host/hostess* ***fratello/sorella*** *brother/sister* ***farmacista*** *pharmacist* • ***cantante*** *singer* ***psichiatra*** *psychiatrist* • ***agente*** *agent* ***atleta*** *athlete*
Un sostantivo maschile inglese che indica un uomo si può rendere femminile anche modificando il prefisso o il suffisso. In questi casi di solito in italiano il femminile si ottiene cambiando la ***-o*** finale in ***-a*** o, più raramente, si usano due sostantivi indipendenti	*mother-in-law/father-in-law* **suocera/suocero** *grandfather/grandmother* **nonno/nonna** *daughter-in-law/son-in-law* **nuora/genero**

[Sintesi Grammaticale]

LA FORMAZIONE DEL PLURALE

Come sai, la differenza più evidente tra l'inglese e l'italiano per la formazione del plurale è che mentre il primo aggiunge una *-s* al sostantivo, in italiano si cambia la vocale finale. Entrambe le lingue hanno sostantivi che formano il plurale in modo irregolare e altri che non cambiano al plurale, ma questo non avviene sempre per gli stessi sostantivi nelle due lingue. Vediamo le differenze e i punti di contatto principali.

ITALIANO E INGLESE A CONFRONTO	Esempi	
Singolare *vs.* plurale		
In italiano i **nomi collettivi** (cioè quelli che si riferiscono a gruppi di cose o persone) sono singolari. In inglese, invece, sono generalmente considerati plurali perché ci si riferisce al numero di persone che li compongono. Fatta eccezione per il sostantivo ***police***, gli altri si possono però usare anche al singolare.	***La polizia arresta i criminali.*** *The police arrest criminals.* ***La gente affolla le spiagge d'estate.*** *People crowd beaches in the summer.*	
Ci sono parole che sono plurali in italiano, ma singolari in inglese.	***Ha i capelli lunghi.***	*She has long hair.*
	Gli spaghetti sono un piatto italiano. *Spaghetti is an Italian dish.*	
	Segui i miei consigli.	*Follow my advice.*
	Dove sono i bagagli?	*Where's the luggage?*
	Ho tutte le informazioni.	*I have all the information.*
Plurale irregolare		
• **Sostantivi che non cambiano al plurale** In inglese, come in italiano, ci sono sostantivi che non cambiano al plurale, ma tali sostantivi non sono sempre gli stessi nelle due lingue.	***re/re*** ***città/città*** ***pecora/pecore*** ***mezzo/mezzi***	*king/kings* *city/cities* *sheep/sheep* *means/means*
Pochi sostantivi non cambiano al plurale in entrambe le lingue.	***serie/serie*** ***specie/specie***	*series/series* *species/species*
Ricordati che in italiano non cambiano i sostantivi che appartengono alle stesse categorie di *caffè*, *auto*, *computer*, *re*, *crisi*, *serie* tranne, in quest'ultimo caso, la parola *moglie*, il cui plurale è *mogli*.	***città*** ***sport*** ***analisi***	***cinema*** ***sci*** ***carie***

ITALIANO E INGLESE A CONFRONTO	Esempi	
Ci sono anche alcune altre parole maschili che finiscono in ***-a*** al singolare e che restano invariate al plurale, mentre l'equivalente inglese aggiunge una ***-s***.	***il panda/i panda*** ***il mitra/i mitra*** ***il sosia/i sosia***	
• **Sostantivi che cambiano genere al plurale** In italiano ci sono sostantivi che sono maschili al singolare e femminili al plurale e che finiscono insolitamente in ***-a***. In inglese non ci sono sostantivi che rientrano in questa categoria e per questo all'inizio forse hai avuto difficoltà a usare questi nomi correttamente.	***l'uovo/le uova*** ***il dito/le dita***	
Tra i sostantivi indicanti persone che al singolare hanno un'unica forma per maschile e femminile sia in italiano che in inglese, ce ne sono alcuni che in italiano hanno due desinenze diverse per i due generi.	***artista/artisti/artiste*** ***collega/colleghi/colleghe***	*artist/artists* *colleague/colleagues*
• **Sostantivi con due plurali** In italiano tra i sostantivi che cambiano genere al plurale ce ne sono alcuni che hanno anche un secondo plurale, regolare, di significato diverso. In inglese non ci sono sostantivi che rientrano in questa categoria e per questo all'inizio forse hai avuto difficoltà a usare questi nomi correttamente e hai confuso i due plurali.	***il muro*** ***l'osso*** ***il braccio***	***i muri/le mura*** ***gli ossi/le ossa*** ***i bracci/le braccia***
• **Altri plurali irregolari** Ci sono altri sostantivi che formano il plurale in modo irregolare. Alcuni sono peculiari dell'italiano.	***dio/dei*** ***arma/armi***	
Anche in inglese ci sono diversi sostantivi che formano il plurale in modo irregolare. Alcuni di questi lo formano in modo irregolare anche in italiano.	***uomo/uomini*** ***bue/buoi***	*man/men* *ox/oxen*

3 L'AGGETTIVO

- L'accordo tra sostantivo e aggettivo
- L'aggettivo possessivo: articolo sì o no?
- Quando si usa e quando non si usa l'aggettivo possessivo

L'accordo tra sostantivo e aggettivo qualificativo

[ConTesto]

A Leggi i seguenti aforismi di Oscar Wilde e i seguenti titoli di film, entrambi nella versione originale inglese e nella traduzione italiana, e riassumi qual è la differenza tra le due lingue per quanto riguarda l'accordo dell'aggettivo.

A tidy desk is the sign of a sick mind	Una scrivania ordinata è sintomo di una mente malata
Simple pleasures are the last refuge of the complex	I piaceri semplici sono l'ultimo rifugio della gente complicata
Those who find beautiful meanings in beautiful things are the cultivated	Uomo colto è colui che sa trovare un significato bello alle cose belle

NOTA BENE

In italiano, a differenza dell'inglese, nel caso di un soggetto plurale seguito da un aggettivo possessivo e da un sostantivo, questi ultimi vanno al singolare se la cosa posseduta è sola ed unica. Es: *I migliori anni della nostra vita* (*della nostra vita* è singolare, perché ciascuna persona ha una sola vita).

B Daniela sta partendo per il mare e prepara la lista delle cose da portarsi. Cosa noti a proposito degli aggettivi? In che modo l'italiano e l'inglese sono simili?

- → costume da bagno rosso
- → pareo rosso e nero
- → telo da mare verde bottiglia
- → cuffia azzurra e occhialetti per piscina
- → ciabatte fuxia
- → accappatoio beige
- → crema protettiva e dopo sole
- → cappellino blu e occhiali da sole
- → borsa da spiaggia rossa
- → materassino gonfiabile viola
- → maglietta giallo limone
- → canottiera blu
- → pantaloni bianchi di lino
- → pantaloncini beige
- → pantaloncini rosa

[Esercizi]

1 Completa l'articolo con la desinenza corretta degli aggettivi.

Ricerca di un'Università ingles....... . L'Ikea è un labirinto, per far spendere più soldi [...]

1. Secondo una ricerca scientific....... di un'università ingles......., l'interno dell'Ikea è un labirinto che ha lo scopo di confondere i clienti per farli spendere di più.
2. Secondo il professor Allan Penn il successo dell'Ikea si basa sul fatto che i clienti perdono l'orientamento. Per raggiungere l'uscita devono fare una serie infinit....... di giri. In questo infinit....... viaggio mettono nel carrello molt....... più cose del previsto.
3. Allan Penn dice che i magazzini della società svedes....... sono più o meno ugual....... in tutt....... il mondo. C'è un sentiero lungo il quale sono esposti tutt....... gli oggetti nel catalogo dell'azienda.
4. L'Ikea nega le accuse e dice che la struttura dell'Ikea ha il sol....... obiettivo di mettere a proprio agio i clienti, mostrando tutt....... i prodotti in vendita.
5. L'Ikea ha 283 negozi in 26 different....... nazioni. È stata fondata nel 1943 dallo svedese Ingvar Kamprad, che già da piccolo aveva la mania degli affari e vendeva fiammiferi ai vicini di casa. A 17 anni, con i soldi ricevuti da suo padre per gli eccellent....... risultati scolastici, ha fondato l'Ikea. Kamprad fino a poc....... tempo fa guidava un'auto vecchi....... di 15 anni, volava in classe economic....... e raccomandava ai suoi dipendenti di scrivere sempre su tutti e due i lati di un foglio per risparmiare la carta.

(Adattato da L'Ikea è un labirinto, per far spendere più soldi *[...]*
di Paolo Torretta, www.corriere.it 24-01-2011)

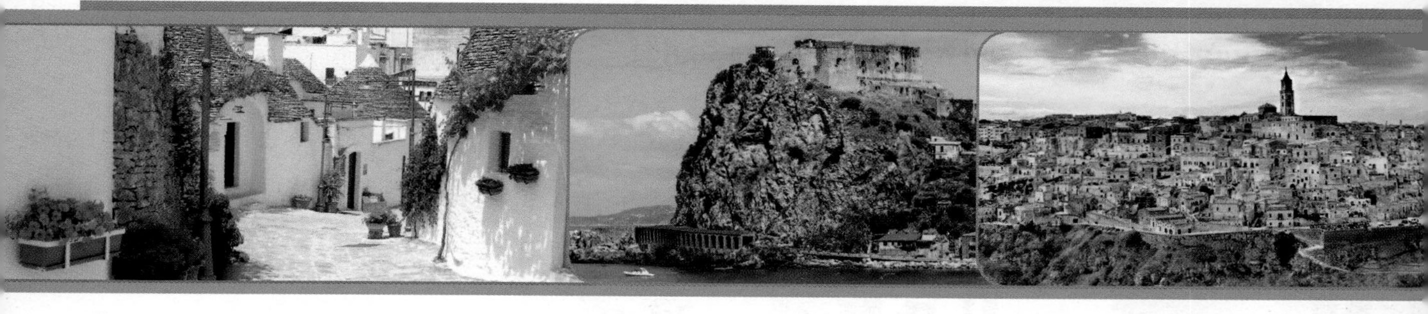

2 Completa la descrizione delle tre regioni che formano il "piede" dello Stivale con la desinenza corretta degli aggettivi. Attenzione: qualche volta dovrai inserire due lettere nello spazio. Perché?

Calabria
È la punta dello Stivale [...]. Il clima accoglient......, gli splendid...... colori del mare, [...] la natura selvaggi...... [...], i sapori intens...... e genuini della cucina local...... le testimonianze delle sue antic...... origini, rendono la Calabria un posto unic...... [...]. Chi ama la natura [...] potrà addentrarsi nell'entroterra calabrese, scoprendo un paesaggio [...] incontaminat...... [...]. Chi, invece, vuole crogiolarsi sotto i cald...... raggi del sole, immergendosi in un mare cristallin......, potrà scegliere fra le tante grazios...... località che costellano le lung...... coste [...]

Puglia
[...] La Puglia, il "tacco" dello Stivale, una regione incantevol......, [...]. Chi ama il mare, qui potrà optare tra le scogliere di Otranto e di Santa Maria di Leuca [...], oppure tra Gallipoli [...] e il Gargano [...]
Natura ancora protagonista con il Parco Nazionale delle Murge e quello del Gargano con la selvaggi...... Foresta Umbra, le saline ed i laghi [...] che, con i loro paesaggi suggestiv......, caratterizzano la parte intern...... della regione. E per chi vuole fare un viaggio nella storia, la Puglia offre [...] luoghi che raccontano le antic...... origini di questa terra [...]

Basilicata
[...] Si sceglie questa terra solo se si ha voglia di vivere un'esperienza divers......, immergendosi in luoghi dove silenzio, colori, profumi e sapori portano lontano dal frastuono e dallo stress della vita modern......, regalando sensazioni unic....... I boschi e le foreste che ricoprono le montagne sono costellati da piccol...... borghi [...], dove l'aria pur......, i sapori genuin......, le bellezze della natura si uniscono alle testimonianze storic...... per soddisfare ogni desiderio di conoscenza. [...] Pur essendo una regione prevalentemente interna, la Basilicata è bagnata da due mari: lo Ionio e il Tirreno. La costa ionic......, con le due not...... località di Metaponto e Policoro, offre ampi...... spiagge di sabbia finissim...... o di ciottoli [...]. Il Golfo di Policastro, sul versante tirrenic......, presenta una costa più alt...... e frastagliata.

(Adattato da www.italia.it)

3 Traduci i seguenti testi in italiano. Puoi usare gli aggettivi elencati. Attenzione: gli aggettivi non sono in ordine e sono al maschile singolare, devi decidere tu dove usarli e in quale forma.

diversificato - eterno - familiare - orgoglioso - sconcertante - stabilizzante

Family
[...] The modern Italian family forms the backbone of Italy's culture today. The permanence and equilibrium provided by family ties explains what would otherwise seem a baffling paradox: namely, how it is possible for such a diversified collection of regions [...] to preserve any unity of culture. And on a political level, how could a nation that has changed government more than once every year since World War II have remained relatively stable? The answer to these questions is undoubtedly the stabilising force of the family.

Friendship
Friends in the true sense of the word are few and rare in Italy, even if it is in the nature of Italians to be friendly and sociable. A friend is as precious as a member of the family. Friendship involves total support, total acceptance, and total availability. [...] Be aware of the everlasting obligations you take on when you befriend an Italian.

(Adattato da A. Falassi e R. Flower, Culture Shock Italy!, *London, Kuperard 1995)*

Gli aggettivi possessivi con o senza articolo

[ConTesto]

A Osserva i seguenti titoli di film in italiano e in inglese e individua tre differenze tra le due lingue.

ROCCO & HIS BROTHER

ITALIANO	INGLESE
Mio fratello è figlio unico	My brother is an only child
Rocco e i suoi fratelli	Rocco and his brothers
Caterina e le sue figlie	Caterina and her daughters
Come uccidere vostra moglie	How to kill your wife
I migliori anni della nostra vita	The best years of our lives
La mia vita a quattro zampe	My life as a dog
Il mio migliore amico	My best friend
Il mio architetto	My architect
La mia casa in Umbria	My house in Umbria
I nostri figli ci accuseranno	Our children will accuse us

my brother is an only child

my BEST friend

B Ora completa la seguente tabella sull'uso dell'aggettivo possessivo con o senza articolo. Barra la casella corretta.

	Con articolo	Senza articolo
Nomi di parentela al singolare	☐	☐
Nomi di parentela al plurale	☐	☐
Altri sostantivi al singolare	☐	☐
Altri sostantivi al plurale	☐	☐

[Esercizi]

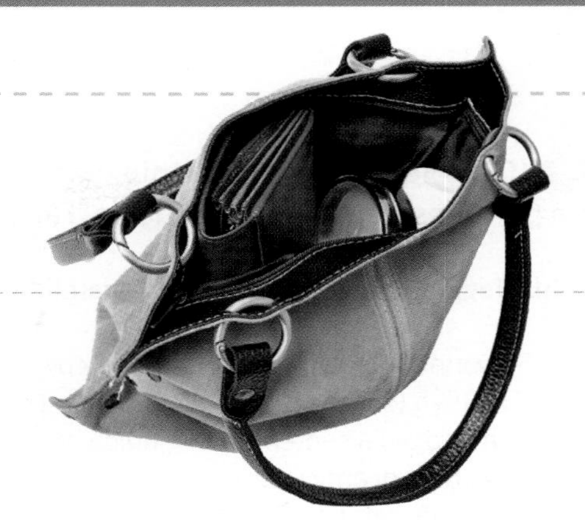

1 **A Stella hanno appena rubato la borsa e lei racconta a Paola cosa c'era dentro. Completa il testo con l'aggettivo possessivo nella forma corretta. Fai attenzione alle preposizioni e ai pronomi tra parentesi. Segui l'esempio.**

Guarda, Paola, sono proprio disperata, avevo tutto (*in/io*) **nella mia** borsa! (*io*) .... portafogli con (*io*) .... soldi e ricevute varie, il bancomat e la carta di credito. C'era anche la chiave (*di/io*) .... motorino e mio marito sarà furioso, perché avevo anche le chiavi (*di/lui*) .... macchina. Mi sa che non me la presterà per un bel po' di tempo. Poi fammi pensare, ti ricordi (*noi*) .... progetto di andare a Londra per un fine settimana? Beh, avevo già ritirato delle sterline (*da/io*) .... conto e volevo farti una sorpresa. Adesso i ladri potranno usarle per (*loro*) .... viaggi. E poi avevo ovviamente le solite cose che una donna ha nella borsa: pettine, trucchi... Ah, non ti arrabbiare, ti prego! (*tu*) .... kindle, che mi hai prestato per (*io*) .... viaggio in treno, indovina dov'è?! Spero che non sia la fine (*di/noi*) .... amicizia!

2 **Completa il testo con la forma corretta del possessivo tra parentesi.**

Sono un tenore toscano. (*mio*) .... vista è stata debole fin dalla nascita e sono diventato completamente cieco all'età di 12 anni a causa di una pallonata sull'occhio con cui vedevo ancora. Devo ringraziare (*mio*) .... padre e (*mio*) .... madre per (*loro*) .... incoraggiamento, infatti (*mio*) .... genitori mi hanno fatto cominciare a studiare il pianoforte quando ero piccolo. (*mio*) .... canzoni sono molto popolari all'estero. Tra (*mio*) .... successi più noti ci sono *Con te partirò* e *Vivo per te*. Con Sarah Brightman ho cantato (*nostro*) .... versione inglese di *Con te partirò*, *Time to Say Goodbye*. Con (*mio*) .... collega Giorgia, invece, ho cantato *Vivo per lei*. (*mio*) .... repertorio include anche alcune opere liriche. (*mio*) .... ex moglie si chiama Enrica Cenzatti. (*nostro*) .... matrimonio risale al 1989 e ci siamo separati nel 2002. (*nostro*) .... figli si chiamano Amos e Matteo. Nel 2012 (*mio*) .... nuova compagna, Veronica Berti, mi ha regalato una bambina, (*nostro*) .... figlia Virginia. Hai capito chi sono?

3 Completa il testo seguente, basato su un fatto di cronaca, con la forma corretta del possessivo tra parentesi, con o senza articolo. Fai attenzione alle preposizioni.

Schiaffeggia il figlio per strada. Consigliere arrestato a Stoccolma

1. Giovanni Colasante, un consigliere comunale pugliese, è finito in carcere per tre giorni in Svezia per aver dato uno schiaffo a (*suo*) .... figlio di 12 anni in un ristorante di Stoccolma.
2. In attesa della sentenza del giudice ha obbligo di firma nel Paese, dove era in vacanza con (*suo*) .... famiglia e un gruppo di amici. La legge svedese non ammette che i genitori alzino le mani sui figli.
3. Colasante sarebbe dovuto partire insieme a (*suo*) .... comitiva per una crociera tra i fiordi, ma ha passato tre giorni nel carcere di Stoccolma.
4. Scarcerato venerdì, è rimasto in Svezia insieme a (*suo*) .... moglie, mentre (*loro*) .... compagni di viaggio e i figli sono rientrati in Italia.
5. Ora si trova nell'ambasciata italiana a Stoccolma. (*suo*).......... avvocato, Giovanni Patruno, ha coinvolto un collega svedese per seguire il caso di (*suo*) .... cliente.
6. Patruno ha detto: "In Svezia vige un sistema diverso dal nostro, per questo è preferibile che (*mio*) .... cliente sia seguito da un professionista del posto.
7. Patruno ha raccontato cosa è accaduto il 23 agosto, poco prima che Colasante con (*suo*) .... figli, il 12enne e uno più piccolo, (*suo*) .... moglie e due cognati con (*loro*) .... famiglie si imbarcassero per una crociera tra i fiordi norvegesi.
8. "Dovevano andare al ristorante ma il ragazzino si rifiutava di entrare, così (*suo*) .... padre lo ha rimproverato, magari gesticolando, come siamo soliti fare, a voce alta, ma non ha picchiato o preso a schiaffi il bambino".
9. "Due persone di nazionalità libica hanno chiamato la polizia e la mancanza reciproca di conoscenza della lingua ha fatto il resto, ma tutto questo sembra davvero assurdo".
10. Il sindaco di Canosa è incredulo e afferma che (*suo*) .... collaboratore è un ottimo padre di famiglia e un cittadino modello. Ha ringraziato l'ambasciata italiana a Stoccolma per l'assistenza che gli ha dato e per aver salvaguardato (*suo*) .... diritti.

(Adattato da www.repubblica.it, 30-8-2011)

4 Traduci il testo seguente in inglese.

ITA ENG

In un'altra fotografia c'è mia nonna Sonia giovane: una grande faccia dagli zigomi sporgenti. Era bruna, bianchissima di pelle con sopracciglia e capelli neri che venivano dal suo paese di origine, il Cile. Aveva del sangue indio nelle vene, così diceva lei. Gli occhi erano enormi, di seta, il sorriso invece duro, strafottente. [...]
Non l'ho mai vista piangere mia nonna Sonia. Nemmeno alla morte del nonno. [...] A ottant'anni non sapeva ancora parlare l'italiano come si deve. [...]
Venuta dal Cile alla fine del secolo scorso col padre ambasciatore, aveva studiato pianoforte e canto a Parigi. Aveva una bella voce di soprano e un temperamento teatrale. Tanto che tutti i maestri l'avevano incoraggiata a farne il suo mestiere. Ma non era una professione per ragazze di buona famiglia. E il padre glielo aveva proibito. [...] Lei aveva resistito e, a diciotto anni, era scappata di casa per andare a "fare la lirica", come diceva lei. Era approdata a Milano dove aveva conosciuto Caruso. [...] Ma il padre Ortuzar non intendeva cedere. Andò a prenderla a Milano e la riportò a Parigi.
E da Parigi Sonia scappò di nuovo, mostrando una grande tenacia e un grande amore per la sua arte.

(Dacia Maraini, Bagheria, *Milano, Rizzoli 2009)*

Quando l'aggettivo possessivo non si usa

[ConTesto]

A Leggi il testo seguente sul sabato di una studentessa. In questo testo non ci sono possessivi. In quali casi, a differenza dell'italiano, useresti un possessivo in inglese?

Il sabato Clara si sveglia abbastanza tardi, intorno alle 11, e rimane un po' a letto per controllare se ci sono messaggini sul telefonino e se gli amici hanno postato messaggi su Facebook per organizzare la serata.

Poi vorrebbe fare colazione, ma cambia idea perché a questo punto sta per arrivare l'ora di pranzo... I genitori la chiamano per apparecchiare e Clara decide di non togliersi neanche il pigiama e di andare direttamente a mangiare.
Dopo pranzo va in bagno e per fortuna il resto della famiglia ci è già stato perché lei ha bisogno di starci parecchio!

Fa la doccia, si lava e si asciuga i capelli e si depila le gambe. Poi si mette la tuta da ginnastica per stare in casa, ma intanto passa un'ora a studiare il contenuto dell'armadio per decidere cosa mettersi stasera, ma, come al solito, pensa di non avere niente e chiede alla sorella di prestarle un vestito che le piace.

Italiano *no*

....

....

....

....

Inglese *sì*

....

....

....

....

[Esercizi]

1 Una donna racconta la giornata della cognata casalinga, ma ha inserito qualche aggettivo possessivo di troppo. Leggi il testo e poi svolgi l'attività.

▶ Completa la tabella in fondo indicando i casi in cui l'uso del possessivo è un errore e i casi in cui è facoltativo, cioè è possibile sia usarlo che non usarlo.

▶ In quest'ultimo caso, indica anche quale cambiamento sarebbe necessario quando non si usa il possessivo.

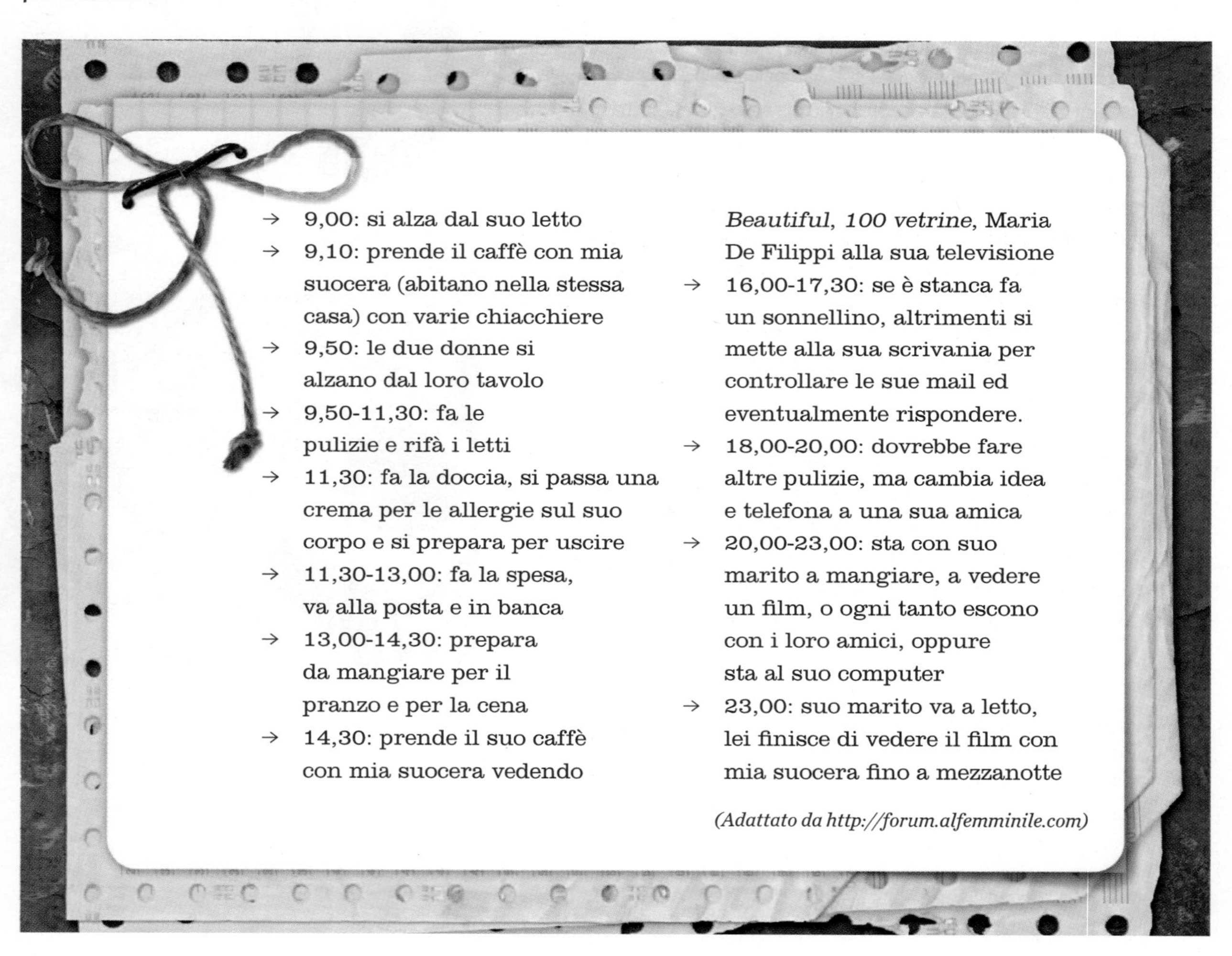

→ 9,00: si alza dal suo letto
→ 9,10: prende il caffè con mia suocera (abitano nella stessa casa) con varie chiacchiere
→ 9,50: le due donne si alzano dal loro tavolo
→ 9,50-11,30: fa le pulizie e rifà i letti
→ 11,30: fa la doccia, si passa una crema per le allergie sul suo corpo e si prepara per uscire
→ 11,30-13,00: fa la spesa, va alla posta e in banca
→ 13,00-14,30: prepara da mangiare per il pranzo e per la cena
→ 14,30: prende il suo caffè con mia suocera vedendo *Beautiful*, *100 vetrine*, Maria De Filippi alla sua televisione
→ 16,00-17,30: se è stanca fa un sonnellino, altrimenti si mette alla sua scrivania per controllare le sue mail ed eventualmente rispondere.
→ 18,00-20,00: dovrebbe fare altre pulizie, ma cambia idea e telefona a una sua amica
→ 20,00-23,00: sta con suo marito a mangiare, a vedere un film, o ogni tanto escono con i loro amici, oppure sta al suo computer
→ 23,00: suo marito va a letto, lei finisce di vedere il film con mia suocera fino a mezzanotte

(Adattato da http://forum.alfemminile.com)

Possessivo sbagliato		
Possessivo facoltativo (e modifiche)		

2 Nel seguente articolo in inglese sono evidenziati tutti i possessivi. In quali casi sarebbe obbligatorio o possibile usarli anche in italiano?

How to avoid getting 'hit by air' in Italy

By Dany Mitzman – Bologna, Italy, 3 December 2011

More than a decade living in this country has led me to a shocking conclusion. Being Italian is bad for your health.

As winter draws in, those around me are suffering from a range of distinctly Italian ailments, that make our limited British colds and flues sound as bland as our food. As I cycle around the medieval streets of my adoptive home town of Bologna, I smile to myself, marvelling at the fact that I am still wearing a light-weight jacket at this time of year.

No translation

My Italian counterparts are less fortunate. They have their woolly scarves and quilted coats out and are rubbing their necks, complaining of my favourite mystery Italian malady "la cervicale". Italians can tell you if the pain is in their stomach or intestine... but to us it is all just "tummy ache" [...] I am still at a loss as to what exactly it is and how to translate it.

[...] We do not have it! [...]

Benefits of ignorance

[...] I remember a friend telling me he was not feeling very well. "My liver hurts," he said. I have since been assured by doctors that you cannot actually feel your liver, but what really struck me was the fact that he knew where his liver was.

Could knowledge of anatomy be bad for your health?

We British, in contrast, are a nation staggeringly ignorant of our anatomy. [...] Yet although I should feel embarrassed about my inability to point out the exact location of my gall bladder, I am not. Why? Because I think it makes me healthier. [...]

If you do not know where it is, it cannot hurt you.

Among my Italian friends I am considered something of an immuno-superhuman. I can leave the gym sweaty to have my shower at home and not catch a chill en route. [...]

"Mustn't grumble"

I ran my theory past a Sicilian psychoanalyst and he said I had a point. For example, the British do not have a term for a "colpo d'aria". It [...] seems to be incredibly dangerous for Italians. They can get one in their eye, their ear, their head or any part of their abdomen. [...]

[...] Italians are brought up to be afraid of these health risks, while our ignorance of their very existence makes us strong and fearless. It is a question of etiquette too. We are a nation that "mustn't grumble", trained from an early age that the only answer to "How are you?" is "Fine, thank you."

(Adattato da www.bbc.co.uk)

3 Traduci il testo seguente in italiano.

ITA ENG

[Mamma Hajja] recites the final greeting to God and our prophet, Muhammad, and his family and children and all the prophets [...]. She turns her head to salute the angels at her right and left shoulders [...]. She stretches an arm behind her back and makes a grab for me but I am small and quick and crouch just out of her reach, laughing. [...] I dart away, reeling with laughter and pointing my finger back at her and suddenly she sits back on her heels on the sun-flooded, polished wooden floor and starts to laugh too. I wait a few seconds to make sure it's safe, then rush back to fling myself into her open arms. 'You little monkey. You would have made me break my prayers?' I snuggle contentedly against her breast in the sunlight, sucking my thumb.

(Adattato da Ahdaf Soueif, "Knowing", in I think of you, *London, Bloomsbury 2007)*

[Sintesi Grammaticale]

L'ACCORDO TRA SOSTANTIVO E AGGETTIVO

Contrariamente all'inglese, in italiano l'aggettivo concorda con il sostantivo che accompagna.

ITALIANO E INGLESE A CONFRONTO	Esempi	
Mentre in inglese l'aggettivo qualificativo ha una sola forma, sia che accompagni un sostantivo maschile o femminile, singolare o plurale, in italiano concorda con il sostantivo che accompagna nel genere (maschile o femminile) e nel numero (singolare o plurale).	***uomo alto*** ***donna alta*** ***uomini alti*** ***donne alte***	*tall man* *tall woman* *tall men* *tall women*
Attenzione: ricordati che gli aggettivi in **-e** hanno un'unica forma al singolare per il maschile e il femminile e un'unica forma al plurale in ***-i***. È dunque possibile avere aggettivi plurali in ***-i*** riferiti a sostantivi femminili.	***città grande*** ***città grandi*** ***ragazza intelligente*** ***ragazze intelligenti***	*big city* *big cities* *intelligent girl* *intelligent girls*
Anche in italiano ci sono aggettivi che hanno un'unica forma per maschile e femminile, singolare e plurale. Per esempio:		
• aggettivi indicanti colori che derivano da nomi;	***costume rosa*** ***maglietta rosa***	***pantaloncini rosa*** ***magliette rosa***
• aggettivi di origine straniera;	***maglietta blu*** ***cappello blu***	***magliette blu*** ***cappelli blu***
• aggettivi formati dal suffisso *anti-* + un nome.	***i fari antinebbia*** ***lo spray antizanzare***	

L'AGGETTIVO POSSESSIVO

Gli aggettivi possessivi esistono in entrambe le lingue, ma si usano in modo differente.

ITALIANO E INGLESE A CONFRONTO	Esempi	
Posizione Come in inglese, in italiano l'aggettivo possessivo precede il sostantivo a cui si riferisce.	***il mio lavoro***	*my job*

ITALIANO E INGLESE A CONFRONTO	Esempi
Accordo In inglese l'aggettivo possessivo concorda con la persona, mentre in italiano concorda con la cosa posseduta. Inoltre, come per gli altri aggettivi, in inglese l'aggettivo possessivo ha un'unica forma sia che accompagni un sostantivo maschile o femminile, singolare o plurale. In italiano, invece, concorda con il sostantivo a cui si riferisce nel genere (maschile o femminile) e nel numero (singolare o plurale).	***il mio cane*** *my dog* ***la mia casa*** *my house* ***i miei figli*** *my children* ***le mie amiche*** *my friends*
Attenzione: l'aggettivo ***loro*** ha un'unica forma.	***il loro gatto, la loro macchina*** ***i loro amici, le loro cose***
Terza persona singolare Nella terza persona singolare l'inglese ha due forme per indicare se il possessore è maschile o femminile. L'italiano, invece, ha un'unica forma.	***il suo lavoro (di Carlo)*** *his job* ***il suo lavoro (di Luisa)*** *her job*
L'aggettivo possessivo con o senza articolo In inglese gli aggettivi possessivi non hanno l'articolo, mentre generalmente in italiano ce l'hanno.	***il mio libro*** *my book* ***i tuoi libri*** *your books*
Attenzione: ricordati che con i nomi di parentela l'articolo non si usa se questi nomi sono al singolare **tranne**	***mio fratello*** ***i miei fratelli*** *my brother* *my brothers* ***sua sorella*** ***le sue sorelle*** *his/her sister* *his/her sisters*
• con l'aggettivo *loro*; • quando il nome di famiglia è determinato o alterato; • quando il nome di famiglia è colloquiale.	***il loro cugino, i loro cugini*** ***la mia nonna paterna, il nostro cuginetto*** ***il mio papà***
Quando si omette l'aggettivo possessivo L'inglese usa l'aggettivo possessivo più dell'italiano. In italiano, infatti, generalmente si omette quando il possesso è ovvio. I casi più frequenti riguardano: • i verbi riflessivi; • le parti del corpo; • i capi d'abbigliamento e gli accessori; • alcune espressioni.	***Mi sono lavato i capelli.*** *I washed my hair.* ***Gli italiani parlano con le mani.*** *Italians speak with their hands.* ***Ho portato l'ombrello.*** *I brought my umbrella.* ***Ha cambiato idea.*** *He changed his mind.*

4 IL PRONOME

- Pronome diretto o pronome indiretto?
- Quando un pronome diretto incontra un pronome indiretto
- Posizione dei pronomi nella frase
- Pronomi e participio passato: quando c'è l'accordo?
- Le particelle pronominali *ci* e *ne*: quando si usano?
- Quando l'infinito di un verbo contiene un pronome: i verbi pronominali

Pronomi diretti, indiretti e combinati

[ConTesto]

A **Leggi la conversazione tra due amiche e sottolinea tutti i pronomi e le parole che indicano un oggetto diretto o indiretto, come nell'esempio.**

— Mamma mia, che bello quel ragazzo... Più lo guardo più mi piace! Somiglia a un attore americano, come si chiama... Per caso hai il suo numero?

— Dell'attore americano? Dai, scherzo. Ma perché lo domandi a me? Domandalo a lui... Io non lo conosco! Scherzi a parte, credo che stia in classe con Valeria, quindi puoi chiederlo a lei. Va beh, io vado. A domani.

— Aspettami! Posso venire con te?

— Certo, ma non hai il motorino?

— Sì, sono venuta in motorino stamattina, ma non trovo le chiavi! Le cerco da mezz'ora. Qualcuno le troverà, spero, ma comunque a casa ho il doppione.

— La solita sbadata! Dai, vieni, ti do un passaggio...

Poco dopo...

— Ehi, grazie per il passaggio.

— Figurati. E se scopri il numero dell'"attore", telefonagli e salutalo da parte mia! ”

NOTA BENE

I pronomi diretti e indiretti possono avere una forma **atona**, meno marcata, o una forma **tonica**, che dà più rilievo al pronome e che viene sempre dopo il verbo. Vediamo degli esempi:
Forma atona
Chiamala.
Gli compro un regalo.
Forma tonica
Chiama lei. (non un'altra persona)
Compro un regalo per lui. (non per un'altra persona)

B Ora confronta l'italiano e l'inglese. Completa la tabella contrassegnando le caselle appropriate, solo quando è necessario. Segui l'esempio.

Verbi	oggetto diretto per la persona	oggetto diretto per la cosa	oggetto indiretto per la persona	oggetto indiretto per la cosa
guardare	✔	✔		
to look at			✔	✔
to watch	✔	✔		
somigliare				
to look like				
chiedere				
to ask				
aspettare				
to wait				
trovare				
to find				
cercare				
to look for				
dare				
to give				
telefonare				
to telephone				
salutare				
to say hello				

C Rifletti sulla posizione dei pronomi in italiano. Quando vanno prima del verbo, quando dopo? E in inglese?

D Come sai, i pronomi combinati derivano dalla "combinazione" di un pronome indiretto o riflessivo e un pronome diretto o la particella *ne*. Prima di vedere esempi pratici, cosa altro ti ricordi dei pronomi combinati?

→ In un pronome combinato, viene prima il pronome diretto o il pronome indiretto?

....

→ Qual è la posizione dei pronomi combinati in relazione al verbo che accompagnano?

....

→ Quale cambiamento c'è nei pronomi e nelle particelle pronominali quando formano un pronome combinato?

....

→ Quali sono le differenze tra l'italiano e l'inglese?

....

E Ora osserva i pronomi combinati evidenziati e confrontali con le tue risposte alle domande dell'attività D.

IO, A QUELLA HOSTESS, LA PROPOSTA GLIELA FACCIO... AL MASSIMO, MI DIRÀ DI NO CON UN SORRISO!

Sì, lei ha diritto a un rimborso, ma il punto è: davvero se lo merita?

TE L'AVEVO DETTO CHE STAVAMO SCAVANDO TROPPO!

Ho un appuntamento con il dentista lunedì prossimo: non dimentichi di ricordarmelo, signorina.

NOTA BENE

Solitamente, quando un verbo è nella forma imperativa, il pronome si mette dopo.
Nel caso dell'imperativo formale, però, il pronome precede il verbo.
Es.: *Lascia**lo** sul tavolo (tu), ma **Lo** lasci sul tavolo (Lei).*

ME NE LASCI UNA CHE IO POSSA MANGIUCCHIARE: ASPETTO DIVERSI CONTI DA PAGARE...

Beh, se hai perso la voce, chiama il dottore e diglielo...

(La Settimana Enigmistica)

▶ Ora indica a chi e cosa si riferiscono i due pronomi contenuti in ciascun pronome combinato.

	1° pronome	2° pronome
gliela		
se lo		
te l'		
melo		
me ne		
glielo		

[Esercizi]

1 **Leggi il testo e, nella tabella alla pagina seguente, indica se i pronomi evidenziati sono diretti o indiretti e a che cosa si riferiscono. Segui l'esempio.**

1. Se siete dei viaggiatori per affari o per piacere, meglio non arrivare impreparati e conoscere il galateo dei paesi che visitate: il rischio è di incorrere in spiacevoli maleducazioni involontarie che potrebbero offendere il Paese che vi ospita.

2. Le donne sono abituate alle rigide regole che alcuni Paesi gli impongono, ma nei Paesi islamici e arabi, canottiere e pantaloni corti sono un insulto al buon gusto anche se li indossano gli uomini.

3. In molti Paesi islamici i jeans sono visti come l'abbigliamento del diavolo (per l'origine americana). Se li portiamo, qualcuno per strada può insultarci.

4. Viaggiate in coppia e state sempre attaccati? Nel Brunei questo comportamento è considerato disdicevole e possono arrestarvi.

5. In Africa aiutare una signora ad attraversare la strada prendendola per un braccio avrà notevoli conseguenze sulla sua reputazione.

6. In molti Paesi del Sud Est asiatico anche la semplice stretta di mano è malvista. In questi luoghi la donna non deve essere proprio vista: solo così le si porta il massimo rispetto.

7. La mamma vi ha sempre raccomandato di non sporcare la tovaglia quando si mangia? Non è vero se siete in Cina, dove è segno che avete apprezzato la cucina.

8. In Giappone, prima di cominciare a mangiare contate per molto tempo e mostrate estrema deferenza verso i piatti che vi offrono.

9. Se qualcuno vuole convincervi che nei Paesi islamici a fine pasto è normale fare un rutto, dovete sapere che in realtà è accettato, ma non particolarmente apprezzato.

10. Negli Stati Uniti non bussate alla porta del bagno per chiedere se è occupato: se è chiusa significa che qualcuno è dentro, se è aperta via libera. Perciò è buona educazione lasciarla aperta quando si esce.

11. Se bussate alla porta del bagno in Corea, chi è dentro busserà a sua volta per avvertirvi della sua presenza.

12. Se amate intingere un biscotto nel tè, non fatelo se siete nel Regno Unito!

13. Per voi il rito della scarpetta[1] è irrinunciabile? Non fatela se siete in Francia, dove è un vero tabù.

14. In Spagna è maleducato chiedere il bis della stessa portata a tavola: non chiedetelo.

(Adattato da www.focus.it)

1. **fare la scarpetta**: dopo aver mangiato, raccogliere il sugo nel piatto con un pezzo di pane

diretto	indiretto	a cosa si riferisce	diretto	indiretto	a cosa si riferisce
vi		voi	vi		
gli			vi		
li			vi		
li			la		
ci			vi		
vi			lo		
la			la		
le			lo		

2 Completa le seguenti battute con un pronome tra quelli nel riquadro. Poi indica di che tipo di pronome si tratta (diretto, indiretto o combinato). Segui l'esempio.

~~ci~~ - ~~ci~~ - ce le - ci - glielo - la - le - lo - mi - ti

1. Quel che più *ci* piace, del giardinaggio, è l'esercizio fisico che *ci* costringe a fare... (*indiretto e diretto*)
2. Sì, mio padre è in casa. Chi devo dire che .... disturba? (..........)
3. ".......... lascio. Lezioni di cucina per principianti: inizio ore 18 in tivù". (..........)
4. È l'occasione di dimostrare che il capo sei tu: papà .... ha proibito di uscire. (..........)
5. Sì, è una macchina da palestra molto complessa, ma ....garantiamo che perderà un chilo e mezzo per montar.......... (.......... e ....)
6. Perché non invitiamo tua sorella per cena, prepariamo tutte le cose che più .... piacciono e .... mangiamo prima che arrivi? (.......... e..........)
7. Beh, se hai perso la voce, chiama il dottore e di........... (..........)

(La Settimana Enigmistica)

3 Nel seguente articolo abbiamo eliminato alcuni pronomi. Sostituisci le espressioni sottolineate con il pronome appropriato, e decidi qual è la sua posizione nella frase. Quali cambiamenti sono necessari?

'Ecco come facebook mi ha rovinato la vita': il racconto di una giovane ragazza britannica

LONDRA. Vicky McDonald, una ragazza britannica, è sul suo letto di ospedale dopo essere stata accoltellata dal suo ex-ragazzo. La polizia ha chiesto a Vicky come mai il suo ex sapeva dove viveva. Lei non ha saputo rispondere subito, poi le si è gelato il sangue e ha pensato al post che aveva inserito pochi giorni prima su Facebook con la foto del suo nuovo appartamento. Così Daniel Ingram, l'ex-ragazzo di 21 anni, ha capito dove si era trasferita, si è presentato al suo nuovo appartamento e ha cercato di uccidere Vicky colpendo Vicky con una lama sul collo. Vicky e Daniel si erano incontrati nel 2008, ad agosto, ed erano diventati inseparabili. Ma a distanza di 3 mesi Daniel era cambiato. "Era ossessionato dal vedere me anche solo parlare con gli altri ragazzi e ha iniziato a impedire a me di uscire con le mie amiche. [...] Controllava sempre il mio telefono e il mio account Facebook. A mia madre non è mai piaciuto. [...] Dopo poco più di 2 anni, nel 2011, ci siamo finalmente lasciati". Daniel ha iniziato allora a tempestare Vicky di SMS (più di 100 al giorno) poi, un giorno, è entrato in casa della ragazza, ha distrutto il computer a Vicky, l'ha presa alla gola e ha cercato di strangolare Vicky. Impaurita, Vicky ha cambiato casa. "[...] Mi sentivo di nuovo libera e per questo ho organizzato un party nel mio nuovo appartamento con tutti i miei amici". Purtroppo proprio questo ha fatto scoprire a Daniel il luogo del suo nuovo alloggio e il ragazzo, pochi giorni dopo, si è presentato a casa di Vicky e l'ha colpita con un coltello alla gola. La ragazza, salva per miracolo, conclude: "Non avrei mai pensato che Daniel potesse arrivare a tanto. L'avevo bloccato su Facebook, ma altri miei amici hanno il profilo aperto dove chiunque può vedere cosa fanno. Questa esperienza ha fatto capire a me quanto può essere pericoloso Facebook". Daniel è stato arrestato due giorni dopo l'accaduto.

(Adattato da www.giornaledipuglia.com)

4 Traduci i due brani in inglese. Quali differenze noti tra le due lingue per quanto riguarda i pronomi?

Auto
Viaggiare in auto riserva il grande vantaggio dell'indipendenza da località e orari obbligati: potrete fermarvi dove volete e ripartire quando più vi piace. Senza contare la comodità di poter portare con voi sia il bagaglio personale sia quanto acquistato durante il viaggio. C'è da dire, però, che i lunghi viaggi in auto diventano, per chi guida, motivo di stress. Non obbligatevi a tappe forzate soprattutto se siete stanchi, sappiate godervi qualche sosta senza sensi di colpa.
Ricordate che il clacson non fa sparire l'ingorgo nel quale siete rimasti bloccati [...]. Se sgranocchiate patatine o quant'altro, non gettate gli involucri fuori dal finestrino: la strada non è una pattumiera e un paese pulito farà onore anche a voi!

Nave
[...] A bordo di una nave, buona educazione significa scambiare sorrisi e chiacchierare con tutti senza diventare inopportuni o invadenti. [...] Se siete al primo imbarco sinceratevi di non soffrire di mal di mare e, in tal caso, rifornitevi di medicine adatte o rivolgetevi all'infermeria di bordo.
Portate con voi l'abbigliamento necessario per ogni occasione: la vita a bordo prevede feste e intrattenimenti vari, così come attività sportive.

(Adattato da www.ladybonton.com)

NOTA BENE

Ricordati che alcuni verbi che sono riflessivi in italiano non lo sono in inglese, come *fermarsi/to stop*.

Pronomi diretti e participio passato

[ConTesto]

A Leggi la lettera di una donna a una rubrica femminile. Osserva i verbi evidenziati e quelli sottolineati: quale differenza noti?

Buongiorno, Signora Lina.

Mia madre mi ha telefonato per recapitarmi l'invito alla festa di una delle sue sorelle, ma io l'ho declinato. Mia zia a breve farà i 90 anni, è in ottima salute ed è una grande viaggiatrice. Il suo desiderio sarebbe di stare con tutti i parenti e vedere tutti i nipoti. Prima di tutto sono un po' lontana dal luogo della festa e senza auto, secondo mia zia è sempre stata prodiga di regali ai miei due fratelli, sposati con figli, mentre a me non ne ha mai fatti (forse perché vivo sola). Anche mia madre l'ha notato. In ogni caso non ho voglia di andare alla sua festa in un ristorante con tanti parenti. Premetto che non ci sono assolutamente screzi in famiglia, ma ci incontriamo di rado. Mia madre trova esagerata la mia reticenza, ma l'ha accettata. Forse è un po' delusa, ma saranno in molti comunque a festeggiarla. Ma quando le ho detto di riferirle che sono altrove per quella data, mia madre mi ha risposto che le riferirà che non ci sono e basta. Questo suo atteggiamento mi ha dato fastidio, ma non le ho detto niente. Signora Lina, se lei fosse nella mia situazione cosa farebbe? [...]

(Adattato da www.tranquilla.it)

B **Traduci in inglese le seguenti frasi tratte dal testo dell'attività A. Quali differenze noti tra le due lingue?**

ITALIANO
1. Mia madre mi ha telefonato per recapitarmi un invito, ma io l'ho declinato.
2. Mia zia ha sempre fatto regali ai miei fratelli, ma a me non ne ha mai fatti.
3. Anche mia madre l'ha notato.
4. Mia madre trova esagerata la mia reticenza, ma l'ha accettata.
5. Quando le ho detto di riferirle che sono altrove per quella data, mia madre mi ha risposto che le riferirà che non ci sono e basta.
6. Questo suo atteggiamento mi ha dato fastidio, ma non le ho detto niente.

INGLESE
....
....
....
....
....
....

DIFFERENZE
....
....
....
....
....

[Esercizi]

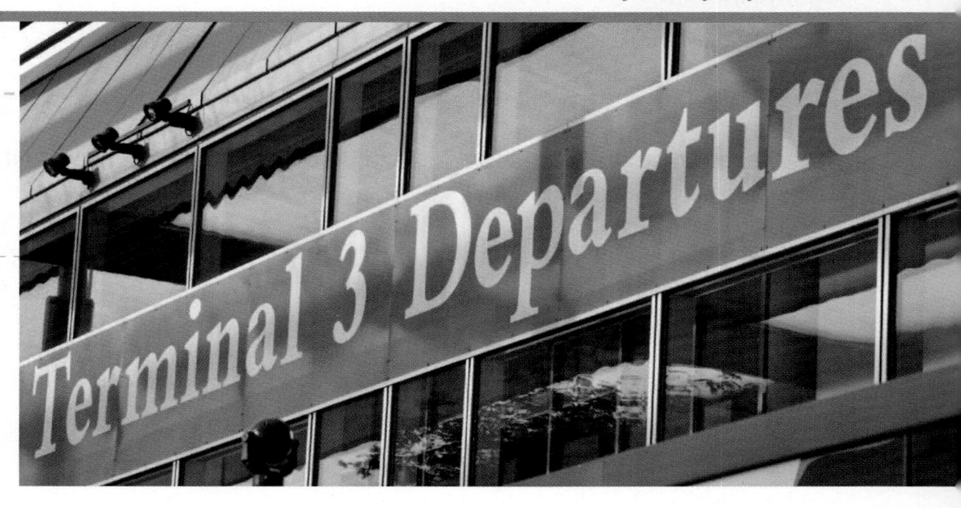

1 **Le seguenti frasi sono tratte da un diario della prima giornata di un viaggio a Londra. Riscrivi le parti sottolineate usando i pronomi diretti o la particella *ne*, come nell'esempio.**

1. Abbiamo preso la Ryanair. Siamo partiti da Bari alle 11:45 e siamo arrivati a Londra alle 13:45 locali.

   L'abbiamo presa

2. Abbiamo ritirato i bagagli.

3. Abbiamo ritirato le sterline con il bancomat.

4. Abbiamo preso il bus per il centro.

5. Abbiamo pagato 14 sterline.

6. In centro, abbiamo trovato facilmente il nostro hotel.

7. Abbiamo trovato una camera piccola e sporca.

8. Abbiamo cambiato il letto con le lenzuola portate da casa.

9. Abbiamo cambiato gli asciugamani.

10. Abbiamo disinfettato la doccia.

11. Tuttavia, abbiamo trovato il personale gentilissimo.

12. Ci hanno consigliato un ristorantino vicino. Abbiamo mangiato un piatto semplice ma buono.

13. Poi abbiamo bevuto due pinte di birra ciascuno!

14. Quando siamo tornati all'hotel, prima di dormire abbiamo guardato la TV per immergerci nella lingua.

(Adattato da www.londraviaggi.it)

2 Nel testo seguente, riscrivi le parti di frasi sottolineate usando il pronome corretto, come nell'esempio.

Mirafiori dà l'esempio

Torino ha conquistato il premio "Buone pratiche in comune" di Legambiente grazie alla zona 30 di Mirafiori.
L'ha conquistato

1. Hanno ridisegnato strade e marciapiedi sul modello di città come Berlino.
2. Hanno ridotto l'inquinamento acustico e ambientale.
3. Hanno ridotto la spesa grazie alla diminuzione di spese sanitarie dovute a incidenti.

Quaranta chilometri di portici

1. A Bologna, dal 12 maggio, hanno chiuso al traffico le arterie a T durante i weekend e i giorni festivi.
2. Bologna ha vinto il premio European Mobility Week come miglior città per la mobilità sostenibile.
3. Hanno coinvolto i cittadini grazie a progetti come "Di nuovo in centro" per risolvere accessibilità e vivibilità del centro.

Potere ai pedoni

1. A Padova le persone si sono riappropriate della città. In periferia hanno trasformato gli incroci in rotatorie dove i veicoli rallentano.
2. Hanno eliminato le barriere architettoniche.

Il centro è un mall all'aperto

1. A Terni dopo la guerra hanno pianificato una buona viabilità.
2. Hanno chiuso alle auto quattro piazze e due viali.
3. Hanno trasformato Terni in un centro commerciale all'aperto dove passeggiare e fare acquisti.
4. Lungo il perimetro hanno introdotto aree a traffico limitato e tre parcheggi.
5. Hanno creato più posti auto per i disabili.

Unica al Sud

1. Dapprima hanno liberato Bari dalle auto private in centro.
2. Hanno creato parcheggi periferici.
3. Ora hanno individuato aree da vietare alle auto in tutte le grandi circoscrizioni.

(Adattato da "Slow City", L'Espresso 24-5-2012)

3 Traduci il brano seguente in italiano.

"I started the day at *Campo de' Fiori*. I ordered an espresso at a café and drank it at the counter as Romans do, then I bought fresh fruit at the market and ate it while walking in the direction of the *Foro Romano* for a full immersion in antique life. From there I went to *La Bocca della Verità*. The first time I saw it was in the film *Roman Holiday*, but I wanted to see the real thing. At this point I was feeling a bit hungry, so I walked back to the *Piazza Navona* area to have lunch in *Baffetto*, which is known as the best *pizzeria* in town. My *pizza* was excellent and I paid very little for it. It was now time to go to Trastevere. I love its streets and I have walked them many times. I also went to the Church *Santa Maria in Trastevere*; I visited it many times before, but it's always nice to go back. I can say the same about the *Basilica di San Pietro*. There are hordes of tourists, but there is also *la Pietà*, the beautiful statue by Michelangelo: I admired it once again... In need of a stroll, I went to *Villa Borghese*. The park is beautiful and the *Galleria Borghese* is absolutely stunning. I didn't see it this time, but it's worth a visit. Before dinner I had a Campari with olives at the *Caffè della Pace*, near *Piazza Navona*. I drank it outside, at one of the tables. Finally, I had dinner at *Gusto* and I found the food simple and excellent, as always.

(Adattato da www.tripadvisor.com)"

Le particelle pronominali *ci* e *ne*

[ConTesto]

A **Osserva l'uso della particella *ci* nei testi seguenti. Che cosa sostituisce? Associa ogni testo alle definizioni della particella.**

• in questa cosa ....
• in questo luogo ....
• a questa cosa ....
• a questo punto ....
• per esprimere possesso ....
• con questa cosa ....

NOTA BENE

Come sai, la particella ***ci*** si usa per sostituire l'indicazione di uno spazio e di un luogo: *Quando vai al cinema? **Ci** vado sabato pomeriggio (**Ci** = al cinema).* Ma ***ci*** si usa anche per sostituire una frase o una parola introdotta dalle preposizioni *a, con, in, su*: *Posso contare sul tuo aiuto? Certo che ci puoi contare! (**Ci** = sul mio aiuto).* Inoltre, nella lingua parlata, ***ci*** si usa spesso con i pronomi diretti e il verbo *avere* per indicare possesso. In questo caso ***ci*** diventa **ce**.
*– Hai una penna? – No, mi dispiace, non **ce** l'ho.*

1. Andiamo nello splendido quartiere di Notting Hill e nel magnifico mercato di Portobello. Ci andiamo in metro.
   (Adattato da www.londraviaggi.it)

2. Ci ho pensato e ripensato, e hai ragione tu: io sono troppo, per uno come te.
   (Settimana Enigmistica, 1-6-2012)

3. Anch'io ho cominciato da zero, e ci sono rimasto.
   (Settimana Enigmistica, 12-5-2012)

4. Sì, tesoro, puoi sentirci il rumore del mare, ma non fa le foto.
   (Settimana Enigmistica, 30-6-2012)

5. Due umoristi americani, Rob Cohen e David Wollock, hanno elencato "101 grandi ragioni per amare gli Stati Uniti". [...]. Si può compilare una lista del genere per l'Italia? Sarebbe meglio non farlo, e per questo bisogna provarci. Ci metterei: il barocco, le conoscenze, i titoli, i cellulari, i nomi astratti, i motorini, i mocassini, il parcheggio, il golf sulle spalle, il caffè espresso e il soggiorno.
   (Adattato da B. Severgnini, "Il tinello, la centrale operativa del controspionaggio domestico", in La testa degli italiani*, Milano, Rizzoli 2005)*

6. "io ce l'ho, e tu?"; [...] "Tu ce l'hai? Anch'io!"
   (Adattato da B. Severgnini, "La banca, palestra di convivenza e confidenza", in La testa degli italiani*, Milano, Rizzoli 2005)*

▶ **Come si renderebbe la particella *ci* in inglese in ciascuno dei casi indicati sopra?**

B Osserva questi titoli in cui la particella *ci* è accompagnata da un pronome diretto. Cosa noti?

Ti Ci porto io

SE NON SONO MATTI NON CE LI VOGLIAMO

NOTA BENE

Quando la particella ***ci*** è accompagnata da un pronome diretto, si mette:
dopo *mi, ti, vi* (es. ***Ti ci*** *porto io*);
prima di *lo, la, li, le* (es. *Non* ***ce li*** *vogliamo*).

Attenzione: quando ***ci*** rappresenta contemporaneamente una particella di luogo e un pronome diretto di prima persona plurale, all'interno della frase non raddoppia.
Es. – *Chi vi porta in spiaggia?* – ***Ci*** *porta un mio amico.*

C Leggi il brano e osserva gli usi della particella *ne*, che abbiamo evidenziato e numerato. Che cosa sostituisce? Associa ogni caso a una delle seguenti definizioni della particella.

La Cravatta di Phil

Phil apre l'armadio e sofferma la sua attenzione sulle cravatte. Ha già indossato pantaloni chiari, una giacca di tweed marrone e una camicia rosa. Non gli resta che scegliere la cravatta. Esita. (1) Ne prende in mano una ocra, attraversata da sottili righe verdi. Lucente, setosa, impalpabile. La scarta.
Passa a una color ruggine, punteggiata da piccoli pois gialli, disegnata da uno stilista francese. Sfilacciata ai bordi, niente da fare. (2) Ne considera allora una verde scuro [...].
Elegante, molto elegante, regalo di Barbara, donna di buon gusto. [...]. Fa per sfilarla e solo allora (3) ne avverte la ruvidezza. (4) Ne è spiacevolmente sorpreso. Troppo rigida, conclude, lasciandola ricadere.

(Adattato da G. Romagnoli, Navi in bottiglia, *Milano, Mondadori 1995)*

- da una caratteristica della cravatta ....
- delle cravatte ....
- di una cravatta in particolare ....

NOTA BENE

Come sai, la particella ***ne*** si usa spesso per indicare una quantità, una parte di un tutto, un numero, per non ripeterli: – *Quanti figli ha?* – ***Ne*** *ho tre* (***Ne*** *= di figli*). Ma ***ne*** si usa anche per sostituire una frase introdotta dalle preposizioni *di* e *da*.
– *Cosa sai della politica italiana?*
– *Non* ***ne*** *so niente!* (***Ne*** *= della politica italiana*). – *Oggi vai in banca, vero?* – ***Ne*** *vengo proprio adesso* (***Ne*** *= dalla banca*).

▶ Come si renderebbe la particella *ne* in inglese in ciascuno dei casi indicati sopra? Quali conclusioni raggiungi?

[Esercizi]

1 **Nel seguente testo, riscrivi le parti sottolineate usando i pronomi e le particelle corrette, come nell'esempio.**

1. La colazione italiana è generalmente leggera. Molti italiani fanno volentieri colazione al bar prima di andare al lavoro. *Ce la fanno volentieri.*
2. Troviamo sempre il caffè nella colazione italiana, sia a casa sia al bar: sotto forma di espresso, o nel cappuccino e nel caffelatte.
   ....
3. Di solito mettono lo zucchero nel caffè.
   ....
4. In Italia il cappuccino ha una sola grandezza.
   ....
5. Nel caffelatte gli italiani mettono molto latte e poco caffè.
   ....
6. Mangiano anche uno o due cornetti, con crema, marmellata o cioccolata.
   ....
7. Inzuppano il cornetto nel caffè.
   ....
8. Se fanno colazione a casa di solito mangiano alcuni biscotti con il caffelatte.
   ....

2 **Inserisci nella tabella le espressioni evidenziate nel testo seguente, in corrispondenza del significato del pronome e della particella che contengono.**

Ecco perché, in Italia, le norme non vengono rispettate come in altri paesi: accettando una regola generale, ci sembra di far torto alla nostra intelligenza. Obbedire è banale, noi vogliamo ragionarci sopra. Vogliamo decidere se quella norma si applica al nostro caso particolare. [...]
Guardate questo semaforo rosso. [...] Molti di noi guardano il semaforo, e il cervello non sente un'inibizione (Rosso! Stop. Non si passa). Sente, invece, uno stimolo. Bene: che tipo di rosso sarà? Un rosso pedonale? Ma sono le sette del mattino, pedoni a quest'ora non ce ne sono. Quel rosso, quindi, è un rosso discutibile, un rosso-non-proprio-rosso: perciò, passiamo. Oppure è un rosso che regola un incrocio? Ma di che incrocio si tratta? Qui si vede bene chi arriva, e non arriva nessuno. Quindi il rosso è un quasi-rosso, un rosso relativo. Cosa facciamo? Ci pensiamo un po': poi passiamo. E se invece fosse un rosso che regola un incrocio pericoloso? [...] Che domanda: ci fermiamo, e aspettiamo il verde.

(Adattato da B. Severgnini, "La strada, o la psicopatologia del semaforo", in La testa degli italiani, *Milano, Rizzoli 2005)*

NOTA BENE

Quando le particelle ***ci*** e ***ne*** si incontrano, ***ci*** viene prima e diventa ***ce***.

	a questa cosa
	qui di pedoni
	a noi
	pronome riflessivo di prima persona plurale
	su questa cosa

3 *Ci* o *ne*? Completa le frasi con la particella appropriata e spiegane la funzione. Segui l'esempio. Attenzione: in un caso devi usare anche un pronome diretto, formando un pronome combinato.

26 marzo: La Giornata Mondiale della Lentezza
I ComandaLenti

1. Ci svegliamo 5 minuti prima del solito per prepararci, senza fretta e con un pizzico di allegria.
   Ci mettiamo un pizzico di allegria. Dove? In che cosa? Nella preparazione.
2. Se siamo in coda al supermercato, scambiamo due chiacchiere con il vicino di carrello.
   .... scambiamo due chiacchiere. ....
3. Se entriamo in un bar salutiamo il barista, ci gustiamo il caffè e risalutiamo quando usciamo. Al bar: quando .... entriamo salutiamo il barista .... e risalutiamo quando .... usciamo. ....
4. Scriviamo sms senza simboli o abbreviazioni.
   Con gli amici .... scriviamo sms senza simboli o abbreviazioni.
   ....
5. Evitiamo di fare due cose contemporaneamente. Evitiamo di far........ due contemporaneamente.
   ....
6. Evitiamo di iscrivere i nostri figli ad una scuola o una palestra dall'altra parte della città. Evitiamo di iscriver........ . ...
7. Non scriviamo troppi appuntamenti in agenda, e impariamo a dire qualche no. Non **ne** scriviamo troppi appuntamenti. Di che cosa? Di appuntamenti.
8. Non corriamo al supermercato. Sicuramente abbiamo abbastanza cibo per preparare la cena.
   Non .... corriamo. .... abbiamo abbastanza. ....
9. Anche se costa un po' di più, ogni tanto andiamo nel negozio sotto casa: risparmieremo molto tempo e saremo meno stressati.
   Ogni tanto .... andiamo. .... risparmieremo molto. ....
10. Evitiamo qualche viaggio nei weekend o durante i lunghi ponti, ma rimaniamo nella nostra città per godercela. .... evitiamo qualcuno. .... rimaniamo per godercela.
    ....

(Adattato da www.vivereconlentezza.it)

4 **Leggi la storia del cono gelato e completa ogni spazio con la particella *ci* o *ne*.**

La storia del cono

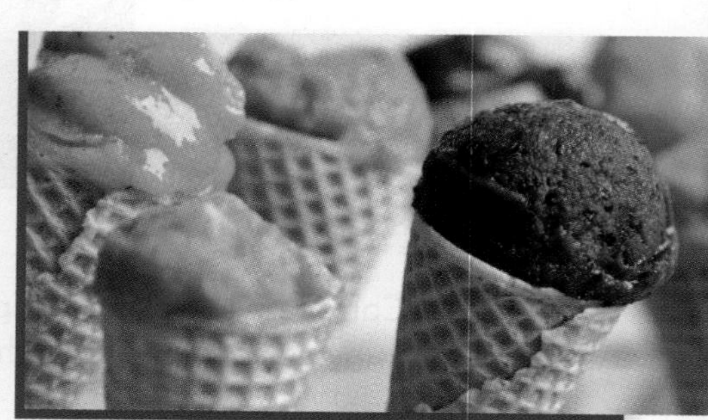

Con il ritorno della bella stagione tornano le passeggiate all'aperto, le serate fuori con gli amici, i week-end in fuga dalla città e la voglia di gelato! In Italia .... sono 38.000 esercizi per soddisfare il 90% degli italiani, che .... vanno spesso. Ma questo è un mercato grande e profittevole e troppi .... si lanciano. Il fatto è che qualsiasi cosa di freddo, dolce e semisolido può essere chiamato gelato e il cliente .... è spesso confuso. .... sono diverse versioni per la paternità del "cono da passeggio", vera rivoluzione nel consumo del gelato artigianale. Ci piace attribuirla a un italiano, Italo Marchioni. Originario delle Marche, partì per emigrare in America, dove esercitava il mestiere di gelatiere a New York, nella zona di Wall Street. I suoi gelati e sorbetti, trasportati nel tradizionale carrettino, venivano offerti nei "penny licks" (bicchierini di vetro, da leccare, del costo di un penny), che dovevano essere restituiti dai clienti, lavati e riutilizzati. Ma Marchioni .... era insoddisfatto. Non amava questi contenitori, scomodi, ingombranti e fragili. Allora prima tentò di utilizzare un cono realizzato con un foglio di carta, poi decise di sostituirlo con una cialda sagomata. Vista la grande richiesta di cialde, Marchioni chiese il brevetto per una macchina che .... produceva 10 per volta: il 22 settembre 1903 si presentò all'ufficio brevetti di New York per depositare formalmente la sua idea e ottener........ la piena paternità intellettuale (riconosciuta con il "patent" no. 746971). Gi emigrati italiani, e non solo, ... furono entusiasti, e a Little Italy .... erano molti chioschi per la vendita del gelato. Con il gelato divenuto un alimento da consumare passeggiando per strada o nel parco, in breve si moltiplicarono le ditte che producevano cialde e wafer. In Italia la diffusione del cono gelato fu un po' più tarda, negli anni Venti del Novecento. Fu un altro italiano, un certo Spica, a inventare la cialda come la conosciamo oggi, nel 1959. Per rendere il wafer croccante, Spica .... aggiunse olio, zucchero e cioccolato. (Spica registrò il prodotto con il nome "Cornetto" nel 1960).

(Adattato da G. Burri, "La storia del cono", in Civiltà della tavola, *n. 239)*

5 **Nel seguente testo, sostituisci le parole evidenziate con il pronome appropriato e i pronomi tonici con pronomi atoni. Attenzione: metti ogni pronome nella posizione corretta nella frase.**

LOUISE BROOKS ***di Carmen Scotti***

[...] Mia madre, per distrarre me, spinse me a danzare. A 15 anni lasciai la mia casa per New York [...]. Provai a essere normale, ad adattarmi alla monotonia [...]. Niente da fare [...]. Mi rassegnai a essere me stessa. Quando le ragazze portavano i capelli lunghi, io tagliai i capelli. [...] A 19 anni, il primo film. [...]. Era un bel gioco il cinema. [...] Lasciai Hollywood per Parigi, e fui felice, per un po'. Anche quando Pabst preferì me alla divina Marlene Dietrich, fui felice davvero? Tutti ai miei piedi, uomini e donne, tutti ammaliati da Louise-Lulu, occhi di pece: ma qualcuno ha mai guardato davvero dentro negli occhi di pece? E se avessero fatto questo, cosa avrebbero visto? Nient'altro che la mia anima [...]. E cosa fece il mondo? Invece di capire me, gettò via me, come un vestito logoro. Finita l'era del muto, il cinema si riempì di voci, di bocche recitanti. Oh, lei è finita, nessuno vuole più lei, siamo stufi dei suoi strani occhi, della sua amoralità. [...] Appena 32 anni, e una carriera al capolinea. Sola, disperata, perduta per sempre. [...] Il mondo voleva me umiliata? E io non negai nulla al mondo, neanche la più crudele soddisfazione, da sbattere in prima pagina: "La grande Louise Brooks, l'eroina del muto, recita in una soap opera". Non basta ancora a voi? "Louise Brooks fa la commessa nei grandi magazzini sulla Fifth Avenue", "Louise Brooks si fa mantenere da amici ricchi per non morire di fame". Io lo so perché odiate me tutti: perché non avete mai piegato me, perché sono snob, insolente e sincera.

(Adattato da "E io me ne frego: li taglio a caschetto!", Tu Style, *10-7-2012)*

I verbi pronominali

[ConTesto]

Per "verbi pronominali" intendiamo i verbi che si coniugano regolarmente, ma che sono accompagnati da uno o più pronomi o particelle pronominali (**ci**, **ne**, **la**, **le** *e i pronomi riflessivi). I pronomi e le particelle non hanno un significato in sé, ma modificano quello del verbo di base. Prendiamo ad esempio il verbo* **mettere**:

– Metto lo zucchero nel caffè (**mettere**);
– Ci metto mezz'ora per arrivare al lavoro (**metterci**);
– Non credo che riuscirò a finire in tempo, nemmeno se ce la metto tutta (**mettercela**).

A Con l'aiuto della definizione che ti diamo qui sopra e prima di leggere un testo che introduce i verbi pronominali, pensa a quelli che conosci già. Quali sono e cosa significano?

B In questo breve testo sui gesti degli italiani abbiamo evidenziato tre verbi pronominali. Leggilo e rispondi alle domande che seguono.

All'estero c'è chi sostiene che imparare l'italiano non serve: basta guardare le mani degli italiani mentre parlano. Non è vero, ma la malignità contiene un'intuizione. [...]. Di fronte ai gesti, molti di voi si sentono come tanti di noi davanti ai *phrasal verbs*. L'inglese magari lo sappiamo, ma quella scarica di *in*, *on*, *off* e *out* ci sconcerta. Non ci rendiamo conto che non è necessario imparare centinaia di combinazioni a memoria. [...]. Per interpretare i gesti degli italiani occorre usare la stessa tecnica. [...]. Basta capire il concetto verbale racchiuso in un movimento. Guardate le mani di quella coppia che discute. Gesti verso l'esterno: vattene, sparisci, arretra. [...] Ancora non capite che quei due discutono? Vediamo. Lui stringe i pugni: è arrabbiato. Lei mostra il palmo delle mani: dice di non prendersela. Lui sfrega il pollice e l'indice: vuol dire "soldi". Lei avvicina gli indici delle due mani: vuol dire "se la intendono". Semplice: i due discutono di un caso di sospetta corruzione. Certo, questo non potete pretendere di capirlo alla prima lezione. Occorre un dottorato, ma bastano anche dieci anni in Italia.

(Adattato da B. Severgnini, "Il treno, dove molti parlano, pochi ascoltano e tutti capiscono", in La testa degli italiani, *Milano, Rizzoli 2005)*

1. A quali modi e tempi corrispondono le forme vattene e se la intendono? E qual è l'infinito dei due verbi?

2. Secondo te qual è il significato dei tre verbi, considerando il contesto e i gesti italiani che sono descritti nel testo?

[Esercizi]

1 Nel capitolo 1 abbiamo visto il racconto del viaggio di nozze di una coppia inglese. Lo abbiamo rielaborato. Leggi il testo e svolgi le seguenti attività sui verbi pronominali.

▶ Sottolinea tutti i verbi pronominali e per ciascuno indica l'infinito del verbo, come nell'esempio.

▶ Associa l'infinito di ciascuno dei verbi che hai trovato al suo significato inserendolo nella casella corretta nella tabella che segue.

▶ Come vedi, alcuni verbi pronominali hanno fondamentalmente lo stesso significato della forma base. Secondo te cosa cambia quando si usa la forma pronominale?

Io e Paul ci siamo sposati a metà ottobre e due giorni dopo siamo partiti per l'Italia. Per dirla tutta avremmo dovuto prendercela comoda e rimanercene un po' tranquilli a casa perché eravamo stanchissimi, ma non ce la facevamo più ad aspettare!
Molti dei nostri amici preferiscono i Caraibi o altri Paesi lontani, ma noi la pensiamo diversamente e non ce ne importa di andare necessariamente in luoghi esotici e ce ne morivamo dalla voglia di rivedere Roma, dove ce la siamo goduta come sempre. Anche in Umbria ci siamo trovati benissimo. Senza farla troppo lunga, siamo andati prima di tutto a Spoleto, che era la nostra base. Il padrone del nostro *bed & breakfast* era gentilissimo e ci sapeva fare e ce la metteva tutta per soddisfare i clienti.
La nostra ultima tappa umbra è stata a Gubbio, da dove siamo poi ripartiti per Roma, e da lì ce ne siamo tornati in Inghilterra. Peccato, ci stavamo prendendo gusto!

VERBO PRONOMINALE	SIGNIFICATO
	tornare
	dilungarsi
	per essere sinceri
Importarsene	dare importanza
	morire
	rimanere
	essere in gamba, bravi
	giudicare, avere un'opinione
	divertirsi
	impegnarsi molto
	cominciare ad apprezzare qualcosa
	fare le cose con calma
	riuscire a

2 Completa le seguenti battute con la forma corretta del verbo tra parentesi, nel modo e tempo indicati. Fai attenzione alla persona che devi usare.

① Sta' a sentire, il gioco è bello quando dura poco: adesso (*smetterla/imperativo*) .... di chiamarmi mamma!

② La cassa era vuota, ma quei delinquenti (*filarsela/passato prossimo*) .... con nove caramelle gommose e sette fruttini siciliani!

③ Ma guarda tu che modi! ... Quel farabutto (*andarsene/passato prossimo*) .... senza neanche salutare!

④ – E ancora grazie a tutti, e buona fortuna
Il mio discorso al club deve durare dieci minuti. Quanto (*metterci/passato prossimo*) .... ?
– 45 secondi
– Perfetto: così il pubblico avrà tutto il tempo per omaggiarmi con una standing ovation!

⑤
Non (*volerci/presente indicativo*) .... molto a fargli il lavaggio del cervello: basta uno straccetto umido.

⑥ Non (*poterne/presente indicativo*) .... più di mia madre. Non fa che dirmi "mangia questo, mangia quello o non diventerai mai grande e grosso."

(La Settimana Enigmistica)

[Sintesi Grammaticale]

I PRONOMI DIRETTI, INDIRETTI E COMBINATI

I pronomi esistono anche in inglese, ma in molti casi si comportano in modo diverso dall'italiano.

ITALIANO E INGLESE A CONFRONTO	Esempi
Mentre in inglese i pronomi seguono sempre il verbo, in italiano quando il verbo è coniugato lo precedono.	***Lo amo.*** *I love him.* ▪ ***Gli ho detto qualcosa.*** *I said something to him.* ▪ ***Ve la presto.*** *I'll lend it to you.*
Quando accompagna **l'infinito**, il **gerundio** o il **participio**, il pronome si mette **dopo il verbo**, come in inglese. La differenza è che in italiano l'infinito, per esempio, e il pronome, non sono separati, ma **formano una sola parola**.	***per farlo*** *to do it* ***facendolo*** *doing it* ***fattolo*** *having done it*
In italiano i pronomi diretti e indiretti hanno due forme, **atona** e **tonica**. La prima si appoggia al verbo nel modo che abbiamo appena visto. La forma tonica, invece, dà una particolare enfasi al pronome, che in questo caso segue il verbo come in inglese. In inglese questa differenza di enfasi si esprime attraverso l'intonazione della voce.	***Ti ho invitato.*** **(forma atona)** ***Ho invitato te.*** **(forma tonica)** *I invited him.* **(forma atona)** *I invited him.* **(forma tonica, mettendo l'enfasi su *him*)**
Ricordati che quando sono tonici i pronomi in italiano cambiano un po': • **diretti**: *me, te, lui, lei, noi, voi, loro;* • **indiretti**: *(a) me, (a) te, (a) lui, (a) lei, (a) noi, (a) voi, (a)* loro.	***Gli parlo.*** **(forma atona)** ***Parlo a lui.*** **(forma tonica),** *I speak to him.* **(forma atna)** *I speak to him.* **(forma tonica, mettendo l'enfasi su *to him*)**
Quando c'è un verbo modale o fraseologico (***dovere, potere, sapere, volere, cominciare a, stare per, stare* + *gerundio, finire di***) seguito dall'infinito, il pronome può andare prima del verbo o dopo l'infinito, mentre in inglese si mette sempre dopo.	***Posso comprarlo. / lo posso comprare.*** *I can buy it.* ***Lo comincio a leggere / comincio a leggerlo.*** *I start reading it.*
Alcuni verbi italiani prendono un oggetto diretto, mentre il loro equivalente inglese richiede l'uso di una preposizione davanti all'oggetto. Per esempio: ***ascoltare, chiedere (una cosa), pagare (una cosa), aspettare, cercare, guardare.***	***Lo ascolto.*** *I listen to him.* ▪ ***Lo chiedo.*** *I ask for it.* ▪ ***Il caffè? Lo pago io.*** *The coffee? I'm paying for it.* ▪ ***Aspetto l'autobus.*** *I'm waiting for the bus.* ▪ ***Cerco mia madre.*** *I'm looking for my mother.* ▪ ***La guardo.*** *I look at her.*
Alcuni verbi italiani prendono un oggetto indiretto, mentre il loro equivalente inglese prende un oggetto diretto. Per esempio: ***telefonare, chiedere (domandare), dire, dispiacere, somigliare.***	***Gli telefono.*** *I ring him.* ▪ ***Le chiedo di venire.*** *I ask her to come.* ▪ ***Vi dico la verità.*** *I'm telling you the truth.* ▪ ***Gli somiglio.*** *I look like him.* ▪ ***Gli voglio bene.*** *I am fond of him.*

ITALIANO E INGLESE A CONFRONTO	Esempi	
Alcuni verbi italiani vogliono normalmente il pronome indiretto, mentre l'equivalente inglese ha una costruzione diretta: ***piacere, dispiacere, sembrare, mancare, bastare, occorrere, servire*** ecc. (vedi anche i verbi con costruzione indiretta a pag. 137)	***Mi piace la pasta.*** ***Mi serve aiuto.*** ***Mi manca l'Italia.***	*I like pasta.* *I need help.* *I miss Italy.*
I **pronomi combinati** nascono dall'incontro tra un pronome indiretto o riflessivo e un pronome diretto o la particella ***ne***.		
Nei pronomi combinati, il pronome indiretto si mette sempre prima del pronome diretto, mentre in inglese generalmente succede il contrario. Il pronome indiretto si modifica un po': *mi* > ***me***, *ti* > ***te***, *gli / le / Le* > ***glie***, *ci* > ***ce***, *vi* > ***ve***. In inglese, invece, i pronomi non cambiano.	***Te lo darò.*** ***Mi presti il motorino?*** ***Me lo presti?***	*I'll give it to you.* *Can you lend me your scooter?* *Can you lend it to me?*
Come tutti i pronomi, i pronomi combinati **precedono il verbo quando è coniugato**, ma quando il verbo è all'**infinito**, **gerundio** o **participio**, si mettono **dopo il verbo**, come in inglese. La differenza è che in italiano l'infinito, per esempio, e il pronome, non sono separati, ma **formano una sola parola**	***Me lo dai?*** ***Dammelo!***	*Will you give it to me?* *Give it to me!*

PRONOMI DIRETTI E PARTICIPIO PASSATO

In inglese, nei tempi composti, il participio passato non cambia mai. Vediamo, invece, cosa succede in italiano.

ITALIANO E INGLESE A CONFRONTO	Esempi	
Normalmente, nei tempi passati che si formano con l'ausiliare *avere* il participio passato non cambia, come in inglese.	***Maria ha mangiato.*** ***Abbiamo mangiato.***	*Maria has eaten.* *We have eaten.*
Le cose cambiano se davanti al verbo c'è il pronome diretto ***lo***, ***la***, ***li*** o ***le***. In questo caso in italiano il participio passato concorda con il pronome. Nel caso dei pronomi ***mi***, ***ti***, ***ci***, ***vi*** l'accordo non è obbligatorio.	***Ho mangiato una pizza.*** ***L'ho mangiata.***	*I have eaten a pizza.* *I have eaten it.*

[Sintesi Grammaticale]

LE PARTICELLE PRONOMINALI

In italiano ci sono due particelle pronominali, ***ci*** e ***ne***, che l'inglese non ha. Si usano con diversi significati, che vediamo qui di seguito.

ITALIANO E INGLESE A CONFRONTO	Esempi
CI	
Ci* locativo** In questo caso la particella ***ci si usa per sostituire l'indicazione di uno spazio e di un luogo. In inglese non si usa una particella pronominale per non ripetere il luogo: semplicemente si omette, o si usa l'avverbio ***there***.	***Quando vai al cinema?*** *When are you going to the cinema?* ***Ci vado sabato.*** *I'm going (there) on Saturday.*
Altri usi: • ***Ci*** si usa anche per sostituire una frase o una parola introdotta dalle preposizioni *a*, *con*, *in*, *su*. In inglese si ripete la preposizione e il nome viene sostituito da un pronome.	***Posso contare sul tuo aiuto?*** *Can I count on your help?* ***Certo che ci puoi contare.*** *Of course you can count on it.* ***Da quanto tempo vivi con Giulia?*** *How long have you been living with Giulia?* ***Ci vivo da due anni.*** *I have been living with her for two years.*
• Nella lingua parlata, è frequente l'uso di ***ci*** con i pronomi diretti e il verbo *avere* per indicare possesso. In questo caso ***ci*** diventa ***ce***. In inglese non si usa una particella pronominale e la cosa posseduta viene sostituita da un pronome.	***Mi dispiace, non ce l'ho.*** *Sorry, I haven't got it / Sorry, I don't have it.*
Ci* con i pronomi diretti** Quando la particella ***ci con significato locativo è accompagnata da un pronome diretto, si mette dopo *mi*, *ti*, *vi* e prima di *lo*, *la*, *li*, *le*. Con il pronome diretto ***ci***, la particella non si usa per non dire ***ci*** due volte. In inglese anche in questo caso non si usa una particella pronominale per non ripetere il luogo: semplicemente si omette, o si usa l'avverbio ***there***.	***In spiaggia? Ti ci accompagno io.*** *To the beach? I'll take you (there).* ***Ce lo accompagno io.*** *I'll take him (there).* ***Ci accompagna mio padre.*** *My father will take us (there).*

ITALIANO E INGLESE A CONFRONTO	Esempi
NE	
Ne* partitivo** La particella ***ne si usa spesso per indicare una quantità, una parte di un tutto, un numero, per non ripeterli. In inglese non si usa una particella pronominale per non ripetere la cosa di cui si parla.	***– Quanti figli ha? – Ne ho tre.*** *– How many children have you got? – I have three.*
Altri usi La particella ***ne*** si usa anche per sostituire una frase o una parola introdotta dalle preposizioni *di* e *da*. In inglese si usa una preposizione e il nome viene sostituito da un pronome	***– Cosa sai della politica italiana? – Non ne so niente!*** *– What do you know about Italian politics?* *– I know nothing about it!*
Posizione di *ci* e *ne* Come tutti gli altri pronomi, le particelle pronominali **precedono il verbo quando è coniugato**, ma quando il verbo è **all'infinito**, **gerundio** o **participio**, si mettono **dopo il verbo**.	***– Sei stato al supermercato? – Ne vengo ora.*** *– Have you been to the supermarket?* *– I'm just coming from there.*

I VERBI PRONOMINALI

In italiano ci sono dei verbi che, uniti a certi pronomi e particelle pronominali, subiscono un cambiamento di significato. Questo cambiamento a volte non è molto marcato, a volte lo è molto di più.

ITALIANO E INGLESE A CONFRONTO	Esempi
I verbi pronominali si coniugano in modo regolare, ma insieme a uno o più pronomi o particelle pronominali (***ci***, ***ne***, ***la***, ***le*** e i pronomi riflessivi).	
Tra i verbi con il cambiamento di significato più marcato possiamo distinguere alcuni gruppi principali: • **verbo + *ci*** (es. *metterci, volerci, entrarci*); • **verbo + *la*** (es. *smetterla, finirla, prenderla*); • **verbo + *ne*** (es. *averne abbastanza, non poterne più, volerne a qualcuno*); • **verbo + *ci* + *la*** (es. *farcela, mettercela, avercela con qualcuno*); • **verbo + *si* + *la*** (es. *cavarsela, filarsela, spassarsela*); • **verbo + *si* + *ne*** (es. *andarsene, fregarsene, starsene*). In inglese non ci sono verbi con questa struttura. Come vedi negli esempi qui accanto, talvolta l'equivalente inglese di questi verbi usa un pronome da solo o preceduto da preposizione, talvolta nessuno dei due.	***Ci metto un'ora.*** *It takes me an hour.* ***Smettila!, Stop it! / Non ne posso più!*** *I've had enough of it!* ***Gliene voglio.*** *I have a grudge against him/her.* ***Ce l'ho fatta!*** *I did it!* ***Me la sono spassata.*** *I had a ball.* ***Se ne è uscito con una battuta.*** *He came out with a funny comment.*

5 LA PREPOSIZIONE

- **Gli usi delle preposizioni *di, a, da, in, con, su, per, tra/fra***
- **Aggettivi e verbi con o senza preposizione**

Le preposizioni di luogo e di tempo **p. 98**
Sono di Roma I'm from Rome
Abito a New York I live in New York
Abito a Dublino da 20 anni I've been living in Dublin for 20 years
Lavoro dal 2000 I've been working since 2000

Altri usi delle preposizioni *a, da, di, con, in, per* **p. 104**
Una camicia a maniche corte A short-sleeved shirt
Occhiali da sole Sunglasses
Maglietta di cotone Cotton T-shirt

Aggettivi e verbi con o senza preposizione **p. 110**
Sono disposto a lavorare sodo I'm prepared to work hard
Sono contenta del mio lavoro I'm happy with my job
Dipende da te It depends on you

Le preposizioni di luogo e di tempo

[ConTesto]

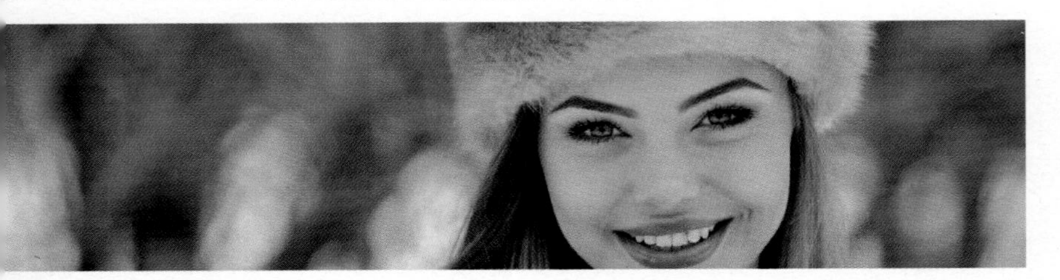

A **Leggi il seguente testo, in cui abbiamo evidenziato le preposizioni di luogo (in grassetto) e di tempo (in corsivo). Poi svolgi l'attività.**

Una ragazza plurilingue

Tatiana è una ragazza russa ***di*** 28 anni.
È di una piccola città **a** 50 chilometri **da** Mosca, ma abita **a** Londra ***da*** un anno con una cara amica che viene **da** Roma. Lavora **in** uno studio legale **vicino a** Londra specializzato in diritto internazionale. Di sera e ***nel*** fine settimana pulisce la casa a fondo e coltiva i suoi interessi.
A volte fa anche un po' di vita sociale! La sua giornata è lunga, comincia ***alle*** sette e finisce intorno ***alle*** undici. Londra non è la sua prima esperienza **all'**estero. È partita **dalla** Russia ***da*** giovanissima, ***a*** 18 anni, ed è andata prima **in** Giappone, a Tokyo, dove ha vissuto ***per*** un anno, per perfezionare il giapponese che studiava già ***da*** due anni. Incredibile ma vero, Tatiana parla 12 lingue. Le piacciono e le impara ***in*** poco tempo. ***Nel*** 2012 è andata Egitto a lavorare come interprete ***per*** sei mesi (**tra** le sue lingue c'è anche l'arabo...).
Invece ***fra*** tre mesi, ***in*** gennaio, partirà **per** l'Iran. Farà un corso di farsi **all'**Università di Teheran. Starà lì ***da*** gennaio ***a*** luglio perché deve tornare a Londra ***entro*** agosto per concludere un progetto, poi si vedrà. Non ci penserà ***fino ad*** allora. Insomma, per lei saltare **su** un aereo e cambiare Paese non è un problema! Quando va **in** vacanza **in** Russia (generalmente ***a*** Pasqua o ***in*** estate) passa **per** Mosca dove ha dei parenti, poi va a riposarsi **da** sua madre.

NOTA BENE

La preposizione ***a*** si usa per indicare un punto nello spazio dopo le parole *accanto, di fianco, di fronte, davanti, vicino, sopra* e *dietro* (non è obbligatoria negli ultimi due casi).

NOTA BENE

Con le **parti del giorno**, si può dire *la mattina/di mattina/al mattino/alla mattina, il pomeriggio/di pomeriggio/nel pomeriggio, la sera/di sera/alla sera, la notte/di notte*.
Con la parola ***fine settimana*** possiamo usare la preposizione articolata *nel* o semplicemente l'articolo *il*.

NOTA BENE

Le preposizioni ***tra*** e ***fra*** hanno gli stessi significati e si usano indifferentemente.

NOTA BENE

Con i **mesi dell'anno** si può usare anche la preposizione *a* (*in/a gennaio, in/a maggio*).

NOTA BENE

Con ***estate*** e ***inverno*** si può usare anche la preposizione *di* (*d'estate, d'inverno*).

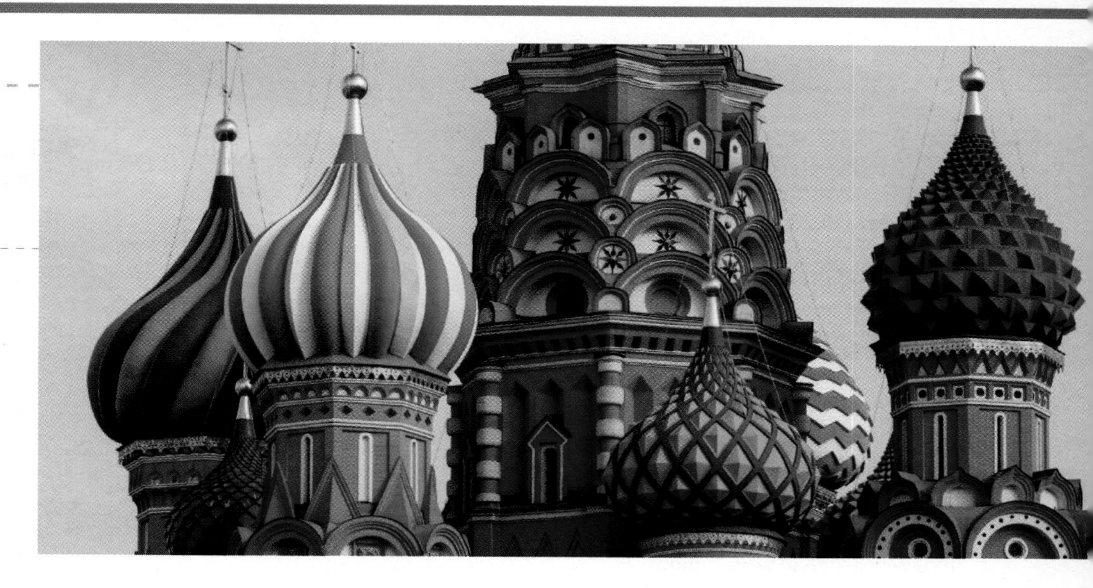

▶ Ora confronta l'italiano e l'inglese. A quale preposizione inglese corrispondono le preposizioni italiane in ciascun caso? Completa le due seguenti tabelle mettendo una crocetta nelle caselle appropriate. Poi rifletti: quali somiglianze e differenzi noti? Quali regole riconosci?

PREPOSIZIONI DI LUOGO	AT	FROM	IN	ON	TO	ALTRA PREPOSIZIONE/ ESPRESSIONE (SPECIFICA)
è **di** Mosca						
abita **a** Londra						
lavora **in** uno studio di diritto internazionale						
all'estero						
è partita **dalla** Russia						
è andata **in** Giappone						
è andata **a** Tokyo						
in tutti i Paesi ha studiato e lavorato						
tra le sue lingue c'è anche l'arabo						
partirà **per** l'Iran						
farà un corso **all'**università di Teheran						
saltare **su** un aereo						
va **in** vacanza						
passa **per** Mosca						
sta **da** sua madre						

PREPOSIZIONI DI TEMPO	AT	FOR	FROM	IN	TO	ALTRA PREPOSIZIONE/ ESPRESSIONE (SPECIFICA)
una ragazza **di** 28 anni						
abita a Londra **da** un anno						
di sera e **nel** fine settimana						
la sua giornata comincia **alle** sette						
la sua giornata finisce intorno **alle** undici						
da giovanissima						
a 18 anni						
studiava il giapponese **da** due anni						
impara le lingue **in** poco tempo						
nel 2012						
ha lavorato in Egitto **per** sei mesi						
Fra tre mesi andrà in Iran						
in gennaio andrà in Iran						
da gennaio **a** luglio						
deve tornare **entro** agosto						
non ci penserà **fino ad** allora						
Va in Russia **a** Pasqua						
Va in Russia **in** estate						

B Facciamo il punto. Rileggi il testo di pag. 98: quale preposizione si usa in italiano nei seguenti casi?

LUOGO

Per indicare....
- l'origine (città) con il verbo *essere* ....
- l'origine (città) con il verbo *venire* ....
- la provenienza, il luogo di partenza, la distanza ....
- la distanza in cui un posto si trova rispetto a un altro ....
- la città in cui sei o in cui vai ....
- il Paese in cui sei o in cui vai ....
- il luogo in cui vai con il verbo *partire* ....
- il luogo sopra cui sei o vai ....
- un luogo in cui sei o in cui vai diverse preposizioni (in un ufficio, all'università, ecc.)
- una cosa o una persona in mezzo ad altre ....
- un luogo attraverso il quale passi ....
- una persona da cui sei o vai ....

TEMPO

Per indicare....
- l'età esatta di una persona ....
- un periodo della vita di una persona ....
- l'età in cui una persona fa qualcosa ....
- un'azione che è cominciata nel passato e continua nel presente ....
- la durata di un'azione ....
- l'ora in cui succede qualcosa ....
- un'ora o una quantità approssimativa ....
- un anno ....
- una parte del giorno ....
- un momento nel futuro, la quantità di tempo che manca all'inizio di un'azione ....
- il mese in cui ha luogo un evento ....
- l'inizio e la fine di un periodo di tempo ....
- il tempo che si impiega a fare qualcosa ....
- una festività importante ....
- una stagione ....

[Esercizi]

1 È sabato e Barbara ha una giornata intensa di shopping e commissioni. Dove va? Completa le frasi con la forma appropriata delle preposizioni *a*, *in* o *da* e con i luoghi nel riquadro.

aeroporto - amica - banca - bar - casa - cinema - farmacia - letto - libreria - macelleria - palestra - parrucchiere - ristorante - scuola - stadio - supermercato

La mattina Barbara vorrebbe rimanere ...., ma ha tante cose da fare...
Prima porta i figli ...., poi accompagna suo marito .... perché deve prendere un volo per Milano.
Deve ritirare dei soldi: va ....
Va .... a fare colazione. Da buona italiana, la fa in piedi!
Va .... per tagliarsi i capelli.
Va a fare la spesa ...., ma per comprare la carne va ....
Una sua amica non sta bene: va .... a comprare delle medicine per lei.
Va .... a mangiare qualcosa di buono, poi passa in fretta .... a comprare l'ultimo romanzo del suo autore preferito.
Va .... per il suo corso di pilates.
Prima di tornare ...., va .... a portarle le medicine.
Stasera forse va .... con delle amiche, se non è troppo stanca.
Domani è domenica e andrà .... con i figli. Sono tutti tifosi della Juventus.

NOTA BENE

Quando c'è un verbo all'infinito dopo un sostantivo, normalmente si inserisce la preposizione **da** tra i due: *tante cose* ***da*** *fare, non ho tempo* ***da*** *perdere*, ecc.

NOTA BENE

Quando un verbo come *andare, tornare, venire* ecc. è seguito da un verbo all'infinito si inserisce la preposizione ***a*** tra i due verbi: *vado* ***a*** *fare la spesa, vengo* ***a*** *prenderti alle 2* ecc.

NOTA BENE

Quando c'è un aggettivo dopo un aggettivo indefinito come *qualcosa* o *niente* si inserisce la preposizione ***di*** tra i due: *niente* ***di*** *nuovo, qualcosa* ***di*** *nuovo*, ecc.

2 Completa la descrizione della giornata tipica di una studentessa universitaria con le forme appropriate delle preposizioni *a, da, in, su, tra/fra* e le parole nel riquadro. Segui l'esempio.

~~6,30~~ - 50 km - autobus - Bologna - casa - casa - facoltà - fermata - mensa - stazione - treno - università

La giornata di Chiara, una studentessa di Agraria (Università di Bologna).

Si sveglia *alle 6,30*, e alle 6,45 fa colazione. Alle 7,00 parte .... per andare .... dei treni. Alle 7,37 in punto sale .... e alle 8,20 arriva .... Alle 8,23 è già .... dell'autobus. Alle 9,15 arriva .... Le lezioni durano fino alle 13,00, ma alle 11,00 fa una pausa. Alle 13,15 va .... Alle 14,00 ricominciano le lezioni, che durano fino alle 16,00 o alle 18,00. Alle 18,22 sale .... , che per fortuna è in orario, e via di corsa verso la stazione per prendere il treno delle 19,37. Alle 20,30 arriva finalmente ....
Questa è la tipica giornata di tutto il primo semestre .... di Agraria, per una ragazza che ha la sfortuna di abitare .... dall'università.

(Adattato da www.unibo.it)

3 Completa il seguente testo sulla storia di un famoso prodotto italiano con le preposizioni *a, da, in* (semplici o articolate) o *per*.

La storia di Nutella®

La qualità e i valori di Nutella®? Sono racchiusi .... celebre marchio, rimasto invariato .... più di quarant'anni! La caratteristica scritta "Nutella" affiancata .... fetta di pane, ... coltello, ... bicchiere di latte e .... nocciole è ancora oggi l'immagine guida dei milioni di vasetti Nutella® venduti .... tutto il mondo. Familiare e genuina, ... generazioni Nutella® accompagna milioni di famiglie .... momento più importante della giornata: la prima colazione.

NUTELLA® è nata il 20 aprile 1964 presso lo stabilimento Ferrero di Alba (CN). .... allora questa straordinaria crema a base di nocciole è uno dei marchi italiani più conosciuti al mondo. NUTELLA® rappresenta .... sempre un prezioso alimento per la colazione [...].

NOTA BENE

Per indicare una data non si usa una preposizione, a differenza dell'inglese.

Pietro Ferrero mise a punto la ricetta per un dolce dei poveri: il Giandujot. Il sogno? Fornire un'alternativa valida alla colazione dei contadini [...]. Con un gianduiotto dal gusto irresistibile e dal prezzo moderato, Pietro diede il via al successo travolgente .... cui nacque la Ferrero e in seguito la Nutella® [...]
L'idea vincente di Ferrero fu quella di puntare sul lato gioioso di NUTELLA®, creando contenitori di vetro sempre nuovi e originali: bicchieri, tazze, vasetti da collezionare e da usare in tavola [...]! A partire .... 1990 i vasetti hanno ritratto moltissimi personaggi tratti .... fumetti e .... cartoni animati. Con il tempo attorno .... questi bicchieri si è sviluppato addirittura un importante filone di collezionismo. .... anni infatti Nutella® conquista anche i palati più esigenti. L'unicità del suo gusto, unita all'ineguagliabile carica di buonumore che sin .... mattino sa introdurre .... vita di ogni famiglia [...].

(Adattato da www.nutella.it)

4 **Traduci in italiano il seguente commento su TripAdvisor, scritto da una donna. Fai particolare attenzione a come traduci le espressioni sottolineate, poi rispondi alle domande. In particolare, anche se affronteremo questo aspetto in un capitolo successivo, fai attenzione a come traduci le forme** ***-ing*** **nel testo.**

“I flew from Australia to USA via Dubai. On arrival to JFK airport on Saturday morning, I went to my hotel in Brooklyn, which was close to a metro station.
Travelling within NYC is easy. The metro is very convenient, but I prefer walking. It is a fantastic way to see things. For those who are visiting New York for the first time, I suggest the NYC Citypass. Some interesting things I did on this trip include walking across the Brooklyn Bridge. Visiting the other boroughs was also on my agenda. I went to Brooklyn, Queens and the Bronx. I also had a chance to go to my first baseball game. It was an amazing introduction to the game, as I was able to watch it in Yankee Stadium.
The 'High Line' was also new for me. A stroll across this elevated public park will reward you with an amazing view.
I've always wanted to check out Coney Island and took the opportunity to go there on a sunny day.
Let's talk food. There's no shortage of great food in New York City. You can dine at Michelin star restaurants if you wish, but I'm just as happy with a humble New York pizza, tacos or bagels. Chinatown in New York is pretty special. You will find great food at a very reasonable price.
Shopping in NYC: although this wasn't a shopping trip, I couldn't resist the sales at Macy's.

(Adattato da www.tripadvisor.com)

1. In quali casi in inglese c'è una preposizione e in italiano no, e viceversa?
2. Qual è la differenza tra l'italiano e l'inglese riguardo la preposizione davanti ai nomi di quartiere?
3. Quale preposizione si usa dopo la parola *introduzione*?
4. A parte la preposizione di luogo corretta, cosa devi considerare quando menzioni uno stadio specifico?
5. Qual è la differenza tra l'italiano e l'inglese per quanto riguarda la preposizione con le parole *giorno/giornata* e *day* rispettivamente?
6. Con quali parole hai tradotto *trip* e *agenda*, e quali preposizioni hai usato? Cosa noti?
7. Quando utilizziamo *al ristorante* e quando invece *in un ristorante*?

Altri usi delle preposizioni *a, da, di, con, in, per*

[ConTesto]

A Donatella racconta i preparativi per un viaggio in Sicilia. Osserva l'uso delle preposizioni nelle espressioni sottolineate.

DOVE
Sto per partire per la Sicilia. Farò base a Cefalù. Da lì andrò in giro a visitare altre località. Sono stata convinta da tutti i miei amici che ci sono già stati e che ne parlano benissimo.

QUANDO
Partirò alla fine di giugno per due settimane. Tutti dicono che morirò di caldo, ma a me il caldo piace.

COME
Alla fine ho deciso che ci andrò con l'aereo per guadagnare tempo, anche se preferisco viaggiare in treno. Ho fatto il biglietto in internet e ho ricevuto la conferma per e-mail, quindi devo solo stampare la carta d'imbarco e partire.

CON CHI
Parto con un piccolo gruppo di amici intimi. L'unico che conosco a stento è Tommaso. È un bel tipo dai capelli neri, la faccia da bravo ragazzo (ma non troppo!), occhiali neri alla Blues Brothers, con un buon senso dell'umorismo. È più simpatico di tanti ragazzi che conosco.

IN VALIGIA
Biancheria intima, costumi, teli da spiaggia; sandali + scarpe per la barca a vela; abito da sera semplicissimo (ruberò quello di mia sorella); pantaloni di lino; magliette a maniche corte; crema solare + shampoo + bagnoschiuma al mentolo; phon + spazzola + pettine; occhiali da sole; carica batteria per il cellulare; ultimo romanzo del mio scrittore preferito; una torcia a pile.

SPECIALITÀ DA ASSAGGIARE
La caponata, gelato a volontà, soprattutto il gelato al pistacchio (il gelato siciliano è il più buono d'Italia), la pasta alla Norma, la granita al limone, la pasta con il pesto alla trapanese.

COSE DA FARE
Andare in barca a vela, comprare delle ceramiche locali e altri oggetti artigianali fatti a mano, visitare il Duomo di Cefalù e il lavatoio medievale, andare alle isole Eolie e a visitare la villa romana di Piazza Armerina e i templi greci di Agrigento, ordinare qualche cartone da sei bottiglie di un vino siciliano, comprare accessori per la spiaggia da pochi soldi ma carini...

COSE DA NON FARE
Parlare di politica, prendere il sole troppo a lungo, mangiare le cose che mangio tutto l'anno.

NOTA BENE

Si può dire anche **dal caldo** o **per il caldo**. Un altro esempio simile è *piangere di dolore/dal dolore/per il dolore*.

NOTA BENE

Con i **mezzi di trasporto** si usano le preposizioni *in* o *con* + articolo determinativo: *in macchina/con la macchina, in treno/con il treno, in aereo/con l'aereo*, ecc., così come si può dire *in autostop* o *con l'autostop*. Ma attenzione: si dice *a piedi* e *a cavallo*.

NOTA BENE

Per introdurre il **materiale** di cui è fatto qualcosa, si usa normalmente la preposizione *di*. Tuttavia, è possibile usare anche la preposizione *in* se si vuole attirare l'attenzione sul materiale e sulla lavorazione dell'oggetto. Possiamo quindi incontrare espressioni come *statua in bronzo, crocifisso in legno, cornice in argento, bracciale in avorio*, ecc. Nel caso del vinile, si usa l'espressione standardizzata *dischi in vinile*.

NOTA BENE

Si può dire anche *gelato di pistacchio* e *granita di limone*.

B Ora rifletti sull'uso delle preposizioni nel testo di p. 104. Svolgi le seguenti attività.

- Preposizione per preposizione, individua nel testo le espressioni che hanno i significati indicati nella prima colonna delle tabelle e riportale nella seconda colonna.
- Indica la traduzione inglese nella terza colonna.
- Rifletti sulle somiglianze e le differenze tra l'italiano e l'inglese. Per esempio: in quanti modi differenti si traduce la preposizione inglese *by*? E in quanti casi in inglese non si usa una preposizione e in italiano sì?

A

IL SIGNIFICATO DI...	FRASE/FRASI NEL TESTO	TRADUZIONE INGLESE
ingrediente con cui è fatto un prodotto		
che ha (per una cosa)	(magliette) a maniche corte	
come, alla maniera di (per un piatto)		
che funziona con	barca a vela	
come, nello stile di		
con lo scopo di, per		

CON

IL SIGNIFICATO DI...	FRASE/FRASI NEL TESTO	TRADUZIONE INGLESE
in che modo viaggiamo		
che ha (per una persona)		

DA

IL SIGNIFICATO DI...	FRASE/FRASI NEL TESTO	TRADUZIONE INGLESE
che ha (con persona)	un bel tipo dai capelli neri	A nice dark-haired guy
dopo una forma passiva, per introdurre chi ha compiuto l'azione		
uso a cui è destinato un oggetto		
che vale, per indicare il valore di qualcosa		
che bisogna		
come		
per indicare una quantità esatta		

DI		
IL SIGNIFICATO DI ...	**FRASE/FRASI NEL TESTO**	**TRADUZIONE INGLESE**
a causa di (con un nome)		
che è fatto con (materiale)		
introduce il secondo elemento di una comparazione		
per specificare (di chi, di dove o di che cosa)	Duomo di Cefalù	
un argomento, un tema		
un po' di, una certa quantità		
di proprietà di		
scritto da, composto da		

IN		
IL SIGNIFICATO DI ...	**FRASE/FRASI NEL TESTO**	**TRADUZIONE INGLESE**
in che modo viaggiamo	in treno	by train

PER		
IL SIGNIFICATO DI ...	**FRASE/FRASI NEL TESTO**	**TRADUZIONE INGLESE**
metodo di comunicazione		
allo scopo di (con un verbo)		
sul punto di		

C Rifletti ancora sulle preposizioni *da* e *di* quando uniscono due sostantivi. Qual è la differenza tra *da* e *di* nelle seguenti due coppie di espressioni?

Un bicchiere da vino

Un bicchiere di vino

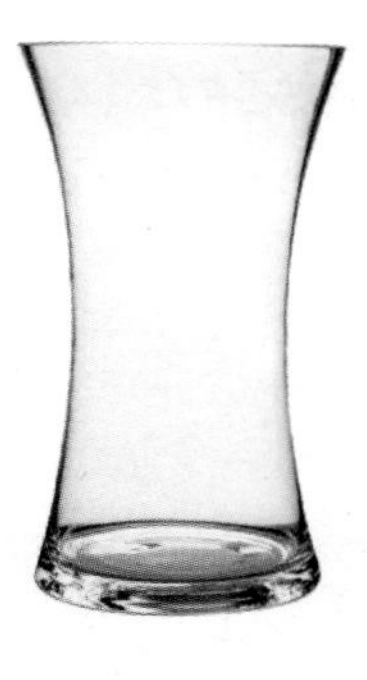
Un vaso da fiori

Un vaso di fiori

[Esercizi]

1 Saverio parte per un viaggio d'affari a Milano. Completa la lista di cose da mettere in valigia con la preposizione corretta: *a* (semplice o articolata), *da*, *di*, *in*, *per*.

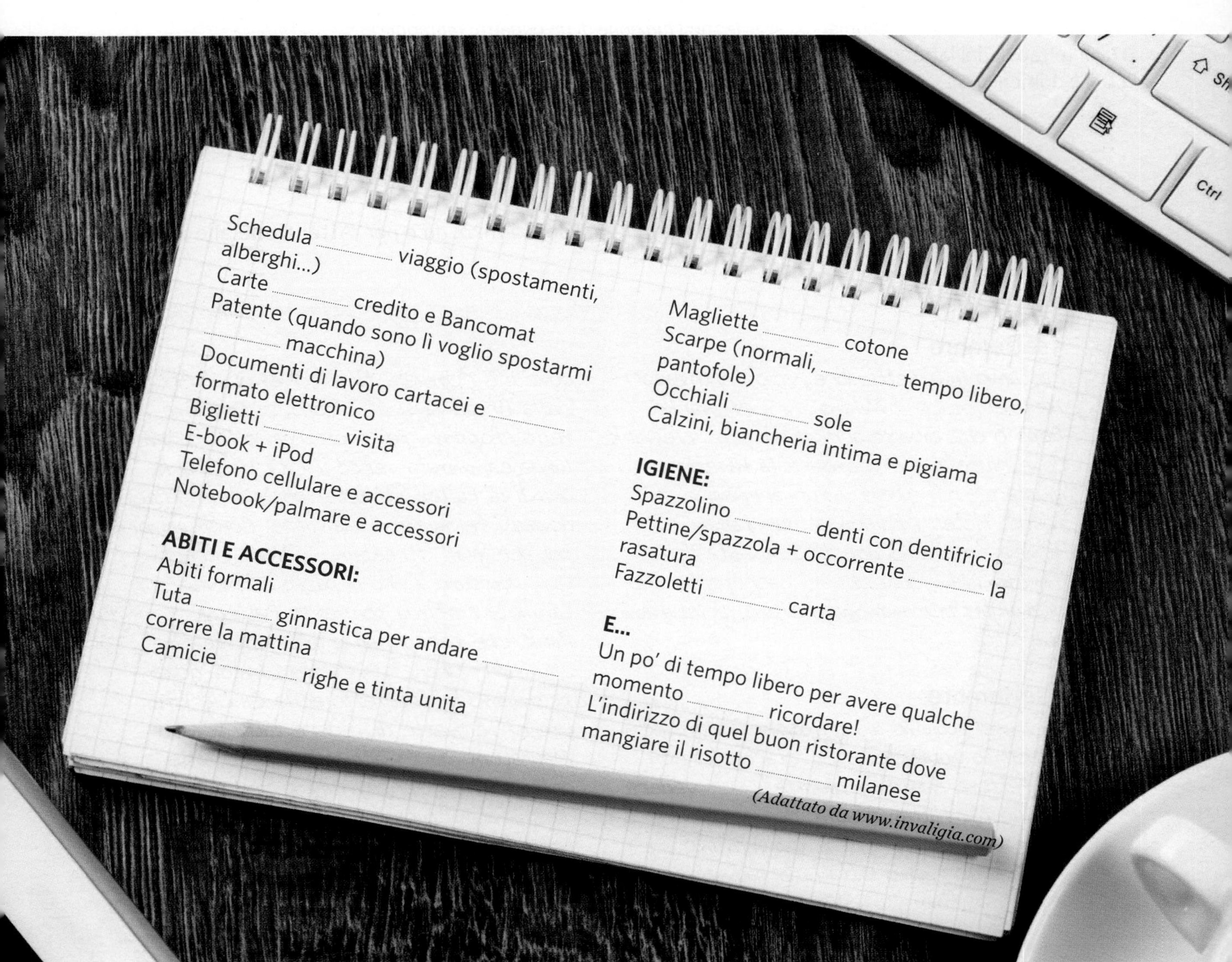

Schedula ...... viaggio (spostamenti, alberghi...)
Carte ...... credito e Bancomat
Patente (quando sono lì voglio spostarmi ...... macchina)
Documenti di lavoro cartacei e ...... formato elettronico
Biglietti ...... visita
E-book + iPod
Telefono cellulare e accessori
Notebook/palmare e accessori

ABITI E ACCESSORI:
Abiti formali
Tuta ...... ginnastica per andare ...... correre la mattina
Camicie ...... righe e tinta unita
Magliette ...... cotone
Scarpe (normali, ... tempo libero, pantofole)
Occhiali ...... sole
Calzini, biancheria intima e pigiama

IGIENE:
Spazzolino ...... denti con dentifricio
Pettine/spazzola + occorrente ...... la rasatura
Fazzoletti ...... carta

E...
Un po' di tempo libero per avere qualche momento ...... ricordare!
L'indirizzo di quel buon ristorante dove mangiare il risotto ...... milanese

(Adattato da www.invaligia.com)

2 **Le persone cresciute negli anni '60 e '70 ricordano cose che in buona parte ora non ci sono più. Completa l'elenco con le preposizioni che mancano, tenendo presente il valore indicato tra parentesi.**

1. Gli scarpini .... calcio Pantofola d'Oro (*funzione di un oggetto*)
2. Il cavallino .... ghisa del barbiere (*materiale*)
3. La TV .... bianco e nero (*espressione che indica un modo di essere*)
4. L'arrivo della TV .... colori (*espressione che indica un modo di essere*)
5. Andare .... mangiare la pizza con la famiglia la domenica sera (*preposizione tra un verbo come* andare, venire, *ecc. e un altro verbo all'infinito*)
6. I quaderni .... quadretti con i margini (*caratteristica di un oggetto*)
7. Le enciclopedie per bambini .... usare per la scuola (*preposizione che unisce un sostantivo e un verbo*)
8. Lasciare il conto .... panettiere dicendo 'Poi passa mamma' (*locativo relativo a una persona*)
9. I dischi .... vinile (*materiale, espressione standardizzata*)
10. Le racchette .... tennis .... legno (*funzione di un oggetto; materiale*)
11. Il tetrapak del latte .... forma piramidale (*modo di essere: con, che ha*)
12. Le domeniche .... bicicletta quando c'era l'Austerity (*mezzo di trasporto*)

(*Adattato da www.animamia.net*)

3 **Completa il seguente diario di viaggio con le preposizioni *a*, *da* e *per*. Attenzione alle preposizioni articolate!**

5 settembre

Partiamo il 5 settembre, volo Continental Airlines .... Milano .... Newark; Dopo 8 ore di volo arriviamo .... Newark, dove riusciamo a prendere la navetta giusta e .... pochi minuti arriviamo .... nostro Hotel, l'Edison, a due passi .... Times Square. Suggestiva la vista della Skyline Newyorkese .... aeroporto che si ingigantisce man mano che ci avviciniamo alla città.

6 settembre

.... sei abbiamo già gli occhi spalancati. Facciamo colazione .... Starbucks con caffettone e muffin gigante. .... vedere meglio Manhattan abbiamo deciso di vedere tutta la città .... piedi: camminiamo .... ore, percorriamo tutta la Broadway e arriviamo fino .... Washington Square, dove c'è l'Università e il Memorial Arch. Sulla Broadway, ... Soho, ci lanciamo nello shopping, poi proseguiamo la nostra lunga camminata verso il City Hall Park, quindi la Fulton Street e poi Water Street dove ci fermiamo a mangiare. Continuiamo poi per Wall Street. .... Wall Street .... Ground Zero il passo è breve. La visita continua poi verso Battery Park, che percorriamo interamente fino .... arrivare .... Castle Clinton dove prendiamo un traghetto della Circle Line che ci permette di vedere tutta Lower Manhattan .... mare, oltre alla Statua della Libertà, Jersey City e Staten Island. Terminato il giro sul traghetto, torniamo in hotel stanchi morti: oggi abbiamo camminato .... quasi undici ore!

(*Adattato da www.paesionline.it*)

4 Manuela Vanni, scrittrice di libri di cucina per ragazzi, parla dei suoi ristoranti preferiti. Completa le seguenti presentazioni con le preposizioni elencate. Segui l'esempio.

a - al - ~~dai~~ - dai - dal - dall' - dalle - della - di - in - in - nel - per - tra

IL LIBERTY - MILANO
Il locale ha il grande merito di riuscire ad accontentare tutti, sia coloro che ricercano la tradizione, sia quelli che desiderano la creatività. Merito dello chef, Andrea Provenzani, centrato sull'idea di soddisfare la propria clientela costruendo piatti .... loro e su di loro. Dunque, piatti classici *dai* sapori riconoscibili, costruiti con ingredienti strettamente legati .... territorio e presentati in veste moderna con fantasia e originalità.

MALGA PANNA - MOENA (TRENTO)
La Malga Panna è il ristorante di famiglia di Paolo e Massimo Donei: uno è .... cucina, l'altro .... sala. Tutti i piatti proposti .... menù sono preparati con materie prime che arrivano .... territorio, rivisitate in chiave moderna e con tecniche all'avanguardia. Come zuppa di fieno, agnello della Val di Fiemme, salmerino alpino, selvaggina e formaggi locali. L'ambiente è tipico .... baita di montagna con tanto legno e un camino che scalda l'atmosfera.

AL FORNELLO DA RICCI
CEGLIE MESSAPICA (BRINDISI)
.... boschi di eucalipti, distese di ulivi, trulli e campi .... terra rossa prospera la trattoria .... gestione famigliare dei Ricci. L'atmosfera è calda e accogliente, l'ambiente è rustico e piacevole. La cucina è quella tipica pugliese, preparata con materie prime che arrivano .... allevamento di famiglia o comunque .... zone circostanti, con quel tocco in più dato .... profumi del curry e della vaniglia.

(*Adattato da* Sette, *13 luglio 2012*)

5 Ora traduci in inglese il testo dell'esercizio 3. Poi metti a confronto i due testi e identifica le differenze tra le due lingue come indicato nella tabella che segue.

PREPOSIZIONE IN ITALIANO MA NON IN INGLESE	PREPOSIZIONE IN INGLESE MA NON IN ITALIANO
	il 5 settembre/on September 5th

Aggettivi e verbi con o senza preposizione

[ConTesto]

A **Una ragazza sarda si è trasferita a Londra, dove fa l'illustratrice di libri per bambini. Leggi le tappe della sua esperienza, in cui ci sono delle parti evidenziate. Rifletti sulle somiglianze e sulle differenze tra l'italiano e l'inglese e completa la tabella seguendo l'esempio. Scrivi i verbi all'infinito e gli aggettivi nella forma maschile singolare, come li troveresti su un dizionario. Non è necessario scrivere lo stesso verbo o aggettivo più di una volta.**

- Un giorno ho cambiato vita lasciando il mio negozio di informatica, perché volevo a tutti i costi realizzare il mio sogno: diventare illustratrice. Avevo il diploma d'arte e l'attestato di grafico pubblicitario, ma di fatto in Italia non c'erano proposte per quello che desideravo fare ed ero un po' preoccupata per il mio futuro. Ero proprio a terra, quindi ho deciso di aprire un negozio.
- Ma dopo 8 anni ero stufa del mio trantran e ho cercato di dare una svolta alla mia vita, partendo per Sidney con il mio compagno. Siamo arrivati a Sydney pronti a ricominciare una nuova vita in una terra descritta come il paradiso e dove tutti ci raccomandavano di andare...
- Purtroppo siamo stati costretti a ricrederci: a Sidney è difficile rimanere e trovare lavoro. Devo dire che sono meravigliata delle difficoltà che abbiamo avuto.
- Non potevamo continuare a stare in Australia senza lavoro, così abbiamo deciso di andare a Londra, inizialmente a malincuore. È stato abbastanza facile trovare un alloggio e un lavoro.
- Ho cominciato a realizzare alcune mostre pittoriche e ho incontrato tanta gente interessata alle mie opere. A forza di lavorare, il mio nome ha cominciato a girare, così ho preparato alcuni biglietti da visita e ho creato il mio sito web.
- Sono passati 2 anni, anni in cui ho migliorato il mio inglese e la mia tecnica. Attualmente sono una illustratrice di libri per bambini da 0 a 15 anni.
- Ho cominciato anche a scrivere due mie storie, una rivolta ai teenager e l'altra a bambini più piccoli.
- Non mi sono mai pentita di aver lasciato la Sardegna per una città come Londra e non soffro di nostalgia, anche se naturalmente penso molto alla famiglia e agli amici. Ma qui c'è un enorme scambio culturale, c'è meno invidia, è possibile fare amicizia con facilità e in generale la gente è gentile con me (non credete a quello che dicono degli inglesi!). E poi sono soddisfatta della mia vita, sono contenta di vivere del mio lavoro e di non dovere dipendere dall'aiuto dei miei genitori. Insomma, sono innamorata di Londra!
- L'unica nota dolente è il clima con il cielo quasi sempre coperto di nuvole (fare a meno del sole è difficile...), oltre al costo degli affitti molto alto per delle case estremamente piccole. Londra mi ha permesso di realizzare il mio sogno, ma non starò qui a vita. È solo il mio punto di partenza e la mia prossima meta sarà il continente americano, e poi si vedrà... Comunque spero in un futuro pieno di sorprese e di opportunità!

NOTA BENE

Quando un aggettivo è seguito da un verbo all'infinito **non** si usa una preposizione: *è difficile rimanere, è facile trovare lavoro, è possibile fare amicizia.*

(Adattato da www.voglioviverecosi.com)

VERBO O AGGETTIVO NEL TESTO	PREPOSIZIONE IN ITALIANO	PREPOSIZIONE IN INGLESE
dedicarsi	A	TO

B Leggi l'inizio di un articolo e rispondi alla domanda.

Concentrarsi nell'era digitale

Era il 2010 quando Jonathan Franzen dichiarò di aver scritto interi capitoli di *Le correzioni* indossando tappi per orecchie e paraocchi per mantenere la concentrazione.
Una volta bastava chiudersi in una stanza con la propria macchina da scrivere e staccare il telefono, oggi tra mail, sms, social network, le tentazioni sono più difficili da schivare.

(www.finzionimagazine.com)

Osserva. Possiamo dire:

- *Le tentazioni sono più difficili da schivare.*
  oppure
- *È più difficile schivare le tentazioni.*

Quale differenza noti? E come la spieghi? Scopri la regola!

[Esercizi]

1 *A, con, di, in, per* o *su*? Quale preposizione segue i verbi e gli aggettivi elencati? Consulta il dizionario se necessario. Poi usane il più possibile per scrivere un testo su di te.

Verbi

andare pazzo - avere bisogno - avere a che fare - avere fiducia - avere la (s)fortuna - avere voglia - contare - credere - dimenticarsi - giocare - lamentarsi - mirare - ricordarsi - ridere - riflettere - rinunciare - vergognarsi

Aggettivi

abituato - allergico - appassionato - attento - bravo - contento - convinto - curioso - contrario - disposto - dotato - gentile - incapace - interessato - sicuro - (in)soddisfatto

2 Le seguenti descrizioni di "Tipi da viaggio" contengono due o tre errori ciascuna. Trovali e correggili.

NOMADE. Gli esseri umani sono mossi di due spinte contrastanti: la territorialità, che ci fa amare la casa, la via e il quartiere, e il nomadismo, che ci spinge di muoverci. Il tipo "nomade" obbedisce nella seconda spinta. È di solito giovane, ha un buon titolo di studio, e la sua prima vacanza dopo l'esame di maturità è stata l'Interrail.
AVVENTURIERO. Per questo tipo, ogni vacanza è una nuova sfida. Cura l'efficienza fisica, ama le sensazioni forti e rifugge delle masse. Sportivo, sceglie montagne da scalare, trekking in altissima quota o discese di fiumi con zattere. Ha pianificato la vacanza/sfida passando l'inverno a palestra, praticando arti marziali o corsi di sopravvivenza. La sua personalità? Rischia sempre a annoiarsi...
EDONISTA. Inutile cercarlo prima alle 2 del pomeriggio. Animale prettamente notturno, si muove fino dell'alba fra happy hour, beach party, discoteche affollatissime. Va a vacanza con molti amici ed è estroverso, socievole e disinibito.
ABITUDINARIO. Si reca nella stessa stazione balneare di 40 anni: stesso albergo, stessa camera, stesso bagno, stesso ombrellone. Si ritrova ogni estate con le medesime persone, su cui conosce per memoria gli alberi genealogici. È preciso, conservatore e rigido.
CASALINGO. La sua meta ideale è starsene a casa. Tendenzialmente ansioso, ha paura dei nuovi incontri e dei possibili imprevisti che un viaggio può comportare. Se è costretto di partire, si muove solo per auto verso località arcinote. In ogni momento e luogo ha da ridire e criticare. Il suo motto è "Tutto il mondo è paese" perché la sua casa corrisponde del mondo.
TRAVEL CHIC. Non coglie mai lo "spirito del luogo" perché si rifugia in prestigiosi resort sempre uguali, a Parigi come a Barcellona, distaccati e anonimi, di cui esce solo per lo shopping. Facoltoso, valuta la bellezza del luogo in base del costo della vita.
PELLEGRINO. Dorme preferibilmente in conventi, ama le bellezze naturali e può cimentarsi in molti chilometri di cammino al giorno. È un tipo introverso, ama la solitudine, i luoghi poco affollati, il silenzio e per questo frequenta molto spesso località di montagna. È appassionatissimo in storia medioevale e almeno una volta nella vita ha percorso la Via Francigena. E in versione "estrema" può perfino decidere a chiedere l'elemosina lungo il percorso.

(Adattato da Focus, *settembre 2011)*

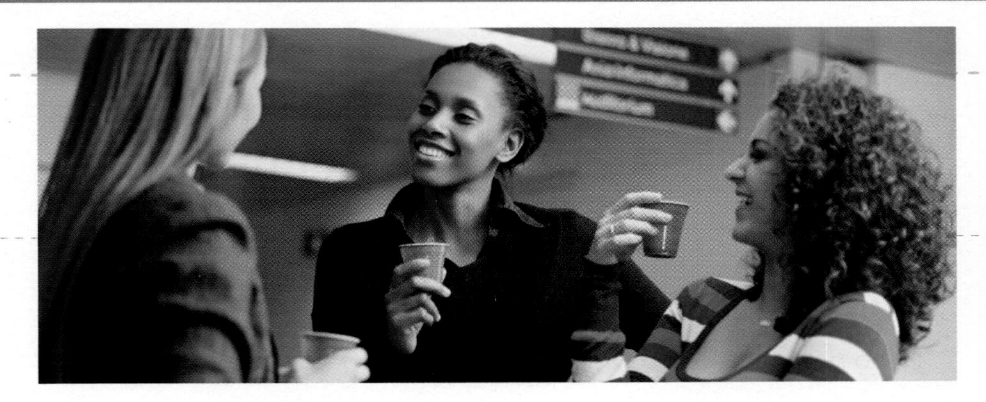

3 Traduci il testo seguente in inglese. Poi rifletti e rispondi.

- Quali preposizioni hai tradotto con quelle inglesi nella tabella? E quali espressioni contenenti una preposizione si traducono senza una preposizione in inglese?
- Quali somiglianze e differenze hai notato tra l'italiano e l'inglese?

Pausa caffè?

Era il 1962 quando la Velo Bianchi, fabbrica milanese di moto e biciclette, decise di diversificare la produzione: il suo titolare era affascinato dai distributori automatici di Coca-Cola, arrivati con le truppe americane nel Dopoguerra. Negli Usa [...] già alla fine degli anni '40 esistevano anche i distributori di caffè solubile: perché non fare altrettanto con l'italianissimo espresso? In 12 mesi, grazie a un accordo con la svizzera Nestlé, la Velo Bianchi presentò alla Fiera di Milano del 1963 i primi distributori automatici di caffè solubile istantaneo. Solo un anno dopo [...] nacquero le prime macchinette a monete capaci di preparare il caffè espresso. E nello stesso anno, la Faema, già produttrice di macchine per i bar, lanciò il modello E61, la prima vera macchina automatica da ufficio. Nei primi anni '60 il caffè costava 50 lire: 10 in più rispetto al bar. Ma la comodità di avere il caffè a portata di scrivania fece esplodere il fenomeno.

(Adattato da Focus, *febbraio 2009)*

AT	
BY	
IN	
OF	
TO	
WITH	
FOR	
NESSUNA PREPOSIZIONE	

[Sintesi Grammaticale]

L'USO DELLE PREPOSIZIONI

Ci sono casi in cui l'uso delle preposizioni in italiano e in inglese coincide, ma ce ne sono altri in cui differisce. Ci sono anche casi in cui una delle due lingue usa una preposizione, ma nell'altra la stessa idea si esprime senza ricorrere a una preposizione. Vediamo come le preposizioni semplici *a, di, da, in, con, su, per, tra/fra* si usano in italiano.

ITALIANO E INGLESE A CONFRONTO	Esempi	
LA PREPOSIZIONE *A* Si usa per indicare:		
• la città dove una persona è o va **Inglese**: *in* (*essere, abitare ecc.*) e *to* (*andare, arrivare ecc.*)	***Abito a Londra.*** ***Vado a Londra.***	*I live in London.* *I'm going to London.*
• alcuni posti e luoghi pubblici dove una persona è o va (nella forma semplice o articolata) **Inglese**: *in, at* (*essere*), *to* (*andare*) o nessuna preposizione a seconda dei casi	***Sono a casa.*** ***Sono a letto.*** ***Vado a casa.*** ***Vado a letto.***	*I'm at home.* *I'm in bed.* *I'm going home.* *I'm going to bed.*
• una piccola isola in cui si è o si va **Inglese**: *to, at*	***Vado a Capri.*** ***Sono alle Tremiti.***	*I'm going to Capri.* *I am at the Tremiti islands.*
• un posto dopo le parole *accanto, di fianco, intorno/attorno, di fronte, davanti, in mezzo, vicino, sopra* e *dietro* (non obbligatoria negli ultimi due casi) **Inglese**: *of, to* o nessuna preposizione semplice, a seconda dei casi	***accanto al cinema*** ***di fronte al cinema*** ***davanti al cinema*** ***vicino al cinema*** ***sopra al/il letto*** ***dietro all'/l'armadio***	*beside the cinema/next to the cinema* *opposite the cinema* *in front of the cinema* *near the cinema* *above the bed* *behind the wardrobe*
• il mezzo di trasporto con *piedi* e *cavallo* **Inglese**: *on*	***a piedi*** ***a cavallo***	*on foot* *on horseback*
• la distanza tra due posti **Inglese**: nessuna preposizione	***È a 50 km da qui.***	*It is 50 kms away.*
• l'età in cui una persona fa una cosa **Inglese**: *at*	***a 18 anni***	*at 18 years of age*
• l'ora **Inglese**: *at*	***alle 2***	*at 2 o'clock*

ITALIANO E INGLESE A CONFRONTO	Esempi	
• la fine di un periodo di tempo **Inglese**: *to*	***dalle 2 alle 3***	*from 2 to 3*
• una festività importante **Inglese**: *at*	***a Natale*** ***a Pasqua***	*at Christmas* *at Easter*
• un mese dell'anno (anche *in*) **Inglese**: *in*	***a maggio***	*in May*
• come è fatto qualcosa **Inglese**: generalmente espressione aggettivale prima del nome	***camicia a maniche corte*** ***palazzo a cinque piani***	*short-sleeved shirt* *five-storey building*
• la maniera, lo stile di qualcosa **Inglese**: generalmente espressione aggettivale prima del nome	***risotto alla milanese*** ***occhiali alla Blues Brothers***	*Milan style risotto* *Blues Brothers sunglasses*
• l'ingrediente con cui è fatto un prodotto **Inglese**: generalmente l'ingrediente è usato in forma aggettivale prima del nome, oppure si usa la preposizione *with* + l'ingrediente dopo il prodotto	***gelato al limone*** ***shampoo al mentolo***	*lemon ice-cream* *shampoo with menthol*
• il modo in cui funziona qualcosa **Inglese**: generalmente l'elemento che descrive il funzionamento è usato in forma aggettivale prima del nome	***barca a vapore*** ***cucina a gas***	*steamboat* *gas cooker*
• un'espressione formata dall'unione di due sostantivi **Inglese**: si usano espressioni diverse a seconda dei casi	***sacco a pelo***	*sleeping bag*
• un complemento di termine (a chi? a che cosa?) **Inglese**: generalmente si usa la preposizione *to*, ma fai attenzione ai verbi che hanno un oggetto indiretto in italiano e diretto in inglese (vedi il capitolo sui 4 pronomi)	***Simone telefona a Laura.*** ***Dallo a me.***	*Simone rings Laura.* *Give it to me.*
La preposizione *a* si usa anche:		
• dopo alcuni verbi **Inglese**: *to* e altre preposizioni o nessuna preposizione, a seconda dei casi	***Penso a te.*** ***Continuo a lavorare.*** ***Miro a una promozione.*** ***Rinuncio al mio tempo libero.***	*I think of you.* *I continue to work/I keep on working.* *I aim for a promotion.* *I give up my free time.*

[Sintesi Grammaticale]

ITALIANO E INGLESE A CONFRONTO	Esempi	
• prima di un verbo all'infinito quando questo segue verbi come *andare, tornare, venire*, ecc.	***Vado a fare una nuotata.*** ***Vengo a prenderti.***	*I'm going for a swim.* *I'm coming to pick you up.*
• dopo alcuni aggettivi **Inglese**: si usano altre preposizioni o nessuna preposizione, a seconda dei casi	***pronto a*** ***interessato a*** ***abituato a*** ***bravo a*** ***contrario a***	*ready to* *interested in* *used to* *good at* *opposed to/against*
• in alcune espressioni, per esempio *a volte, all'improvviso, a lungo, a vita, a colori, a malincuore, a volontà, a malapena, a occhio, all'insegna di, grazie a, a mano, a memoria, a due passi, a tutti i costi, a terra, a forza di, alla moda, a posto, a proposito, a voce, al volo, rispetto a*, ecc.		
Come vedi, in alcuni casi alla preposizione ***a*** corrisponde la preposizione inglese ***at***, ma ce ne sono altri in cui si usa un'altra preposizione o in cui si esprime la stessa idea senza ricorrere a una preposizione.		
LA PREPOSIZIONE *DI* Si usa per indicare:		
• la città da cui si viene (con il verbo *essere*) **Inglese**: *from*	***Sono di Roma.***	*I'm from Rome.*
• l'età esatta di una persona **Inglese**: espressione aggettivale	***una ragazza di 18 anni***	*an 18-year-old girl*
• un momento della giornata **Inglese**: *in*	***di sera*** ***d'estate/d'inverno***	*in the evening* *in the summer/in (the) winter*
• una causa **Inglese**: *from, for* o *with* a seconda dei casi	***morire di caldo*** ***piangere di gioia***	*to die from the heat* *to cry with joy*
• il materiale con cui è fatto un oggetto **Inglese**: espressione aggettivale	***maglietta di cotone*** ***medaglia d'oro***	*cotton t-shirt* *gold medal*
• l'autore di un'opera **Inglese**: *by*	***un romanzo di Banville***	*a novel by Banville*
• un argomento **Inglese**: *about*	***parlare di politica***	*to talk about politics*

ITALIANO E INGLESE A CONFRONTO	Esempi	
• una quantità (partitivo) **Inglese**: *some*	***Vorrei del prosciutto.***	*I would like some ham.*
• la proprietà di una cosa **Inglese:** genitivo sassone (apostrofo + s)	***il vestito di mia sorella***	*my sister's dress*
• la specificazione di qualcosa (*di chi*, *di dove* o *di cosa*) **Inglese**: *of* o un'espressione aggettivale	***il Duomo di Cefalù*** ***lezioni di nuoto***	*the Cathedral of Cefalù* *swimming lessons*
• un paragone **Inglese**: *than*	***Roma è più grande di Milano.*** *Rome is bigger than Milan.*	
• il contenuto di una cosa **Inglese**: *of* o un'espressione aggettivale	***bicchiere di vino*** ***cassetta di attrezzi***	*glass of wine* *toolbox*
• l'ubicazione di una cosa dopo le parole *a destra*, *a sinistra*, *a fianco*, *alle spalle* **Inglese**: *of* o nessuna preposizione a seconda dei casi	***a destra dell'edificio*** ***a fianco dell'edificio***	*to the right of the building* *beside the building*
La preposizione *di* si usa anche:		
• dopo alcuni verbi **Inglese**: *to* e altre preposizioni o nessuna preposizione, a seconda dei casi	***decidere di fare qualcosa*** ***cercare di fare qualcosa*** ***soffrire di qualcosa*** ***avete bisogno di qualcosa*** ***ridere di qualcuno*** ***lamentarsi di qualcosa***	*to decide to do something* *to try to do something* *to suffer from something* *to need something* *to laugh at someone* *to complain about something*
• dopo alcuni aggettivi **Inglese**: *to* e altre preposizioni o nessuna preposizione, a seconda dei casi	***soddisfatto/contento/felice di*** ***innamorato di*** ***stanco di*** ***appassionato di***	*satisfied/happy with* *in love with* *tired of* *passionate about*
• prima di un pronome personale dopo le parole *sopra*, *sotto*, *prima*, *dopo*, *dietro* **Inglese**: nessuna preposizione semplice	***dopo di te*** ***prima di me***	*after you* *before me*
• prima di un aggettivo quando questo segue un aggettivo indefinito **Inglese**: nessuna preposizione semplice	***qualcosa di bello*** ***niente di nuovo***	*something nice* *nothing new*

[Sintesi Grammaticale]

ITALIANO E INGLESE A CONFRONTO	Esempi	
• dopo alcuni sostantivi seguiti da un verbo all'infinito, come *intento, intenzione, opportunità, voglia, desiderio, volontà, speranza,* ecc. **Inglese**: *to*	***il desiderio di fare qualcosa*** *the desire to do something* ***l'opportunità di fare qualcosa*** *the opportunity to do something*	
• in alcune espressioni, per esempio: *di tanto in tanto, di solito, di recente, di punto in bianco, di corsa, di cuore, di nascosto, uomo d'affari, di fatto, d'accordo, di moda, di nuovo,* ecc.		
Come vedi, in alcuni casi alla preposizione ***di*** corrispondono le preposizioni inglesi ***of*** e ***to***, ma ce ne sono altri in cui si usa un'altra preposizione o in cui si esprime la stessa idea senza ricorrere a una preposizione.		
LA PREPOSIZIONE *DA* Si usa per indicare:		
• il luogo da cui si viene (con il verbo *venire*) **Inglese**: *from*	***Vengo da Roma.*** ***Parto da Roma.***	*I come from Rome.* *I'm leaving from Rome.*
• il luogo attraverso cui si passa **Inglese**: *through*	***Sono passato dalla cucina.***	*I went through the kitchen.*
• distanza, separazione, diversità **Inglese**: *from*	***È lontano da qui.*** ***È diversa da me.***	*It is far from here.* *She is different from me.*
• la persona da cui si è o si va **Inglese**: *at (essere), to (andare)*	***Sono da mia madre.*** ***Vado dal macellaio.***	*I'm at my mother's.* *I'm going to the butcher's.*
• un luogo pubblico indicato con il nome proprio **Inglese**: *at (essere), to (andare)*	***Andiamo da Starbucks.***	*We are going to Starbucks'.*
• l'inizio di un periodo di tempo **Inglese**: *from*	***da gennaio a luglio***	*from January to July*
• il periodo di tempo di un'azione cominciata nel passato e che continua nel presente **Inglese**: *for* (periodo), *since* (punto di inizio)	***Vivo a Roma da due anni.*** *I've been living in Rome for two years.* ***Vivo a Roma dal 2011.*** *I've been living in Rome since 2011.*	
• un periodo della vita di una persona (con parole come *giovane, vecchio, bambino, piccolo, grande, ragazzo*) **Inglese**: *as* o frase temporale con *when*	***da giovane***	*as a young.../when...*
• una causa (anche *di*) **Inglese**: *from, for* o *with* a seconda dei casi	***piangere dalla felicità*** ***Muoio dalla voglia di vederti.***	*to cry with happiness* *I'm dying to see you.*

ITALIANO E INGLESE A CONFRONTO	Esempi	
• la descrizione di una persona **Inglese**: espressione aggettivale o *with*	***una ragazza dagli occhi azzurri*** *a blue-eyed girl/a girl with blue eyes*	
• la funzione di un oggetto **Inglese**: espressione aggettivale	***racchetta da tennis*** ***occhiali da sole***	*tennis racket* *sunglasses*
• il valore di una cosa **Inglese**: aggettivo o espressione aggettivale	***una cosa da pochi soldi*** ***una banconota da 50 euro***	*a cheap item* *a 50 euro banknote*
• una quantità esatta **Inglese**: espressione aggettivale	***un cartone da sei bottiglie***	*a 6 bottle case of wine*
• chi compie un'azione (nella forma passiva) **Inglese**: *by*	***La mostra è stata inaugurata dal sindaco.*** *The exhibition was opened by the mayor.*	
La preposizione *da* si usa anche:		
• dopo il verbo *dipendere* **Inglese**: *on*	***Dipende da te.***	*It depends on you.*
• tra un sostantivo e un verbo all'infinito **Inglese**: *to*	***Ho molte cose da fare.*** ***Un film da non perdere.***	*I have many things to do.* *A film not to be missed.*
• in alcune espressioni, per esempio *da matti, da ridere, da impazzire, da un momento all'altro, da solo, da paura, da capo,* ecc.		
Come vedi, in diversi casi alla preposizione ***da*** corrisponde la preposizioni inglese ***from***, ma ce ne sono altri in cui in inglese si usa un'altra preposizione o in cui si esprime la stessa idea senza ricorrere a una preposizione.		
LA PREPOSIZIONE *IN* Si usa per indicare:		
• alcuni posti e luoghi pubblici in cui si è o si va, come *biblioteca, banca, centro, palestra, piscina, discoteca, piazza, ufficio, montagna, campagna, periferia, le parti della casa*, i nomi che finiscono in *ia*, ecc. **Inglese**: *in, at (essere), to (andare)*	***Sono in biblioteca.*** ***Vado in biblioteca.*** ***Sono in cucina.*** ***Vado in cucina.***	*I am at the library.* *I'm going to the library.* *I'm in the kitchen.* *I'm going to the kitchen.*
• un Paese o un continente in cui si è o si va **Inglese**: *in (essere), to (andare)*	***Abito in Inghilterra.*** ***Vado in Asia.***	*I live in England.* *I'm going to Asia.*

[SintesiGrammaticale]

ITALIANO E INGLESE A CONFRONTO	Esempi	
• una regione in cui si è o si va **Inglese**: *in (essere), to (andare)*	***Torino è in Piemonte.*** ***Vado in Sicilia.***	*Torino is in Piedmont.* *I'm going to Sicily.*
• il mezzo di trasporto (anche *con*) **Inglese**: *by*	***in macchina***	*by car*
• il materiale con cui è fatto un oggetto (anche *di*) **Inglese**: generalmente espressione aggettivale	***statua in bronzo***	*bronze statue*
• l'anno esatto **Inglese**: *in*	***nel 2011***	*in 2011*
• il periodo di tempo in cui si compie un azione **Inglese**: *in*	***lo faccio in un'ora***	*I do it in one hour*
• un mese dell'anno (anche *a*) e una stagione (anche *di* con *estate* e *inverno*) **Inglese**: *in*	***in maggio***	*in May*
La preposizione *in* si usa anche: • dopo alcuni verbi **Inglese**: *in*, altre preposizioni o nessuna preposizione, a seconda dei casi	***confidare in qualcuno*** ***imbattersi in qualcuno***	*to confide in someone* *to bump into someone*
• in alcune espressioni, per esempio *in fretta, in parte, in piedi, in fin dei conti, in tempo, in vacanza, in bianco e nero* ecc.	***Fai in fretta, siamo in ritardo.*** ***sperare in qualcosa*** ***avere fiducia in qualcuno***	*Hurry up, we are late.* *to hope for something* *to trust someone*
• per descrivere modo in cui sono preparati alcuni piatti: *in bianco, in umido, in agrodolce, in salsa piccante*, ecc. **Inglese**: espressione aggettivale	***maiale in agrodolce*** ***pesce in umido***	*sweet and sour pork* *fish stew*
• per indicare una quantità **Inglese**: nessuna preposizione	***A cena eravamo in otto.*** *There were eight of us at dinner.* ***Eravate in molti alla festa?*** *Were there many of you at the party?*	
Come vedi, in diversi casi alla preposizione ***in*** corrisponde la preposizioni inglese ***in***, ma ce ne sono altri in cui si usa un'altra preposizione o in cui si esprime la stessa idea senza ricorrere a una preposizione.		

ITALIANO E INGLESE A CONFRONTO	Esempi	
LA PREPOSIZIONE *CON* Si usa per indicare:		
• compagnia **Inglese**: *with*	***Parto con un amico.***	*I'm leaving with a friend.*
• il mezzo di trasporto (anche *in*) **Inglese**: *by*	***Vado al lavoro con l'autobus.***	*I go to work by bus.*
• lo strumento che usiamo per fare qualcosa **Inglese**: generalmente *with*	***Quasi tutti lavorano con il computer.*** *Nearly everybody works with a computer.*	
• il mezzo che si usa per comunicare (anche *per*) **Inglese**: *by*	***Mandare un documento con il fax.*** *To send a document by fax.*	
• descrivere qualcosa o qualcuno **Inglese**: *with* o *in* (abbigliamento)	***Una casa con un bel giardino.*** *A house with a beautiful garden.* ***Ti piace quella ragazza con i capelli lunghi?*** *Do you like that girl with the long hair?*	
La preposizione *con* si usa anche:		
• dopo alcuni verbi **Inglese**: generalmente *with*	***parlare con qualcuno*** ***avercela con qualcuno*** ***chiudere con qualcuno***	*to speak with/to someone* *to be angry with someone* *to break up with someone*
• dopo alcuni aggettivi **Inglese**: *with* o altre preposizioni a seconda dei casi	***arrabbiato con qualcuno*** ***gentile con qualcuno***	*angry with someone* *kind to someone*
• in alcune espressioni, *per esempio con comodo, con calma, con forza, con le buone* ecc.		
Come vedi, in molti casi alla preposizione ***con*** corrisponde la preposizioni inglese ***with***, ma ce ne sono altri in cui si usa un'altra preposizione o in cui si esprime la stessa idea senza ricorrere a una preposizione.		

[Sintesi Grammaticale]

ITALIANO E INGLESE A CONFRONTO	Esempi	
LA PREPOSIZIONE *SU* Si usa per indicare:		
• l'argomento di cui si parla, in alcuni casi particolari **Inglese**: *on, about*	***un articolo sul riscaldamento globale*** *an article on/about global warming*	
• alcuni posti in una posizione superiore in cui si è o si va **Inglese**: *on*	***Dormo sul divano.*** ***Salgo sull'autobus.***	*I sleep on the couch.* *I get on the bus.*
• una percentuale, un valore distributivo **Inglese**: *out of* o un'altra espressione a seconda dei casi	***3 persone su 10*** ***24 ore su 24***	*3 people out of 10* *around the clock*
• approssimazione **Inglese**: *about, at about, around*	***Finisco sulle 11.*** ***Peso sui 50 chili.***	*I'll finish at about 11 o'clock.* *I weigh around 50 kilos.*
La preposizione *su* si usa anche:		
• dopo alcuni verbi **Inglese**: *on* o un'altra preposizione o espressione, a seconda dei casi	***L'albergo dà sul mare.*** ***concentrarsi su qualcosa*** ***scommettere su qualcosa*** ***vincere su qualcuno***	*The hotel overlooks the sea.* *to concentrate on something* *to bet on something* *to win over someone*
• in alcune espressioni, per esempio *su due piedi, sul momento, su per giù, sul serio, su richiesta, su misura*, ecc.		
Come vedi, in molti casi alla preposizione ***su*** corrisponde la preposizioni inglese ***on***, ma ce ne sono altri in cui si usa un'altra preposizione o in cui si esprime la stessa idea senza ricorrere a una preposizione.		

ITALIANO E INGLESE A CONFRONTO	Esempi	
LA PREPOSIZIONE *PER* Si usa per indicare:		
• una destinazione **Inglese**: *for* e *to*	***Parto per Roma.*** *I'm leaving for Rome/I'm heading to Rome.*	
• uno scopo **Inglese**: *to* (*verbi*) e *for* (*nomi*)	***Faccio un corso per migliorare l'italiano.*** *I'm doing a course to improve my Italian.*	
• un posto attraverso il quale si passa **Inglese**: *through*	***Sono entrato per la finestra.*** *I entered through the window.*	
• il mezzo con cui si comunica **Inglese**: *by*	***Te lo mando per e-mail.*** *I'll send it to you by email.*	
• la causa di un'azione **Inglese**: *to* o *for*	***L'ha fatto per amore.*** *He did it for love.*	
• la durata di un'azione **Inglese**: *for*	***Ha lavorato in Egitto per sei mesi.*** *She worked in Egypt for six months.*	
• la causa di uno stato d'animo (anche *di* e *da*) **Inglese**: *for* o *by*	***Ero paralizzato per la paura*.** *I was paralised by fear.*	
La preposizione *per* si usa anche:		
• dopo alcuni verbi **Inglese**: *for* o un'altra preposizione o espressione, a seconda dei casi	***tifare per una squadra*** ***partire per una destinazione***	*to support a team* *to leave for a destination*
• dopo alcuni aggettivi **Inglese**: *for* o un'altra preposizione o espressione, a seconda dei casi	***dotato per le lingue*** ***pazzo per il gelato***	*good at languages* *crazy about ice-cream*
• in alcune espressioni, per esempio *per caso, per esempio, per fortuna, per terra, per forza*, ecc. Come vedi, in molti casi alla preposizione ***per*** corrisponde la preposizioni inglese ***for***, ma ce ne sono altri in cui si usa un'altra preposizione o in cui si esprime la stessa idea senza ricorrere a una preposizione.		

[Sintesi Grammaticale]

ITALIANO E INGLESE A CONFRONTO	Esempi
LA PREPOSIZIONE *TRA/FRA* Si usa per indicare:	
• la distanza che manca per arrivare in un posto **Inglese**: *in*, o *from* + punto di partenza	***Tra 20 km siamo lì.*** *We'll be there in another 20 km.* ***Il casello è tra 5 km.*** *The toll booth is 5 km away.*
• un periodo di tempo o un punto intermedio nello spazio compreso tra due elementi **Inglese**: *between*	***Gaeta è tra Roma e Napoli.*** *Gaeta is between Rome and Naples.* ***tra le 2 e le 3*** *between 2 and 3*
• la quantità di tempo che manca all'inizio di un'azione **Inglese**: *in*	***Vengo tra un'ora.*** *I'm coming in an hour.*
• reciprocità, relazione **Inglese**: *with*	***I miei amici vanno d'accordo fra loro.*** *My friends get on well with each other.*
• un luogo figurato, in mezzo a un gruppo di cose o persone **Inglese**: *among*	***Amo stare tra i miei libri.*** *I love being among my books.*
La preposizione *fra/tra* si usa anche:	
• in alcune espressioni, per esempio *fra/tra l'altro, fra/tra parentesi, fra/tra poco* ecc.	
Come vedi, in alcuni casi alla preposizione *fra/tra* corrisponde la preposizioni inglese *between*, ma ce ne sono altri in cui si usa un'altra preposizione o in cui si esprime la stessa idea senza ricorrere a una preposizione.	

ITALIANO E INGLESE A CONFRONTO	Esempi	
Dall'inglese all'italiano: gli errori più frequenti		
• In inglese si usa una preposizione per indicare la data e il giorno della settimana, in italiano **non si usa**.	*on May 5th* *on Saturday*	***il 5 maggio*** ***il sabato***
• Con la parola *day* in inglese si usa la preposizione *on*, mentre in italiano con *giorno* e *giornata* + elemento descrittivo si usa *in*.	*on a sunny day*	***in una giornata di sole***
• In inglese l'origine da una città si esprime sempre con la preposizione *from*, che è l'equivalente diretto della preposizione italiana *da*. Ma attenzione: in italiano con il verbo *essere* e la città si usa *di*.	*I'm from Rome.*	***Sono di Roma.***
• Con i verbi di stato (*to be*, *to stay*, ecc.) in inglese si usa la preposizione *in* con città, paesi, regioni e continenti. Attenzione: in italiano con le città si usa *a*.	*I live in Dublin.*	***Abito a Dublino.***
• Con i verbi di movimento (*to go*, ecc.) In inglese si usa la preposizione *to* con città, paesi, regioni e continenti. Attenzione: in italiano con paesi, regioni e continenti si usa *in*.	*I'm going to Ireland.* *I'm going to Sicily.* *I'm going to Asia.*	***Vado in Irlanda.*** ***Vado in Sicilia.*** ***Vado in Asia.***
• In inglese si può usare l'espressione *on* + sostantivo per introdurre un'espressione temporale. In italiano si usa una frase introdotta da *quando*.	*On arrival at the airport.* ***Quando arrivo/sono arrivato all'aeroporto.***	
• Spesso in inglese, aggettivo + *to* corrisponde all'italiano aggettivo + *a*, anche se ci sono alcuni casi in cui si usa *di* (per esempio con *capace*).	*prepared to work* *forced to stay* *able to do something*	***disposto a lavorare*** ***costretto a rimanere*** ***capace di fare qualcosa***
• Dopo alcuni aggettivi che esprimono uno stato d'animo, in inglese si usa spesso la preposizione *with*, mentre in italiano si usa *di*.	*in love with* *happy with*	***innamorato di*** ***contento di***
• In italiano l'espressione verbo *essere* + aggettivo è unita direttamente a un verbo all'infinito, senza preposizione.	*It's better to do it this way.*	***È meglio farlo così.***
• In italiano il verbo *dipendere* è seguito dalla preposizione *da*.	*It depends on the weather.*	***Dipende dal tempo.***
• Per indicare la durata di un'azione cominciata nel passato e che continua nel presente, in inglese si usa *for*, ma in italiano si usa *da*.	*I've been studying Italian for three years.* ***Studio l'italiano da tre anni.***	
• Per indicare il tempo che manca all'inizio di un'azione, in inglese si usa *in*, ma in italiano si usa *fra/tra*.	*I'm going to Italy in a month.* ***Vado in Italia tra un mese.***	
• Per indicare l'autore di un'opera, in inglese si usa *by*, mentre in italiano si usa *di*.	*a film by Paolo Sorrentino* ***un film di Paolo Sorrentino***	

6 IL VERBO

- La forma impersonale: terza persona singolare o plurale?
- La costruzione indiretta: soggetto e oggetto indiretto
- La scelta dei tempi passati
- La scelta dell'ausiliare nei tempi composti
- Come esprimere il futuro in italiano
- Quando si usa e non si usa il gerundio in italiano

La forma impersonale

[ConTesto]

TO-DO-LIST

A Leggi i seguenti avvisi e poi rispondi alle domande.

1. QUI SI PARLA INGLESE
2. SI PULISCONO CANTINE E GARAGE
3. IN QUESTO NEGOZIO NON SI FANNO SCONTI
4. SI PREGA DI SPEGNERE IL CELLULARE
5. SI VENDONO LIBRI E RIVISTE A PREZZI MODICI
6. SI CONSIGLIA LA PRENOTAZIONE
7. SI SCENDE DALLA PORTA CENTRALE

- Cosa hanno in comune i verbi sottolineati?
- Quale differenza noti nell'uso della persona?
- Da cosa dipende questa differenza?

B Ora confronta l'italiano e l'inglese. Questi avvisi esistono anche nel tuo Paese? Come si traducono in inglese, e quali differenze noti?

....

....

....

....

....

....

....

....

C Leggi una domanda che si utilizza sia in italiano, sia in inglese. Poi rispondi alle domande.

Perché quando si è stanchi si sbadiglia?

Why do we yawn when we are tired?

- Cosa noti riguardo alla forma impersonale del verbo *essere*?
- Quale differenza noti tra l'italiano e l'inglese?
- Traduci letteralmente l'espressione inglese in italiano: secondo te la frase ha senso lo stesso?

1. **lunotto:** vetro posteriore dell'automobile
2. **cruscotto:** in un'automobile, pannello dove ci sono gli strumenti di comando

D Leggi il seguente testo informativo su GuidaMi, un servizio di car sharing disponibile a Milano.

A GuidaMi bisogna abbonarsi.

Come funziona. Ci si iscrive annualmente e si diventa un car sharer. Quando si ha bisogno della macchina si chiama il numero verde 848830000 o ci si collega al sito http://www.atm-mi.it/it/guidami e in meno di un minuto si prenota l'auto, all'ora in cui la si desidera, per il tempo che serve. Poi basta andare al parcheggio prescelto (la mappa dei parcheggi è su http://goo.gl/WGNVW), avvicinare la tessera elettronica al lunotto[1] e la macchina si apre da sola [...]. Basta prendere la chiave nel cruscotto[2] e partire. Non bisogna nemmeno preoccuparsi di pagare la benzina, perché è inclusa nella tariffa.

Costi. Per i privati la quota di iscrizione annuale è di 120 euro, per le società 180, senza convenzione. I costi di utilizzo includono il carburante [...] e prevedono una tariffa oraria a partire da 2,20 euro all'ora, a cui si aggiungono 42 centesimi al km oppure una tariffa giornaliera di 45 euro per 24 ore e 20 centesimi al km.
[...]

Tempi. La prenotazione può avvenire anche in tempo reale. Non si può prenotare la macchina per meno di un'ora e per più di 5 giorni.

Regole. Se si perdono le chiavi, l'Atm vi addebiterà 50 euro. Sulle auto del car sharing non si può fumare. [...] Niente animali domestici in macchina.

(Adattato da Focus 360°, Milano l'ambiziosa. In collaborazione con il Corriere della Sera)

E Ora concentrati sui verbi impersonali sottolineati nel testo dell'attività D.

- I verbi possono essere divisi in quattro gruppi. In base agli esempi dati e alle differenze che noti, inserisci gli altri verbi nel gruppo giusto, indicando l'infinito per ciascun verbo. Quali sono le differenze tra i quattro gruppi?

Gruppo 1	Gruppo 2	Gruppo 3	Gruppo 4
bisogna (bisognare)	si diventa (diventare)	si aggiungono (aggiungere)	ci si iscrive (iscriversi)

[Esercizi]

1 Cosa si fa in questi luoghi pubblici? Scrivi le azioni alla forma impersonale per ciascun luogo, come negli esempi.

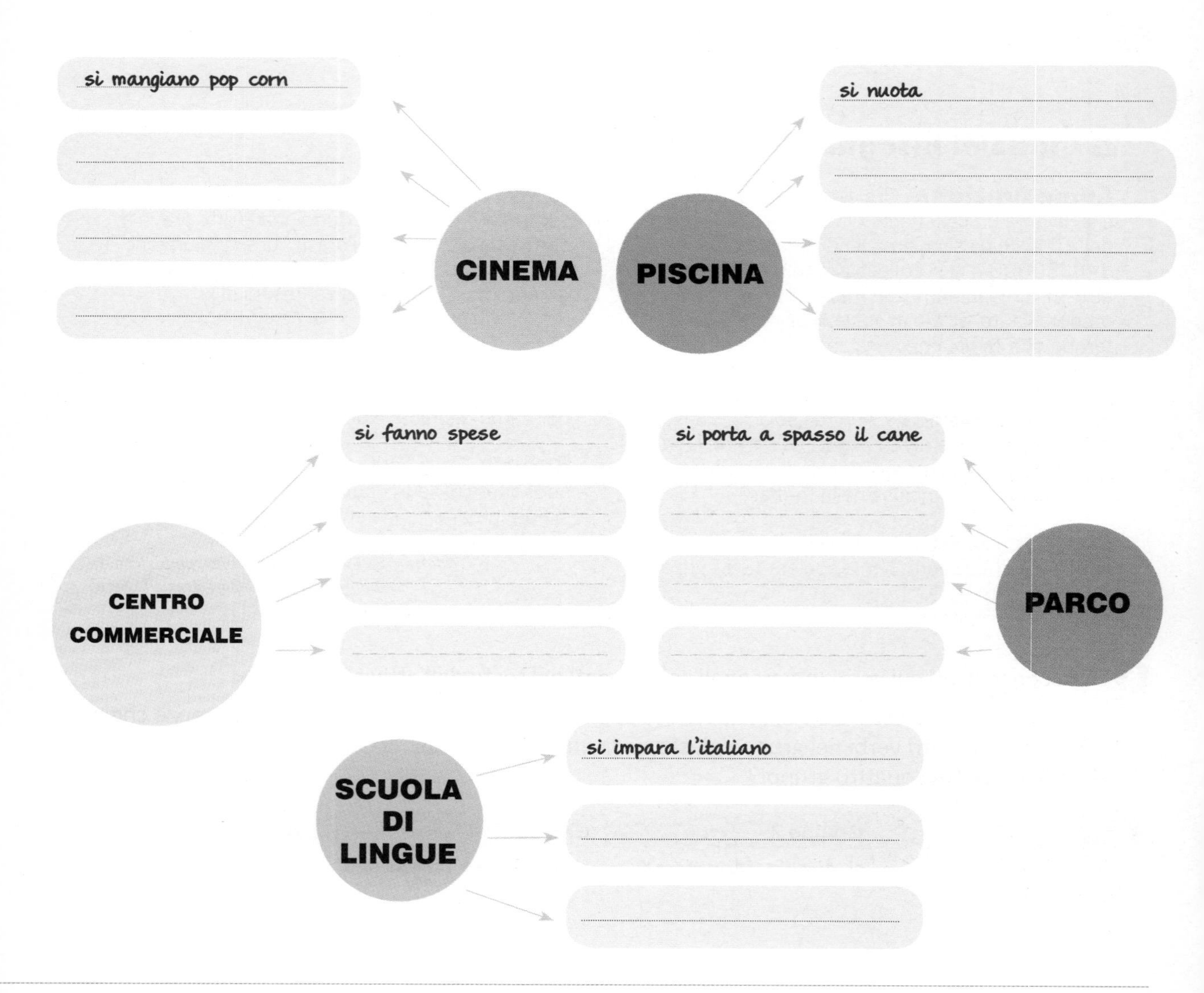

2 Trasforma i seguenti famosi stereotipi sugli italiani nella forma impersonale, come nell'esempio. Poi aggiungi altre opinioni sugli italiani che sono comuni nel tuo Paese.

GLI ITALIANI...	IN ITALIA...
1. cantano	*si canta*
2. bevono sempre il caffè	....
3. parlano male l'inglese	....
4. sono fissati con la bella figura	....
5. mangiano pasta tutti i giorni	....
6. sono mammoni	....
7. arrivano sempre in ritardo	....
8. sono creativi	....
9. viziano i figli	....
10. sono grandi amatori	....
11. non rispettano le leggi	....
....	....
....	....
....	....
....	....
....	....
....	....
....	....

3 Ogni festa ha le sue tradizioni. Trasforma le frasi nel riquadro nella forma impersonale e associale alla festa corretta.

andare al cimitero - andare al ristorante con le amiche - brindare con lo spumante - fare bagni al mare - fare l'albero - fare scherzi - fare una cenetta romantica - fare una parata militare - fare un grande pranzo all'aperto - lanciare i fuochi d'artificio - mangiare il panettone - mangiare le lenticchie - mangiare le uova di cioccolata - mascherarsi - regalare un rametto di mimosa alle donne - regalare rose rosse alle donne - scambiarsi i regali - visitare i giardini del Quirinale, la residenza del Presidente

NATALE			
CAPODANNO			
SAN VALENTINO			
CARNEVALE			
FESTA DELLA DONNA			
PASQUA			
FESTA DELLA REPUBBLICA			
FERRAGOSTO			
TUTTI I SANTI			

4 Completa le regole di comportamento che bisogna avere in alcuni luoghi pubblici con la forma impersonale dei verbi tra parentesi.

TEATRO
- Non (*tenere*) .... il posto alle persone in ritardo; se (*volere*) .... assistere ad una rappresentazione la puntualità è d'obbligo.
- Se (*arrivare*) .... in ritardo, (*sedersi*) .... al primo posto disponibile. In molti teatri non (*entrare*) .... a spettacolo iniziato, (*aspettare*) .... il momento dell'intervallo.
- Non (*applaudire*) .... durante lo spettacolo ma solo alla fine di un atto.

CINEMA
- Il silenzio è obbligatorio durante la proiezione, quindi (*dovere*) .... tenere il telefono spento o in modalità silenziosa e non chiacchierare.
- Non (*lasciare*) .... rifiuti sulla poltrona o sul pavimento, ma (*utilizzare*) .... gli appositi cestini.

AUTOBUS E METROPOLITANA
- (*lasciare*) .... il posto agli anziani, ai disabili e alle donne incinte.
- Non (*leggere*) .... il giornale del vicino.
- Non (*urtare*) .... gli altri passeggeri con la borsa e altri oggetti.
- Non (*parlare*) .... a voce alta.
- Se (*soffiarsi*) .... il naso o (*starnutire*) .... in pubblico, (*dovere*) .... usare un fazzoletto o ripararsi la faccia con la mano per non fare brutta figura.

(Adattato da www.famigliaitaliana.com)

5 *Bisogna* o *ci vuole*? Completa i seguenti consigli per imparare una lingua con *bisogna* o *ci vuole/ci vogliono*. Il decalogo è incompleto: aggiungi altri tre consigli che per te sono fondamentali per imparare una lingua con le stesse forme impersonali utilizzate.

Decalogo per imparare una lingua

1. .... buone strategie di apprendimento e .... scoprire le proprie.
2. .... passare del tempo in un Paese in cui si parla la lingua.
3. .... ascoltare: canzoni, persone che parlano, clip su YouTube, podcast, ecc.
4. .... delle buone letture: riviste, siti web, fumetti, libri, insomma, scegli le tue letture preferite!
5. Non .... avere paura di fare errori: sbagliando si impara!
6. .... un bravo insegnante.
7. .... persone con cui comunicare faccia a faccia oppure su Skype o su un social network.
8. ....
9. ....
10. ....

6 Crea un decalogo per una o più delle seguenti situazioni.

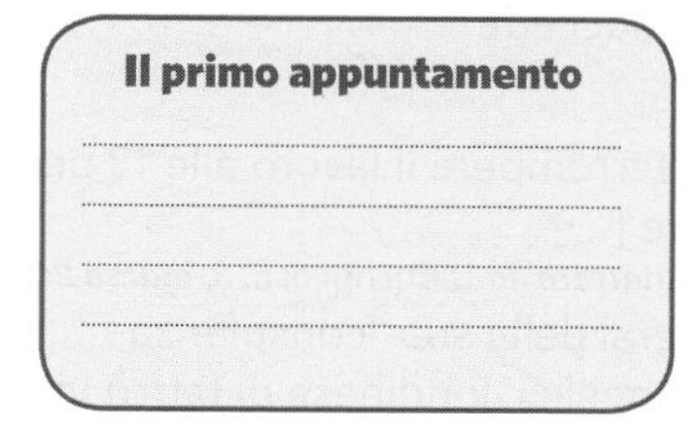
Il primo appuntamento

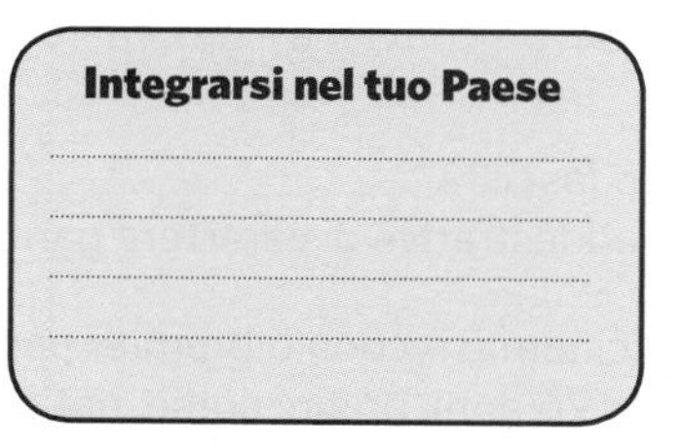
Integrarsi nel tuo Paese

Fare una vacanza particolare

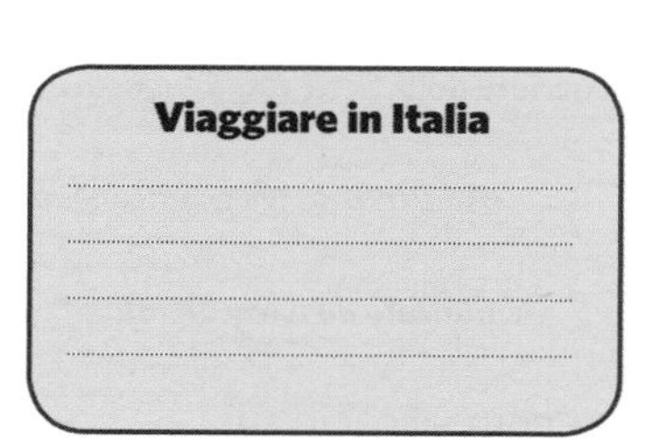
Viaggiare in Italia

Imparare una disciplina che conosci bene

7 Nel seguente decalogo del bagnante, trasforma le espressioni evidenziate utilizzando uno dei modi elencati, facendo i cambiamenti necessari.

a. il *si* impersonale del verbo evidenziato
b. *bisogna*
c. la forma impersonale dei verbi *potere* e *dovere*

1. Non fare il bagno se non sei in perfette condizioni psicofisiche.
2. Anche se sei un buon nuotatore non forzare il tuo fisico.
3. Dopo una lunga esposizione al sole entra in acqua gradualmente.
4. Lascia trascorrere almeno tre ore dall'ultimo pasto prima di fare il bagno.
5. Non entrare in acqua quando è esposta la bandiera rossa.
6. Se non sai nuotare bagnati in acque molto basse.
7. Non allontanarti oltre i gavitelli[1] che delimitano la zona di sicurezza per la balneazione.
8. Non allontanarti dalla spiaggia oltre i 50 m usando materassini, ciambelle, galleggianti o piccoli canotti gonfiabili.
9. Evita di tuffarti dagli scogli.
10. Osserva quanto previsto nelle ordinanze per la disciplina delle attività balneari, in particolare: non recare disturbo alla quiete dei bagnanti (schiamazzi, giochi, radio a volume elevato); non portare animali sulla spiaggia [...]; non montare tende, accendere fuochi, campeggiare sulla spiaggia.

(Adattato da www.guardiacostiera.it)

1. **gavitelli:** oggetti che galleggiano usati per varie segnalazioni

8 Completa i seguenti brevi testi con uno dei verbi impersonali elencati.

basta - bastano - bisognava - conviene - nevica - occorre - succede

1. Il 20 giugno 1935 il Regime istituì il "sabato fascista": .... interrompere il lavoro alle 13 per lasciare spazio nel pomeriggio ad attività addestrative di carattere paramilitare [...].
   (Adattato da L'Europeo, *n. 3, marzo 2011)*
2. Non .... essere star del cinema, tycoon o premier per avvalersi della sua "consulenza d'immagine". Per 87 euro all'ora, Colomba (26 anni, origini corse, nata a Los Angeles, londinese di fatto) vi rifà il look [...]. Scelta dal Financial Times fra i migliori personal shopper, si definisce "un po' psicologa, un po' amica, un po' consigliera". "Ma per il vero stile .... cinque cose..."
   (Adattato da Style Magazine, Corriere della Sera, *luglio-agosto 2013)*
3. Furto d'identità: per combatterlo .... un clic.
   (Adattato da www.adiconsum.it)
4. Fumare per dimagrire? Non ....
   (Adattato da www.dietaland.com)
5. .... sulle Alpi.
6. Quando .... una cosa buona al momento giusto, si dice che è "come il cacio sui maccheroni".

9 In passato, cosa facevano gli italiani nel tempo libero? Riscrivi le frasi trasformando le espressioni sottolineate alla forma impersonale, come nell'esempio.

1. La televisione non c'era, e gli italiani ascoltavano la radio del vicino benestante.
   La televisione non c'era e si ascoltava la radio del vicino benestante.
2. I lavoratori di città durante la settimana non avevano né tempo né soldi per divertirsi.
3. Ognuno utilizzava il sabato a seconda delle proprie possibilità economiche.
4. "Io giocavo a ramino, a bocce, a scala quaranta e a mercante in fiera".
5. Non sempre potevano andare a teatro o al cinema, perché costavano, così si riunivano in casa a ballare con i dischi che andavano per la maggiore.
6. Operai e impiegati avevano il dopolavoro.
7. In campagna, a dispetto dei luoghi comuni, i contadini non andavano a letto con le galline.
8. In campagna d'estate ballavano sull'aia, d'inverno, invece, soprattutto in Lombardia, Emilia e Toscana, andavano "a veglia": uomini, donne, vecchi e bambini si riunivano dopo cena nelle stalle o nelle grandi cucine, dove gli adulti facevano piccole riparazioni, le madri cucinavano, i più anziani raccontavano storie.
9. Alle otto di sera, quando iniziavano i programmi musicali, gli italiani si riunivano nei cortili o nelle case di chi possedeva una radio.
10. Nel 1927 l'Ente italiano audizioni radiofoniche decise di trasmettere in diretta le cronache delle partite di calcio.
11. Fu allora che i responsabili del dopolavoro nelle zone rurali tentarono con ogni mezzo di ottenere un apparecchio in dono e l'esenzione dal canone.
12. I ragazzi partecipavano alle adunate[1] tra le 14.30 e le 16.
13. Gli italiani trascorrevano la domenica nel segno della bicicletta.
14. I giovani si davano ai divertimenti più moderni, come il ballo e il cinema.

(Adattato da Focus Storia, *primavera 2012)*

1. **adunate:** riunioni di molte persone, decise da una pubblica autorità per uno scopo specifico. Erano molto frequenti durante il Fascismo

10 Traduci il testo seguente in inglese.

Ma il mezzo di trasporto principale restavano i piedi

Se ne vedevano in giro meno di quante auto si incrocino oggi sulle nostre strade. Eppure le scarpe erano il primo mezzo di trasporto del Ventennio. "A che ora parte il treno?": per saperlo bisognava andare a piedi fino alla stazione. "Dov'è quella pratica?": in assenza di e-mail e telefoni, in ufficio o in fabbrica si scarpinava su e giù per le scale da un reparto all'altro.
Al duomo in ciabatte. I contadini usavano semplici zoccoli, ma le scarpe di tutti gli altri, come oggi l'auto, erano uno status symbol. [...]. Per proteggerle si usavano le calosce, ma siccome ghiaia, fango e ciottoli tormentavano comunque le povere scarpe, i ciabattini godevano di grande rispetto. E, invece che dal benzinaio, ci si fermava dal lustrascarpe ambulante.

(Adattato da Focus Storia, *primavera 2012)*

11 Traduci il testo seguente in italiano, esprimendo le espressioni sottolineate con la forma impersonale. Poi metti a confronto le due lingue e riempi il grafico che segue il testo.

Greetings in Italy

When you're introduced to an Italian, you should say 'good day' (*buongiorno*) and shake hands. [...] 'Hello' (*ciao*) is used among close friends and young people, but it isn't considered polite when addressing strangers unless they use it first. Women may find that some men kiss their hand, although this is rare nowadays.
When being introduced to someone in a formal situation, it's common to say 'pleased to meet you' (*molto lieto*). When saying goodbye, you should shake hands again. It's also customary to say 'good day' or 'good evening' (*buonasera*) on entering a small shop, waiting room or lift, and 'good day' or 'goodbye' (*arrivederci* or, when addressing only one person, *arrivederla*) on leaving (friends say *ciao*). [...]
Titles should generally be used when addressing or writing to people, particularly when the holder is elderly. *Dottore* is usually used when addressing anyone with a university degree (*dottoressa* if it's a woman) [...]. Professionals should be addressed by their titles such as professor (*professore*), doctor (*dottore*), engineer (*ingegnere*), lawyer (*avvocato*) and architect (*architetto*).
If you don't know someone's title, you can use *signore* (for a man) or *signora* (woman); a young woman may be addressed as *signorina*, although nowadays all women tend to be addressed as *signora*.

(Adattato da www.justlanded.com)

....

***SI* IMPERSONALE**

***TU* GENERICO**
You should say

....

[Sintesi Grammaticale]

LA FORMA IMPERSONALE

La forma impersonale esiste sia in italiano sia in inglese. In entrambe le lingue nella forma impersonale il verbo non si riferisce a un soggetto specifico, ma non sempre si esprime nello stesso modo.

ITALIANO E INGLESE A CONFRONTO	Esempi
In italiano la forma impersonale si esprime con ***si* + la terza persona singolare** del verbo. Se questo è seguito da un nome plurale, *si* è seguito dalla terza persona plurale del verbo. In inglese questa forma si esprime in diversi modi: *one* + verbo (forma meno frequente); *you* + verbo; *we* + verbo; *they* + verbo; *people* + verbo; la forma passiva.	***Si mangia molto.*** *We eat a lot.* *People eat a lot.* ***Si vendono libri e riviste a prezzi modici.*** *We sell books and magazines at reasonable prices.* *Books and magazines are for sale at reasonable prices.*
In italiano nella forma impersonale dei **verbi riflessivi** *si* diventa *ci* per non ripetere *si* due volte consecutive. L'inglese non ha questa caratteristica perché il pronome riflessivo va dopo il verbo.	***Ci si iscrive annualmente e si diventa un car sharer.*** *You sign up annually and you become a car sharer.*
In italiano nella forma impersonale dei **verbi essere e *diventare*** l'aggettivo che segue il verbo è al plurale. In inglese questa distinzione non esiste perché non c'è il plurale degli aggettivi.	***Perché quando si è stanchi si sbadiglia?*** *Why do we yawn when we are tired?* ***Sotto stress si diventa nervosi.*** *When we are stressed we become tense.*
In italiano ci sono **verbi usati in modo impersonale**. Alcuni di questi hanno un equivalente in inglese, ma sono sempre preceduti dal soggetto neutro *it*: • verbi che descrivono le condizioni atmosferiche; • verbi impersonali come *basta/bastano, bisogna, occorre/ occorrono, serve/servono, conviene* ecc. seguiti da un nome o da un verbo all'infinito; • verbi impersonali come *succede, accade* e *capita* che sono seguiti da *di* + il verbo all'infinito.	***Piove.*** *It rains.* ***Nevica.*** *It snows.* ***Basta prendere la chiave.*** *Just take the key.* ***Non occorre essere ricchi per essere felici.*** *You don't need to be rich to be happy.* ***Capita di perdersi in una grande città.*** *Sometimes you get lost in a big city.*
Nei **tempi composti dei verbi impersonali** si usa l'ausiliare *essere*. Con i verbi che esprimono condizioni atmosferiche si può usare sia *essere* sia *avere*.	

I verbi con costruzione indiretta

[ConTesto]

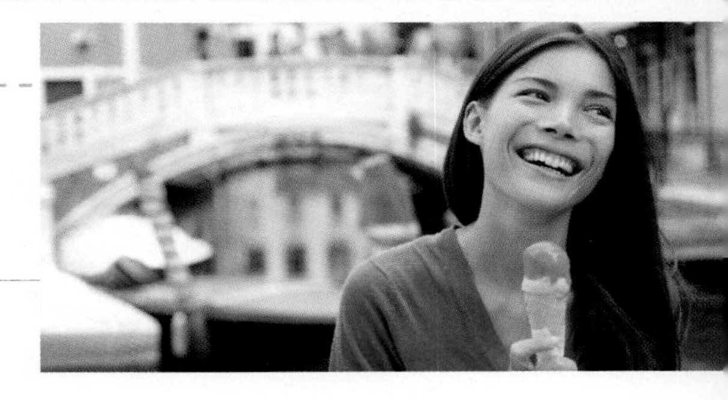

A Rivediamo la costruzione del verbo *piacere*, un verbo che conosci e che funziona in modo diverso dall'inglese. Osserva gli esempi nelle due lingue e in ciascuno:

- sottolinea il soggetto della frase;
- cerchia l'oggetto del verbo e indica se è diretto o indiretto;
- osserva la forma del verbo: con cosa si accorda?
- evidenzia la posizione del soggetto.

A Stella piace il gelato. Stella likes ice-cream.

B Conosci altri verbi italiani che hanno la stessa costruzione di *piacere*? Fai degli esempi.

C Ora osserva i verbi evidenziati nei seguenti titoli e completa la tabella a pagina 138 come nell'esempio.

1. BORN TO RIDE – E TI BASTANO DUE RUOTE
2. Non mi interessa lo sport
3. La mia pelle non mi piace
4. Non ci resta che piangere
5. Mi manchi
6. GLI AMICI MI SERVONO QUANDO PIOVE, NON QUANDO C'È IL SOLE
7. PROVA QUALI OCCHIALI TI STANNO MEGLIO CON FRAME FINDER
8. ROMANTICA (SE TI VA)

NOTA BENE

Altri **verbi con costruzione indiretta** sono *dispiacere, occorrere, rimanere* (con lo stesso significato di *restare* nell'esempio 4), *fare bene/male* (per la salute).

verbo	significato nel contesto della frase	posizione del soggetto	oggetto indiretto	il verbo si accorda con...
bastare	essere sufficiente	dopo il verbo	ti	due ruote
interessare				
piacere				
restare				
mancare				
servire				
stare				
andare				

D Facciamo il punto. Spiega con le tue parole le principali differenze tra l'italiano e l'inglese per quanto riguarda la costruzione di una frase con questi verbi. Fai riferimento a:

- la posizione del soggetto nella frase;
- l'oggetto del verbo (diretto o indiretto);
- con cosa si accorda il verbo.

NOTA BENE

Quando la persona a cui *piace*, *interessa* ecc. è espressa da un nome, questo è preceduto dalla preposizione ***a***; quando è espressa da un pronome, si usa un pronome indiretto (*mi, ti, gli/le/Le, ci, vi, gli*).

[Esercizi]

1 Qual è la tua ricetta per la felicità? Scrivila usando la forma corretta dei verbi *servire, mancare* e *bastare*.

Per essere felice...

Mi bastano pochi amici, ma... Mi manca un lavoro Mi serve più tempo per...

2 Completa una lista di consigli per imparare una lingua con i verbi del riquadro, come nell'esempio. Tra parentesi indichiamo il numero di volte in cui devi usare ciascun verbo.

andare (2) - interessare - mancare - piacere (2) - servire (6)

1. Devi capire perché ....ti va.... di imparare la lingua: per cercare lavoro, per parlare con amici e familiari, per soddisfazione personale, per un viaggio all'estero... In questo modo puoi capire cosa .... studiare: non è obbligatorio sapere tutto!
2. Scrivi abitualmente quello che fai e cosa impari; questo esercizio .... per dedicare momenti alla riflessione sulla lingua, che è molto importante.
3. Leggi il più possibile e ricorda che per capire il senso generale non .... comprendere ogni singola parola. Scegli testi che ....
4. L'ascolto è molto importante e non basta fare esercizi di ascolto in classe. Le possibilità per migliorare la comprensione orale di una lingua non mancano: film in lingua originale, musica, audiolibri, podcast e altre risorse.
5. Comunica nella lingua che stai studiando ogni volta che puoi. E soprattutto non preoccuparti per gli errori o se qualche volta .... le parole, ricorda che l'importante è comunicare!
6. Fa' alcuni esercizi tutti i giorni e pianifica lo studio secondo la tua disponibilità.
7. Sii aperto nei confronti di nuovi modi di imparare: ricordati che nuovi metodi e nuove tecnologie .... per imparare!
8. .... imparare in modo visivo? Usa lo spazio intorno a te: in cucina puoi attaccare le parole che .... e che fanno riferimento a quell'ambiente specifico e così per le altre stanze della casa.
9. Non basta studiare sui libri o in classe. Se .... di imparare più rapidamente, cerca di stabilire contatti con persone madrelingua o a cui come a te .... le lingue. Non mancano le occasioni per farlo: il caffè delle lingue, le serate di cinema in lingua, gruppi di interesse e chatroom on-line, ecc. Se ne hai la possibilità, fai un viaggio o un soggiorno studio all'estero che .... per utilizzare concretamente la lingua che stai studiando.

(Adattato da www.provincia.bz.it)

3 **Completa il seguente testo sull'imperatrice austriaca Sissi con la forma corretta del pronome, quando è necessario, e del verbo tra parentesi al presente indicativo.**

LA FAVOLA DI SISSI

[...] (*lei/piacere*) .... l'arte e la musica. Nel 1853 incontra Francesco Giuseppe, che rimane incantato dalla sua bellezza. Si sposano il 24 aprile 1854: lei ha 16 anni e indossa un vestito da sposa che (*stare*) .... magnificamente. Ma la favola finisce presto... Perché? L'amore del marito non (*bastare*) .... per essere felice. La vita a corte è regolata da un rigido protocollo e (*mancare*) .... la sua libertà e l'intimità. È insoddisfatta e comincia a fumare e ad avere momenti di profonda tristezza e attacchi di panico. Francesco Giuseppe è pieno di impegni e non (*restare*) .... molto tempo per la moglie, e la suocera è rigida e invadente. A Sissi non (*restare*) .... che i suoi interessi, la poesia e lo sport. E, naturalmente, le gravidanze, anche se appena nati i figli sono affidati alle bambinaie. Inoltre, la maternità non (*interessare*) .... molto. Invece (*interessare*) .... la cura del corpo ed è ossessionata dalla sua bellezza, a cui dedica le prime sei ore della giornata, di cui tre (*servire*) .... solo per la cura dei lunghissimi capelli. Si dedica molto anche allo sport: jogging, nuoto, passeggiate, ginnastica e body-building. Insomma, oggi la definiremmo una fanatica della palestra. Ama il marito, ma non (*andare*) .... di stare a corte e fugge ogni volta che può. (*piacere*) .... viaggiare e spesso lo fa in incognito per evitare tutte le formalità che detesta.

(Adattato da "Sissi, una favola senza lieto fine", in Airone, *settembre 2013)*

4 **Riscrivi le seguenti frasi tratte da un racconto di Natalia Ginzburg usando il verbo tra parentesi, come nell'esempio. Aiutati con le parole evidenziate nelle frasi.**

1. Lui sa parlare bene alcune lingue, io non ne parlo nessuna (*interessare*)
   A lui interessano le lingue, a me no.
2. Lui ha un grande senso dell'orientamento; io nessuno. (*mancare*)
   ....
3. Devo chiedere indicazioni per tornare alla mia propria casa. (*servire*)
   ....
4. Lui ama il teatro, la pittura, e la musica. (*piacere*)
   ....
5. Amo e capisco una sola cosa al mondo, ed è la poesia. (*interessare*)
   ....
6. Lui ama i viaggi, le città straniere e sconosciute, i ristoranti. (*piacere*) Io resterei sempre a casa. (*bastare*)
   ....
7. Al cinematografo, vuole stare vicinissimo allo schermo. (*piacere*)
   ....
8. Tutt'e due amiamo il cinematografo. (*piacere*)
   ....
9. Tutto il giorno si sente musica, in casa nostra. [...] Io protesto, [...] chiedo un po' di silenzio per poter lavorare. (*servire*).
   ....

(Adattato da N. Ginzburg, "Lui e io", in Le piccole virtù, *Torino, Einaudi 1962)*

5 Traduci i seguenti consigli per turisti in italiano. Fai attenzione alle espressioni sottolineate.

What to avoid when visiting Rome

1. If you like travelling in the summer, bear in mind that the temperature can be very hot and humid. If you don't like big crowds, avoid July.
2. Sometimes keeping an eye on your bag is not enough... If you're interested in seeing the Vatican, remember that the bus n. 64 goes there, which is known for pickpockets and purse snatchers. Carry only the money which is sufficient for the day...
3. If you need to change money, remember that some money changers can charge a commission in excess of 10%. Ask first!
4. If you need a taxi, bear in mind that Rome, like many big cities, is infamous for exorbitant cab fares for tourists. There are also many illegal taxis that are on the road: always take a cab that is registered and has a meter.
5. Taxis from the airports can be extremely expensive. If you don't feel like spending too much money, there is public transport to the city centre from both airports.
6. On the street you might meet street vendors, unofficial tour guides, costumed gladiators.
7. Some street vendors can be forceful. If you're not interested in what they offer, keep walking!
8. If you like Italian cuisine, don't assume every restaurant in Rome provides a high standard. Ask locals.
9. If you feel like visiting Rome on foot, which is the best way of seeing it, bring comfortable shoes. Don't worry if they don't look great on you!
10. If you need water, take a bottle with you and fill it at one of the many fountains.
11. If you miss tea, make it yourself! If you miss bacon and eggs... good luck!

After all these warnings, all that's left to do is to enjoy this magnificent city.

(Adattato da www.rome.info)

[Sintesi Grammaticale]

I VERBI CON COSTRUZIONE INDIRETTA

Alcuni verbi che hanno una costruzione diretta in inglese hanno invece una costruzione indiretta in italiano.

ITALIANO E INGLESE A CONFRONTO	Esempi	
I verbi italiani che hanno una costruzione indiretta seguono questa struttura: **oggetto indiretto + verbo + soggetto**	***Mi piace il gelato.***	
Quando l'oggetto indiretto è un nome, è preceduto dalla preposizione *a*.	***A Stella piace il gelato.*** ***A mio fratello piacciono i Beatles.***	
Quando in italiano si usa la costruzione indiretta, in inglese si ha: **soggetto + verbo + oggetto**	*I like ice-cream.*	
Nelle frasi qui sopra, *il gelato* è il soggetto della frase italiana, mentre *ice-cream* è l'oggetto della frase inglese.		
In italiano il soggetto si trova generalmente dopo un verbo con costruzione indiretta, ed è il soggetto che determina se il verbo si usa alla terza persona singolare o alla terza persona plurale, mentre in inglese il verbo non cambia.	***Mi piace il gelato.*** ***Mi piacciono i cani.***	*I like ice-cream.* *I like dogs.*
Quando il soggetto della frase è un verbo, il verbo con costruzione indiretta va alla terza persona singolare.	***Mi piace viaggiare.*** ***Mi basta riposare un po'.***	*I like travelling.* *I just need to rest for a while.*
Alcuni verbi con costruzione indiretta in italiano sono: *andare* (con il significato di *avere voglia*), *bastare, fare bene/male* (per la salute), *interessare, mancare, occorrere, piacere, dispiacere, restare/rimanere* (con il significato di *essere d'avanzo*), *sembrare, servire, stare bene/male*.	***Non mi va di uscire stasera.*** *I don't feel like going out this evening.* ***Mangiare troppo non ti fa bene.*** *Eating too much is not good for you.*	

[ConTesto]

A Leggi il seguente testo e la sua traduzione italiana. Osserva in particolare come sono stati tradotti i verbi evidenziati. Quali differenze noti tra le due lingue?

ITA ENG

Penny Hardwick was a nice girl [...]. She had a nice mum and dad, and a nice house [...]. She had nice manners – my mum loved her – and she always got nice school reports. Penny was nice-looking [...] Lots of people liked her. [...]
I can imagine what sort of person Penny Hardwick became: a nice person. I know that she went to college, did well, and landed a job as a radio producer for the BBC. [...]
I would like to be able to tell you that we had long, interesting conversations, and that we remained firm friends throughout our teenage years [...] but I don't think we ever talked. We went to the pictures, to parties and to discos, and we wrestled.

(Adattato da N. Hornby, High Fidelity, *London, Indigo 1996)*

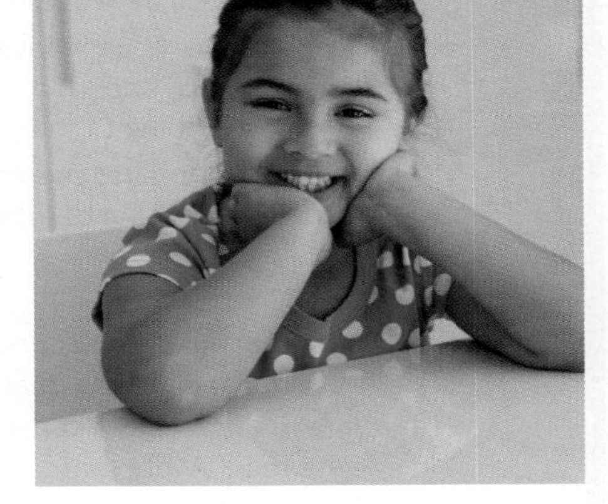

Penny Hardwick era una brava ragazza. Aveva una brava mamma e un bravo papà, e una bella casa. Era beneducata – mia madre l'adorava – e riceveva sempre buone pagelle. Penny era carina. Piaceva a molte persone. Posso immaginare che sorta di persona sia diventata Penny Hardwick: una brava persona. So che è andata all'università, si è laureata bene, e ha trovato un lavoro come produttrice radiofonica per la BBC. Mi piacerebbe potervi dire che avevamo lunghe e interessanti conversazioni, e che siamo rimasti buoni amici per tutta l'adolescenza, ma direi che non abbiamo mai parlato. Andavamo al cinema, alle feste e in discoteca, e facevamo la lotta.

B Leggi un estratto della canzone *Have you ever* e osserva come i verbi evidenziati sono stati tradotti in italiano. Quale differenza noti tra questo testo e quello dell'attività A?

"Have you ever" (Brandy)

Have you ever loved somebody so much
It makes you cry
Have you ever needed something so bad
You can't sleep at night
Have you ever tried to find the words
But they don't come out right
Have you ever, have you ever
Have you ever been in love
Been in love so bad
You'd do anything to make them understand
Have you ever had someone steal your heart away
You'd give anything to make them feel the same

(www.metrolyrics.com)

Avete mai amato qualcuno così tanto da piangere
Avete mai desiderato qualcuno così tanto da non poter dormire la notte
Avete mai provato a cercare le parole, ma queste non escono giuste
Avete mai? Avete mai?
Siete mai state innamorate così tanto,
che fareste di tutto per farglielo capire?
C'è mai stato qualcuno che ha rubato il vostro cuore
e fareste di tutto per far loro provare la stessa cosa?
[...]

(www.testimania.com)

C Leggi il seguente articolo e svolgi le attività.

Perché le famose cabine del telefono inglesi sono rosse?

Quando comparvero le prime cabine in Inghilterra negli anni Venti, [...] la loro costruzione e gestione era affidata al General Post Office (le poste inglesi) che aveva incorporato anche la società di telefonia. Il progettista delle cabine, Sir Giles Gilbert Scott, all'inizio propose l'argento, ma poi venne scelto il rosso delle cassette della posta anche perché le rendeva più facilmente individuabili. Dal 1981 la gestione telefonica è stata scorporata dalle Poste e affidata a British Telecom che, seguendo l'evoluzione delle telecomunicazioni, ha iniziato un programma di riduzione del numero delle cabine e di ammodernamento. Oggi ci sono circa undicimila cabine rosse, ma il loro numero è destinato a scendere. Alcune delle vecchie cabine, ristrutturate, sono state messe in vendita a 1.950 sterline, più IVA e spese di trasporto.

(Adattato da Airone*, settembre 2013)*

▶ Completa la tabella con i verbi evidenziati nel testo collocandoli nella colonna giusta.

passato prossimo	imperfetto	passato remoto	trapassato prossimo

▶ Ora scrivi i verbi sulla riga appropriata in corrispondenza del significato che esprimono.

1. Azione conclusa avvenuta in un passato lontano, senza alcuna relazione con il presente

   ....

2. Azione conclusa avvenuta in un passato più o meno recente

   ....

3. Azione passata avvenuta prima di un'altra azione passata

   ....

4. Azione continuata, non delimitata da limiti di tempo

   ....

D Facciamo il punto. Per ciascuna delle seguenti situazioni, indica quale tempo passato viene usato in italiano e in inglese, come nell'esempio.

	ITALIANO				INGLESE		
	passato prossimo	passato remoto	imperfetto	trapassato prossimo	present perfect	past simple	past perfect
Un'azione cominciata nel passato con effetti sul presente perché non è definitivamente conclusa nel momento in cui si parla	✔				✔		
Un'azione definitivamente conclusa e avvenuta in un momento specifico in un passato più o meno recente							
Un'azione definitivamente conclusa e avvenuta in un passato lontano							
Un'azione o evento passato che si verifica per la prima volta							
Una descrizione nel passato							
Un'azione passata avvenuta prima di un'altra azione passata							

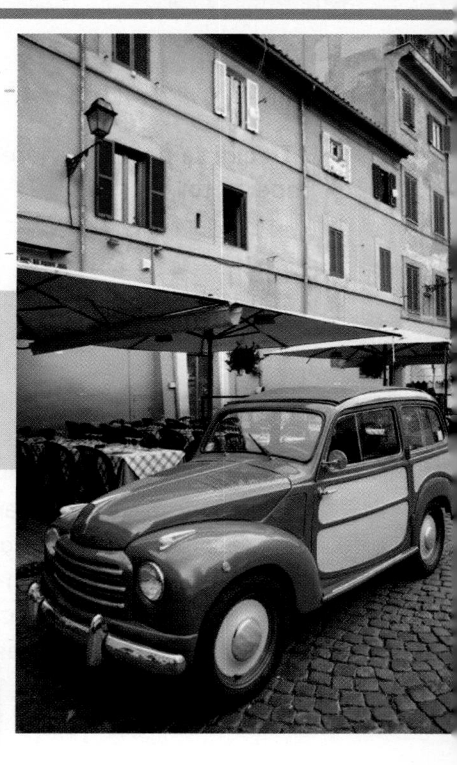

[Esercizi]

1. **la Topolino:** nel giugno del 1936 viene messa in commercio la FIAT 500, che gli italiani ribattezzano "Topolino". Il soprannome deriva dal fatto che la parte anteriore dell'automobile somiglia al muso di un topo. Non dimentichiamo, poi, la popolarità del Topolino di Walt Disney in quegli anni

1 Completa questo testo autobiografico con i verbi elencati, come nell'esempio. Poi completa la tabella collocando i tempi verbali al posto giusto.

era - erano - sapevo - sono stato iscritto - erano arrivati - avevo (2) - firmavano - avevano (2) - faceva - cambiava - incorniciava - ~~sono nato~~ - si sforzavano

Sono nato un mercoledì di fine dicembre, nella camera d'angolo di una clinica di Crema. Mamma e papà ________ un'ora prima, a bordo di una Topolino[1] blu. ________ le due di notte, ________ freddo, ________ molti peli sulle braccia e Giovanni Gronchi ________ presidente della repubblica. [...]
________ sei anni quando ________ per la prima volta, con il n. 0073, a un corso d'inglese presso la Scuola Interpreti di Crema. Ai tempi il nome non mi turbava, anche perché non ________ esattamente cosa facessero gli interpreti. [...] A distanza di trentacinque anni, ricordo tre cose: i libri, gli insegnanti e i diplomi. I libri di testo ________ le dimensioni di un quaderno, e una copertina colorata che ________ di anno in anno: giallo per i principianti, rosso per il corso intermedio, verde per il corso avanzato [...]. I professori che ________ il compito di istruirci utilizzando quelle meraviglie didattiche dovevano essere giovani eroi, ma io ricordo adulti con la cravatta e gli occhiali spessi, che ________ di insegnarci a pronunciare "the" senza farsi sputare addosso. Quelli che sopravvivevano all'esperienza ________ il diploma di fine corso, che la mamma prontamente ________ .

(Adattato da B. Severgnini, Italiani si diventa, *Milano, Rizzoli 1998)*

Un'azione passata avvenuta prima di un'altra azione, sempre nel passato	
Un'azione avvenuta in un momento preciso nel passato	
Una descrizione nel passato: ora	
Una descrizione nel passato: condizioni atmosferiche	
Una descrizione nel passato: età, aspetto fisico e personalità	
Azione continuata nel passato	
Abitudine o azione ripetuta nel passato	

2 Decidi se per esprimere i seguenti usi della lingua dobbiamo utilizzare il passato prossimo o l'imperfetto.

	Passato prossimo	Imperfetto
1. Un'azione definitivamente conclusa.	☐	☐
2. Una descrizione del tempo atmosferico nel passato.	☐	☐
3. La descrizione di uno stato d'animo e psicologico nel passato.	☐	☐
4. Un'azione in corso, continuata nel passato.	☐	☐
5. Un'azione accaduta una sola volta nel passato.	☐	☐
6. Una descrizione fisica nel passato.	☐	☐
7. Un'azione di cui conosciamo l'inizio e la fine.	☐	☐
8. Un'azione di cui non conosciamo l'inizio e la fine.	☐	☐
9. Un'azione avvenuta in un momento specifico nel passato.	☐	☐
10. Un'abitudine nel passato.	☐	☐
11. Un'azione ripetuta nel passato.	☐	☐

3 Passato prossimo, imperfetto o trapassato prossimo? Completa la notizia con la forma corretta tra le tre proposte, come nell'esempio.

Rubavano pezzi di auto in magazzini Fiat: 5 arresti

I carabinieri **smascheravano** / **hanno smascherato** / **avevano smascherato** una rete criminale composta da dipendenti infedeli e corrieri compiacenti.

Si specializzavano / **Si sono specializzati** / **Si erano specializzati** in furti seriali di pezzi di ricambio per auto. Con alcuni accorgimenti **riuscivano** / **sono riusciti** / **erano riusciti** a prelevare la merce custodita nei magazzini di Fiat Group Automobiles S.p.a. di Torino e None, eludendo i controlli della sorveglianza. I furti **avvenivano** / **sono avvenuti** / **erano avvenuti** in un periodo tra agosto 2012 e gennaio 2013.

I carabinieri **riuscivano** / **sono riusciti** / **erano riusciti** a smantellare un'organizzazione criminale composta da dipendenti e corrieri che **portavano** / **hanno portato** / **avevano portato** all'esterno dei magazzini i pezzi di ricambio. Cinque persone **finivano** / **sono finite** / **erano finite** in manette[1]. Il valore della refurtiva è di circa 3 milioni di euro. L'indagine **iniziava** / **è iniziata** / **era iniziata** nel settembre 2012 dopo che i carabinieri **ricevevano** / **hanno ricevuto** / **avevano ricevuto** la denuncia da parte dell'azienda.

(Adattato da www.lastampa.it, 3/12/2013)

1. **finire in manette:** essere arrestati

4 Passato prossimo, imperfetto o trapassato prossimo? Completa la notizia con i verbi elencati.

Aveva - costruirono - diede - emigrò - Era - fu - ho realizzato - pronunciò - rimase - sembrava - ~~Si è spento~~

È morto Umberto Panini, l'ultimo "re" delle figurine

Si è spento a Modena ieri notte. .... 83 anni. Negli anni '60 .... vita con i tre fratelli all'impero amato dai collezionisti

«Tutto quello che .... l'ho fatto divertendomi. Non mi .... di fare fatica». C'è tutto Umberto Panini, la sua inesauribile energia, nella frase che .... tre anni fa quando .... premiato da Confindustria Modena per aver fatto conoscere la città con il suo sogno imprenditoriale delle figurine [...].

Panini se n'è andato ieri sera all'età di 83 anni nella sua casa di Modena. .... l'ultimo rimasto in vita dei quattro fratelli - gli altri erano Giuseppe, Franco e Benito - che .... l'impero aziendale sugli album dei Calciatori [...]. La storia di Umberto Panini è l'emblema dell'intraprendenza emiliana [...]. Ex meccanico alla Maserati, dopo avere anche avviato un'edicola con Franco in centro a Modena, nel 1957 .... in Venezuela dove .... per sette anni. Fu il fratello Giuseppe a richiamarlo a Modena, dicendogli testualmente «guarda che l'America è qui da noi, torna».

(Adattato da www.lastampa.it, 30/11/2013)

5 Passato prossimo, imperfetto o trapassato prossimo? Completa la notizia con l'opzione corretta.

Coppia di escursionisti veneziani restano incrodati in Val Travenanzes: salvati

BELLUNO - Erano usciti / Uscivano dal sentiero numero 17, nei pressi del rifugio della Pace, sopra Val Travenanzes, quando è iniziata / iniziava la disavventura per una coppia di escursionisti veneziani, lei 32 anni lui 33: hanno iniziato / avevano iniziato infatti a risalire un tratto roccioso quando sono rimasti / rimanevano bloccati, senza riuscire ad andare avanti o a tornare indietro.

Per fortuna erano riusciti / sono riusciti a dare l'allarme al 118 e sul posto è stato inviato / era inviato un elicottero, che ha imbarcato / imbarcava un tecnico del Soccorso alpino di Cortina, per portare velocemente l'equipaggio nel luogo indicato dalla coppia. Per fortuna avevano trovato / hanno trovato i due escursionisti illesi.

(Adattato da www.gazzettino.it e www.repubblica.it)

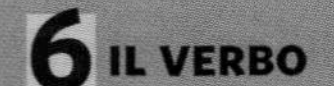

6 Passato remoto o imperfetto? Completa il testo con la forma corretta dei verbi tra parentesi.

La storia del cono

[...] Ci sono diverse versioni per la paternità del "cono da passeggio". Ci piace attribuirla a un italiano, Italo Marchioni. Originario delle Marche, ne (*partire*) .... per emigrare in America, dove (*esercitare*) .... il mestiere di gelatiere a New York, nella zona di Wall Street. I suoi gelati e sorbetti, trasportati nel tradizionale carrettino, (*venire*) .... offerti nei "penny licks" (bicchierini di vetro, da leccare, del costo di un penny), che (*dovere*) .... essere restituiti dai clienti, lavati e riutilizzati. Ma Marchioni ne (*essere*) .... insoddisfatto. Non (*amare*) .... questi contenitori, scomodi, ingombranti e fragili. Allora prima (*tentare*) .... di utilizzare un cono realizzato con un foglio di carta, poi (*decidere*) .... di sostituirlo con una cialda sagomata. Vista la grande richiesta di cialde, Marchioni (*chiedere*) .... il brevetto per una macchina che ne produceva 10 per volta: il 22 settembre 1903 (*presentarsi*) .... all'ufficio brevetti di New York per depositare formalmente la sua idea e ottenerne la piena paternità intellettuale (riconosciuta con il "patent" no. 746971). Gi emigrati italiani, e non solo, ne furono entusiasti, e a "Little Italy" (*esserci*) .... molti chioschi per la vendita del gelato. In breve (*moltiplicarsi*) .... le ditte che (*produrre*) .... cialde e wafer. In Italia la diffusione del cono gelato (*essere*) .... un po' più tarda, negli anni Venti del Novecento. Fu un altro italiano, un certo Spica, a inventare la cialda come la conosciamo oggi, nel 1959. Per rendere il wafer croccante, Spica ci (*aggiungere*) .... olio, zucchero e cioccolato. Spica (*registrare*) .... il prodotto con il nome "Cornetto" nel 1960.

(Adattato da G. Burri, "La storia del cono", in Civiltà della tavola, *n. 239)*

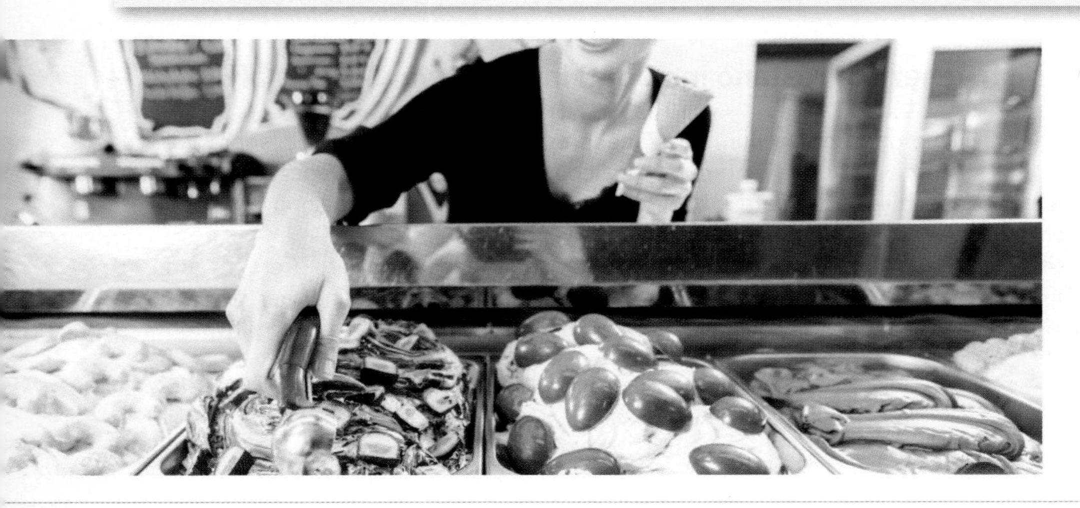

7 Ecco un articolo in inglese e la sua traduzione italiana. Nel testo italiano, scegli l'opzione corretta.

Mother who groomed dog in park given £50 littering fine
By Daniel Johnson, and agencies 19 Jul 2013

Tracey Hayes, 46, was given the penalty after two council wardens spotted her brushing her golden retriever, Biskit, and German shepherd, Rocky, on Wednesday.
And while the mother-of-two described the fine as "crazy", a local councillor insisted that "responsible dog owners groom their pets at home".
Mrs Hayes, from Romford, Essex, had been waiting for her son to finish football practice when the wardens pulled up in front of her car as she tried to leave Harrow lodge Park in Hornchurch around 7:30 pm.
'It seems a little crazy to me when you see the amount of litter in the park', she said.
'I always leave the dogs, hair out in my garden for the birds and I haven't met a single person to say anything against it'.

(Adattato da www.telegraph.co.uk)

Donna che spazzolava i cani nel parco ha ricevuto / riceveva una multa di 50 sterline per abbandono di rifiuti
Di Daniel Johnson, e agenzie di stampa 19 luglio 2013

Tracey Hayes, 46 anni, ha ricevuto / riceveva la multa mercoledì scorso dopo che due guardiani comunali l'hanno sorpresa / sorprendevano mentre ha spazzolato / spazzolava i suoi cani: il golden retriever Biskit e il pastore tedesco Rocky.
La donna definiva / ha definito "pazzesca" la multa, ma un consigliere locale ha insistito / insisteva che "un proprietario di cani responsabile spazzola i suoi animali a casa propria".
La signora Hayes, di Romford, Essex, aspettava / ha aspettato che il figlio finisse l'allenamento di calcio quando i guardiani si fermavano / si sono fermati mentre lei ha lasciato / lasciava Harrow Lodge Park a Hornchurch intorno alle 19.30.
"Mi sembra un po' folle, quando vediamo la quantità di rifiuti nel parco", ha detto / diceva la donna. "Lascio sempre i peli dei cani in giardino per gli uccelli e non ho incontrato / incontravo mai nessuno che si sia opposto".

8 Traduci il seguente testo in italiano.

Calcio Fiorentino
In the 16th century, the city of Florence celebrated the period between Epiphany and Lent by playing a game which today is known as *"calcio storico"* in the Piazza Santa Croce. The young aristocrats of the city would dress up in fine silk costumes and embroil themselves in a violent form of football. For example, *calcio* players could punch and kick opponents. Blows below the belt were allowed. In 1580, Count Giovanni de' Bardi di Vernio wrote *Discorso sopra 'l giuoco del Calcio Fiorentino.* This is sometimes said to be the earliest code of rules for any football game. The game was not played after January 1739 (until it was revived in May 1930).

(Adattato da http://en.wikipedia.org)

I verbi modali e i verbi *conoscere* e *sapere*: passato prossimo o imperfetto?

[ConTesto]

A Osserva le seguenti coppie di frasi, che sono tutte corrette: qual è la differenza in ciascuna coppia? Come si esprime questa differenza in inglese?

1. **Dovevo comprare un regalo per Maria, ma alla fine me ne sono dimenticata...**
2. HO DOVUTO COMPRARE UN REGALO PER MARIA ANCHE SE NON MI È MOLTO SIMPATICA...

3. Quando avevo 14 anni non potevo uscire la sera.
4. *Ho potuto comprare un appartamento solo perché ho ricevuto un'eredità.*

5. **IO NON VOLEVO FARLO, MA LUIGI HA INSISTITO COSÌ TANTO...**
6. Non ho voluto dirtelo per non farti soffrire.

7. **I primi tempi che abitavo a Torino non conoscevo nessuno.**
8. Due anni fa, a una festa, ho conosciuto l'uomo della mia vita.

9. Non sapevo che Marco fosse straniero: parla un italiano perfetto!
10. Ho saputo che Carlo e Chiara si sposeranno l'anno prossimo.

[Esercizi]

1 **Completa il testo con i verbi elencati.**

è entrata - ha accettato - ha dovuto - ha potuto - ha trovato - voleva (2)

Riccardo .... fare il pilota, ma poi non .... inseguire il suo sogno perché .... un lavoro in banca e .... accettarlo. Sua moglie Anna .... fare l'attrice, ma .... un lavoro stabile in una scuola. Ora coltiva l'hobby del teatro in una compagnia teatrale amatoriale in cui .... tre anni fa attraverso una collega.

2 **Completa il testo con i verbi nella forma corretta del passato prossimo o dell'imperfetto.**

Stella (*arrivare*) .... a Dublino circa 20 anni fa per lavorare come insegnante di italiano. All'inizio non (*conoscere*) .... nessuno e non (*sapere*) .... cosa fare nel tempo libero, quindi (*andare*) .... spesso al cinema da sola. Poi piano piano (*conoscere*) .... diverse persone, in occasione di eventi sociali e anche attraverso i colleghi. Stella non (*potere*) .... mai sopportare il clima irlandese, ma va spesso in Italia per il sole! Recentemente (*sapere*) .... che all'università in cui lavora le daranno un progetto di ricerca molto interessante, quindi è al settimo cielo.

3 **Passato prossimo, imperfetto o trapassato prossimo? Completa la descrizione di un giorno libero di Barbara con la forma corretta dei verbi, come nell'esempio.**

7:00 (*volere*) **Volevo** rimanere a letto, ma (*avere*) **avevo** tante cose da fare.
8:00 (*portare*) .... i figli a scuola, poi (*accompagnare*) .... mio marito all'aeroporto perché (*dovere*) .... andare a Milano per lavoro.
9:00 (*Fare*) .... colazione al bar, poi (*andare*) .... dal parrucchiere perché (*passare*) .... molto tempo dall'ultima volta.
10:30 (*Andare*) .... a fare la spesa perché il frigo (*rimanere*) .... vuoto! Poi (*andare*) .... in farmacia per un'amica che (*telefonare*) .... per dirmi che stava male.
13:00 (*Avere*) .... fame e (*andare*) .... a mangiare qualcosa di buono.
15:00 Prima di andare a prendere i figli a scuola (*portare*) .... le medicine alla mia amica.
16:00 Io e i bambini (*tornare*) .... a casa. Loro (*essere*) .... stanchi e per fortuna non (*avere*) .... molti compiti, così (*noi/potere*) .... passare il resto del pomeriggio insieme.
19:30 Mentre loro (*giocare*) .... per conto loro, io (*preparare*) .... la cena. (*Dovere*) .... solo mettere in forno una torta rustica che mio marito (*preparare*) .... già. Lui è un cuoco bravissimo, mentre io sono brava solo a cuocere cibi pronti...
22:00 La sera (*riprendere*) .... la lettura del romanzo che (*cominciare*) .... il giorno prima. (*Leggere*) .... per un'ora, poi (*addormentarsi*) ....

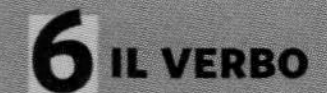

La scelta dell'ausiliare nei tempi composti: *avere* o *essere*?

[ConTesto]

A Leggi il testo seguente, osserva i verbi evidenziati e completa la tabella come nell'esempio.

- Quali verbi usano *essere* o *avere* per formare i tempi composti?
- Quali verbi usano entrambi, e come cambia il loro significato?

SERENA RACCONTA LA GIORNATA PIÙ LUNGA DELLA SUA VITA

Ho passato la giornata più lunga della mia vita in Olanda, dove io e il mio ragazzo siamo stati ospiti di amici per dieci giorni ad Amsterdam. La nostra giornata più lunga è cominciata così: ci siamo alzati presto e abbiamo preso il treno per l'Aia, dove siamo arrivati alle 9,30. Siamo andati subito alla Mauritshuis, una bellissima pinacoteca che avevamo sempre voluto visitare e che ci è piaciuta moltissimo. Poi abbiamo camminato per la città e all'ora di pranzo abbiamo fatto uno spuntino. Nel pomeriggio, alle 3, siamo saliti su un altro treno per andare in una località fuori l'Aia. Un nostro amico austriaco, che lavorava lì, è venuto a prenderci alla stazione. Abbiamo fatto una passeggiata e poi siamo andati a casa sua, dove abbiamo bevuto un ottimo aperitivo intorno alle 5. Poi siamo usciti per andare tutti e tre a Delft, una deliziosa cittadina famosa per la ceramica. Abbiamo fatto un giro e poi abbiamo cenato in un ristorante indonesiano. Quando abbiamo finito di cenare siamo dovuti passare per la biblioteca perché il nostro amico doveva restituire un libro, poi siamo tornati all'Aia, dove lui aveva prenotato tre biglietti per un concerto di musica classica. Dopo il concerto abbiamo passeggiato sul lungomare di Scheveningen e, per finire, siamo andati in un pub e abbiamo bevuto e chiacchierato per un po', poi siamo corsi alla stazione dove siamo riusciti a prendere l'ultimo treno per Amsterdam. Quando siamo entrati in casa ci siamo resi conto che la serata non era finita perché c'era una festa, quindi siamo rimasti e non ci siamo addormentati fino alle tre di notte. Non ho mai fatto tante cose nella stessa giornata! Siamo anche stati fortunati perché non ha mai piovuto durante quella giornata e per quasi tutta la vacanza, mentre prima del nostro arrivo era addirittura nevicato.

NOTA BENE

Camminare, ***cenare*** e ***passeggiare*** sono alcuni verbi intransitivi che rappresentano un'eccezione perché formano i tempi composti con *avere*. Altri verbi intransitivi comuni che formano i tempi composti con avere sono *ballare*, *chiacchierare*, *danzare*, *guidare*, *lavorare*, *navigare*, *nuotare*, *pranzare*, *sciare*, *viaggiare*, ecc.

NOTA BENE

Altri verbi comuni che usano *essere* e *avere* come ***finire*** e ***passare*** sono per esempio *aumentare*, *cambiare*, *crescere*, *cominciare*, *continuare*, *diminuire*, *guarire*, *migliorare*.
Sono guarito *in fretta dall'influenza* (valore intransitivo, l'effetto dell'azione rimane sulla persona che la compie).
Il medico ***ha guarito*** *un paziente che stava molto male* (valore transitivo, l'effetto dell'azione si trasferisce su un oggetto diretto).

NOTA BENE

I tempi composti dei verbi ***dovere***, ***volere*** e ***potere*** usano l'ausiliare richiesto dal verbo che li segue.
Ieri ***sono dovuto*** *andare al lavoro.*
Ieri ***ho dovuto*** *fare la spesa.*

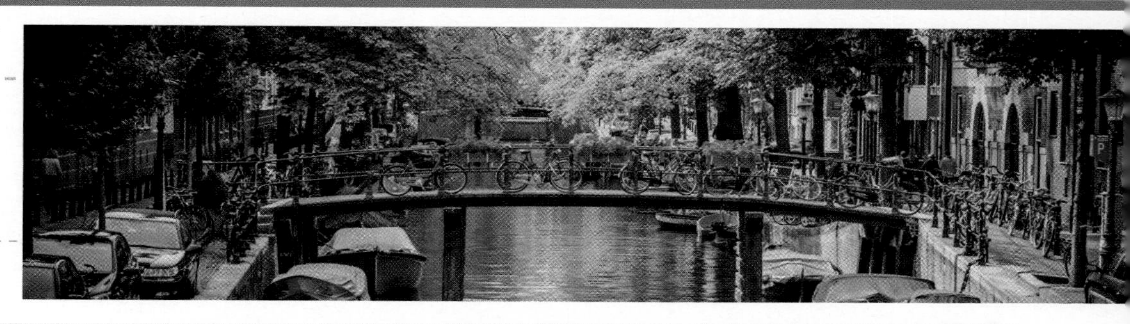

	Essere	Esempi	Avere	Esempi	Differenza di significato
verbi transitivi (seguiti da un oggetto diretto)				Ho passato la giornata...	
verbi riflessivi					
la maggior parte dei verbi intransitivi (senza oggetto diretto): • **movimento** • **cambiamento** • **stato**					
verbi impersonali					
verbi modali (seguiti da un altro verbo all'infinito)					
alcuni verbi con doppio ausiliare (valore transitivo con avere e intransitivo con essere)					
verbi che descrivono condizioni atmosferiche (senza cambiamento di significato)					

[Esercizi]

1 **Completa la seguente lettera a una rivista con gli ausiliari nei riquadri.**

avere:

abbiamo (2) - avevo - ho (6) - ha (3)

essere:

è (3) - siamo (4) - era

Sono un ragazzo di 27 anni. Vi racconto cosa mi .... successo.
A metà gennaio di quest'anno .... cominciato a conoscere una ragazza del mio stesso paese ma con la quale non .... mai scambiato una parola prima.
L' .... contattata in chat su Facebook.
.... passato due ore consecutive a parlare e già da subito mi .... sembrata una ragazza molto dolce e sensibile.
Questo .... accaduto di martedì.
Il sabato sera ci .... incontrati in un locale e .... parlato un po'.
La domenica sera .... usciti insieme e dopo aver parlato un po' ci .... baciati.
Nei giorni successivi ci .... sentiti spesso e tutto andava bene.
Dopo una settimana però .... sentito che qualcosa in lei .... cambiato.
Le .... chiesto spiegazioni e lei mi .... detto che ha paura di aprirsi ad un'esperienza con un altro ragazzo, dopo due storie andate male...
Insomma, alla fine l'altra sera mi .... mandato un sms a mezzanotte e mezza dove mi .... detto che vuole pensare un po'. Io allora le .... detto di pensare ma di farlo da sola, senza sentirci per un po', per capire cosa vuole veramente. Dice di aver capito ma continua a scrivermi. Secondo voi .... fatto bene a dirle di rimanere un po' sola per pensare? Grazie a tutti.

(Adattato da www.letterealdirettore.it)

2 **Traduci le seguenti frasi in italiano.**

1. Latvia's population decreased by 340,000 for the past 12 years.
2. I decreased the music volume.
3. I've just finished series 4 of *Doctor Who.*
4. The fourth series of *Downton Abbey* finished yesterday: what a pity!
5. *It started with a kiss.*
6. How They Started: How 25 Good Ideas Became Great Companies.
7. Has technology changed communication?
8. London has changed a lot over the past 20 years.
9. Has the economy improved?
10. I have improved my English.
11. How much time has passed?
12. Have you passed the exam?

3 Completa il seguente testo con il presente o l'imperfetto degli ausiliari *essere* e *avere*, come negli esempi.

Basta stress: si licenziano e partono per il giro del mondo
di Marco Sanfilippo, 9 maggio 2012

Lui è un bergamasco che ***si è licenziato*** a marzo dalla Tenaris, lei è una danese che .... abbandonato la Maersk Oil. Si .... conosciuti a fine 2009 in Kazakistan, la convivenza ad Almaty, il matrimonio nello scorso settembre a Bergamo e a giugno daranno un calcio[1] a cravatte, tailleur, al Blackberry sempre acceso e a un lavoro ormai stressante per entrare in un nuova dimensione: due anni in giro per il mondo con un fuoristrada per scalare montagne e vivere la natura nella sua versione più selvaggia.
[...] «Premetto – racconta Marco Ponti, 39enne, laureato in Economia e commercio ed ex dirigente del reparto commerciale della Tenaris – che io e Malene non ci .... licenziati perché delusi dal nostro lavoro. Al contrario, le nostre aziende ci .... gratificato moltissimo. La decisione .... nata sia da un motivo di ordine pratico, quello di riunirsi, perché dopo il matrimonio io ***ero volato*** di nuovo in Kazakistan, lei .... rientrata a Copenaghen, sia dal desiderio di vivere insieme un'avventura nella natura [...] e di dedicare il tempo a noi stessi. Io per più di dieci anni .... stato in Argentina, Scozia, Norvegia, Russia e Kazakistan [...] e il lavoro .... diventato eccessivamente stressante, sempre con il telefonino in mano, e-mail, riunioni, videoconferenze, clienti, l'incubo della reperibilità. Idem[2] per Malene, geologa per la Maersk Oil, che .... lavorato in Qatar, Turkmenistan e Kazakistan. .... stata lei a proporre l'idea dello staccare.

1. **dare un calcio:** in questo caso significa *abbandonare, rifiutare*
2. **Idem:** stessa cosa (latino)

(Adattato da www.ecodibergamo.it)

4 Nel seguente testo scegli l'ausiliare corretto tra i due proposti e completa il participio passato con la lettera mancante.

La storia di Enzo Ferrari, uno dei più grandi italiani del Novecento, è / ha cominciat..... in questa casa, oggi trasformata in Museo. Da qui è / ha partit..... l'avventura di un personaggio che è / ha lasciat..... un'impronta indelebile nel suo tempo. [...] Il modenese Enzo Ferrari è / ha stat..... un cittadino del mondo perché è / ha saput..... trasmettere il senso di una modernità in anticipo sulle mode e sulle generazioni. Grande appassionato di motori, è / ha stat..... il primo a comprendere che l'automobile [...] avrebbe potuto trasformarsi in oggetto di lusso, se non addirittura in opera d'arte. [...] Le macchine, per Ferrari, erano e dovevano essere un mix di potenza e di stile, una combinazione tra velocità ed eleganza. Ferrari è / ha stat..... un rivoluzionario. Veniva da una cultura contadina ma era affascinato dalla tecnologia. È / ha stat..... coraggioso e spregiudicato [...]: quando si è / ha res..... conto che, in veste di pilota, non riusciva ad esprimere tutto il suo potenziale, si è / ha mess..... in gioco come responsabile di una Scuderia, quindi come imprenditore. È / Ha sfidat..... i luoghi comuni e è / ha vint..... [...] Sulle strade e nei circuiti, perché Enzo è / ha legat..... l'attività di imprenditore all'impegno agonistico, alle corse. Anche per questo gli americani sono / hanno vist..... in lui la reincarnazione dell'eroica figura del Pioniere, l'uomo senza paura che marciava verso la conquista di frontiere nuove, di spazi inesplorati. Enzo Ferrari è / ha stat..... tutto questo. [...] Da qui, da questa Casa oggi Museo, tutto è / ha partit..... .

(Adattato da www.museocasaenzoferrari.it)

[Sintesi Grammaticale]

I TEMPI PASSATI DELL'INDICATIVO

Anche se i tempi passati in italiano e in inglese hanno punti di contatto per quanto riguarda la forma, non sempre coincidono nell'uso. È quindi necessario fare attenzione a non tradurre sempre un verbo italiano con il corrispondente inglese, e bisogna chiedersi con quale sfumatura di significato il verbo è utilizzato nella frase.

ITALIANO E INGLESE A CONFRONTO	Esempi
Il passato prossimo Si usa per parlare di un'azione definitivamente conclusa in un passato più o meno recente. In inglese si usano due tempi: • il *past simple* per un'azione definitivamente conclusa a un dato momento e senza alcun rapporto con il presente;	***È partito ieri.*** *He left yesterday.*
• il *present perfect* per un'azione avvenuta nel passato ma che ha ancora effetti sul presente o un'azione cominciata nel passato ma continua fino al momento in cui si parla e non è quindi definitivamente conclusa.	***C'è Paul? No, è uscito.*** *Is Paul there? No, he's gone out.* **(è fuori anche adesso, nel presente).** ***Ho viaggiato molto.*** *I have travelled a lot.* **(fino adesso, e potrei continuare).**
L'imperfetto Si usa per descrivere cose, persone, ambienti e situazioni nel passato, per esprimere un'azione passata ripetuta e abituale o un'azione passata in corso di svolgimento, senza alcun riferimento alla sua conclusione. In inglese si usano: • il *past simple*;	***Ero contento.*** *I was happy.*
• *used to* + infinito (per esprimere un'abitudine nel passato);	***Da bambino andavo a scuola a piedi.*** *As a child I used to walk to school.*
• la forma progressiva (per descrivere un'azione in corso);	***Dormivo quando sei tornato.*** *I was sleeping when you came back.*
• il condizionale presente (per esprimere un'azione ripetuta nel passato).	***Da piccolo facevo sempre quello che mi dicevano di fare.*** *As a child I would always do as I was told.*
Il trapassato prossimo Si usa per esprimere un'azione passata avvenuta prima di un'altra azione passata.	***Quando sono arrivato eri già andato via.*** *When I arrived you had already left.*

ITALIANO E INGLESE A CONFRONTO	Esempi
Il passato remoto • Si usa per parlare di un'azione conclusa in un passato lontano che non ha nessuna relazione con il presente. In inglese si usa il *past simple*.	***Colombo scoprì l'America nel 1492.*** *Christopher Columbus discovered America in 1492.*
Passato prossimo (o passato remoto) e imperfetto Mentre in inglese si può usare la stessa forma verbale per esprimere un'azione conclusa o continuata, in italiano il passato prossimo (o il passato remoto) e l'imperfetto non sono intercambiabili. In breve, per scegliere tra il **passato prossimo** (o **passato remoto**) o l'**imperfetto** bisogna chiedersi se: • il verbo esprime un'azione compiuta accaduta in un momento specifico nel passato che è definitivamente concluso (passato prossimo o remoto); • il verbo descrive una condizione, uno stato o un'azione i cui limiti di tempo non sono espressi o sono indeterminati (imperfetto).	***Quando avevo 14 anni ho cominciato la scuola superiore, dove avevo più materie e insegnanti di prima. Ho fatto moltissime nuove amicizie a scuola. Non ho mai dimenticato quei giorni felici... Ho persino incontrato l'amore della mia vita!*** *When I was 14 I started secondary school, where I had more subjects and teachers than before. I made lots of new friends in school. I never forgot those happy days... I even met the love of my life!*

[Sintesi Grammaticale]

I VERBI MODALI E I VERBI *CONOSCERE* E *SAPERE*: PASSATO PROSSIMO O IMPERFETTO?

Mentre in inglese si usa la stessa forma per formare il passato di alcuni verbi, in italiano si usano il passato prossimo (o remoto) e l'imperfetto per esprimere significati diversi.

ITALIANO E INGLESE A CONFRONTO	Esempi
***Dovere, potere* e *volere* (verbi modali)** Il passato prossimo indica che l'azione espressa dal verbo che segue quello modale è sicuramente avvenuta. L'imperfetto indica che l'azione non è avvenuta o non siamo certi che sia avvenuta. In inglese si usa il *simple past* per entrambi i significati. Nel caso di *dovere*, l'imperfetto si può esprimere con la struttura *was/were supposed to*.	***Ho dovuto comprare un regalo per Maria* (l'ho comprato).** *I had to buy a present for Maria.* ***Dovevo comprare un regalo per Maria, ma alla fine me ne sono dimenticata...* (non l'ho comprato)** *I was supposed to buy a present for Maria, but in the end I forgot about it...* ***Ho potuto comprare un appartamento.*** *I could afford to buy an apartment.* ***Quando avevo 14 anni non potevo uscire la sera.*** *When I was 14 I couldn't go out in the evening.* ***Io non volevo farlo.*** *I didn't want to do it.* ***Ho voluto farlo perché era giusto.*** *I wanted to do it because it was right.*
Conoscere* e *sapere L'imperfetto esprime il senso di conoscere qualcuno o sapere qualcosa da tempo. In inglese si usa *to know* per entrambi i verbi. Il passato prossimo indica il momento nel passato in cui abbiamo incontrato qualcuno o abbiamo imparato un fatto per la prima volta. In inglese si usano rispettivamente *to meet* e *to hear/to learn*.	***Quando sono andato a vivere a Londra non conoscevo nessuno.*** *When I went to live in London I didn't know anybody.* ***Sapevo che parlavi bene l'italiano.*** *I knew you spoke Italian well.* ***Ho conosciuto Susanna a Dublino nel 1999.*** *I met Susanna in Dublin in 1999.* ***Ho saputo che Paolo ha trovato lavoro.*** *I heard Paolo got a job.*

LA SCELTA DELL'AUSILIARE NEI TEMPI COMPOSTI: *AVERE* O *ESSERE*?

Sia l'italiano sia l'inglese usano un ausiliare per formare i tempi composti, ma c'è una differenza importante tra le due lingue.

ITALIANO E INGLESE A CONFRONTO	Esempi
Il passato prossimo Mentre i tempi composti in inglese si formano solo con il verbo *to have*, in italiano ci sono verbi che li formano con *avere*, altri con *essere*. Quando si usa *essere*, il participio passato funziona come un aggettivo e concorda con il soggetto del verbo. Riepiloghiamo quali verbi usano *avere*, quali *essere*.	***Ho comprato un computer.*** *I bought a computer.* ***Sono già stato a Roma.*** *I have already been to Rome.*
Verbi che usano *avere*: • tutti i verbi transitivi, che hanno cioè un oggetto diretto (rispondono alla domanda chi?, che cosa?); • alcuni verbi intransitivi (che non hanno un oggetto diretto): *ballare, chiacchierare, danzare, guidare, lavorare, navigare, nuotare, pranzare, sciare, viaggiare*, ecc; • *dovere, potere, sapere* e *volere* quando sono da soli o quando sono seguiti da un verbo che richiede *avere*.	***Ho comprato un appartamento.*** *I bought an apartment.* ***Abbiamo chiacchierato a lungo.*** *We chatted for a long time.* ***Sei andata dal parrucchiere? No, non ho potuto.*** *Did you go to the hairdresser's? No, I couldn't.* ***Scusami, non ho potuto farlo.*** *Sorry, I couldn't do it.*
Verbi che usano *essere*: • la maggior parte dei verbi intransitivi, in particolare: • i verbi di movimento: *andare, venire, uscire, partire*, ecc. • i verbi di stato: *essere, stare, rimanere*, ecc. • i verbi di cambiamento: *diventare, nascere, morire, dimagrire*, ecc. • i verbi impersonali: *bastare, sembrare, piacere*, ecc. • i verbi riflessivi: *alzarsi, lavarsi*, ecc. • *dovere, potere, sapere* e *volere* quando sono seguiti da un verbo che richiede *essere*.	***Sono dovuto andare dal dentista.*** *Sorry, I had to go to the dentist.*
Verbi con doppio ausiliare • In italiano ci sono dei verbi che possono essere transitivi o intransitivi: nel primo caso formano i tempi composti con *avere*, nel secondo con *essere*.	***Ho appena finito un libro bellissimo.*** *I've just finished a wonderful book.* ***Il film è finito alle 23:00.*** *The movie finished at 11 p.m.*

Come esprimere il futuro: il punto di vista nel presente

[ConTesto]

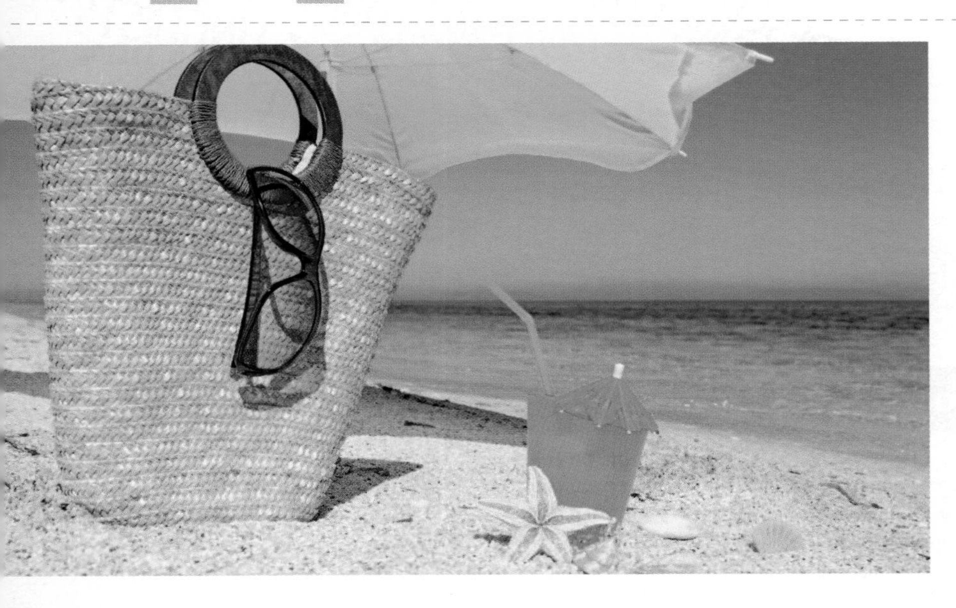

A Annalisa parla delle sue prossime vacanze. Traduci le frasi evidenziate e completa la tabella.

Sto per cambiare vita. Il 10 settembre comincerò un nuovo lavoro e immagino che sarà impegnativo, quindi voglio prima farmi una bella vacanza. Vado in Sardegna e parto questo fine settimana con un gruppo di amici. Bianca non viene ma non ha detto il perché... Mah, avrà altri progetti o forse vorrà risparmiare per i lavori che deve fare a casa. Comunque, torniamo alla vacanza. Andiamo con il traghetto da Civitavecchia. Il traghetto parte alle 8 del mattino, quindi ci alzeremo presto. Dormiremo in pensioni economiche e B&B, ma non in uno solo perché secondo le nostre intenzioni gireremo il Sud dell'isola il più possibile, anche se non abbiamo stabilito definitivamente l'itinerario. In linea di massima andremo a Cagliari, Villasimius, Pula, Carloforte e Cala Luna. Sono sicura che faremo tantissimi bagni, prenderemo il sole, mangeremo un sacco di pesce, berremo il Vermentino, ma vogliamo anche lasciare un po' di spazio alle sorprese, non vogliamo programmare tutto! Ci sarà il sole per tutta la vacanza, almeno secondo il meteo! Quando tornerò a casa, prometto che lavorerò sodo: lavoro nuovo, vita nuova! Quando comincio il nuovo lavoro, all'inizio voglio ambientarmi, ma l'anno prossimo se tutto andrà bene tornerò all'università per fare un corso di specializzazione. Insomma, mi aspetta un periodo intenso, quindi voglio proprio godermi questa vacanza! E se tutto va come deve andare, fra due anni... la California! ”

NOTA BENE

In italiano per esprimere un'**azione già programmata** si usano il presente indicativo o il futuro indicativo, e non si usa **mai** la forma progressiva (*stare* + gerundio).

Espressione italiana	In inglese
1. Sto per cambiare vita	
2. In settembre comincerò un nuovo lavoro	
3. Sarà impegnativo	
4. Vado in Sardegna e parto questo fine settimana	
5. Avrà altri progetti	
6. Vorrà risparmiare	
7. Andiamo con il traghetto da Civitavecchia	
8. Il traghetto parte alle 8 del mattino	
9. Ci alzeremo presto	
10. Dormiremo	
11. Gireremo il sud dell'isola il più possibile	
12. Andremo a Cagliari, a Villasimius...	
13. Faremo tantissimi bagni, prenderemo il sole, mangeremo un sacco di pesce e berremo il Vermentino	
14. Ci sarà il sole	
15. Quando tornerò a casa	
16. Lavorerò sodo	
17. Quando comincio il nuovo lavoro	
18. Se tutto andrà bene	
19. Tornerò all'università	
20. Se tutto va	

B Quale tempo e forma verbale si usa per esprimere i seguenti usi nelle due lingue? Segui l'esempio.

	ITALIANO	INGLESE
Azione relativa a orari, programmi, ecc.	presente (indicativo)	presente (indicativo)
Intenzioni e progetti per il futuro		
Azione già decisa e programmata		
Azione futura		
Azione che è sul punto di succedere		
Previsioni		
Supposizioni, dubbi, ipotesi		
Promesse		
Dopo *quando/when*		
Dopo *se/if*		

[Esercizi]

1 Ginevra lavora in una casa editrice e la settimana prossima ha diversi impegni personali e di lavoro. Cosa risponde a qualcuno che le propone di...

1. andare al cinema il fine settimana?
   ....
2. pranzare insieme lunedì?
   ....
3. fare colazione insieme giovedì mattina?
   ....
4. fare una passeggiata lunedì dopo il lavoro?
   ....
5. prendere un aperitivo sabato sera?
   ....

DA FARE

Lunedì: entro l'ora di pranzo chiamare il corriere per spedire le bozze all'autore e fare la revisione del primo capitolo del nuovo testo

Martedì: fare l'elenco delle immagini da sostituire nei testi in lavorazione; alle 18: passare dal medico a ritirare le ricette, poi fare un salto in farmacia

Giovedì alle 18,30: passare in tintoria a ritirare la giacca

Venerdì: mandare nuovo capitolo con commenti all'autore

Sabato tarda mattinata: spesa al supermercato (non dimenticare: olio di semi, carta igienica, burro, cipolle, patate, pancetta, uova, aglio, zucchero, farina e parmigiano),
Sabato pomeriggio: rilettura di un testo per un paio d'ore

FITNESS

Lunedì sera: pilates dalle 18 alle 19

Giovedì mattina: nuotata in piscina alle 7

Sabato pomeriggio: passeggiata nel parco con Donatella

APPUNTAMENTI

Lunedì alle 14,30: riunione comitato di redazione

Martedì alle 9,30: riunione con il grafico; alle 13: pranzo con il responsabile commerciale per l'estero; alle 15: riunione di redazione

Mercoledì alle 15,00: conferenza su Skype con due nuovi autori

Sabato alle 9,45: parrucchiere

Domenica alle 16: partita di burraco da Vittoria

2 Che programmi hai? Scrivi cosa hai già deciso e programmato di fare nel prossimo futuro. Puoi usare le situazioni elencate o aggiungerne altre.

questa sera - domani - il prossimo fine settimana - viaggi e vacanze - casa - tempo libero e divertimento
lavoro - rapporti con gli altri - salute e stile di vita - studi e cultura - impegno politico e sociale

3 Quali sono, invece, i tuoi propositi e le tue intenzioni per quanto riguarda le situazioni dell'esercizio 2? Poi vai all'esercizio 3 nella sezione successiva (p. 167).

4 Completa i seguenti annunci e conversazioni con la forma corretta di *stare* + gerundio, *stare per* + infinito, presente o futuro dei verbi tra parentesi.

1. La cerimonia (*avere*) .... luogo domenica 16 marzo 2014 alle 11.00. (*seguire*) .... un ricevimento per gli invitati a Villa Monte Mario.
2. Pronto? Chi è?! Ah, ciao Gigi! Scusa, ti sento male. (*essere*) .... sul treno e stiamo attraversando una galleria. Ti (*richiamare*) .... tra poco.
3. Ho deciso: quest'estate (*partire*) .... per un viaggio lungo, anche se non so ancora esattamente dove. (*Tu/venire*) .... con me?
4. Si comunica ai signori viaggiatori che il treno regionale 234 (*arrivare*) .... con venti minuti di ritardo. Ci scusiamo per il disagio.
5. Scusa mamma, ora non ti posso aiutare perché (*uscire*) .... Lo (*fare*) .... dopo, quando torno.
6. Ragazzi, ho una notizia sensazionale: ho fatto un colloquio e ho avuto un posto in un'azienda inglese: (*partire*) ...., è una questione di giorni! (*Voi/venire*) .... a trovarmi?
7. Informiamo i signori utenti che nel giorno 7 aprile 2014 il servizio del call centre (*essere*) .... sospeso dalle ore 10,00 alle ore 13,00 per permettere al personale di partecipare a una riunione sindacale. Gli utenti che (*chiamare*) .... in queste ore (*potere*) .... lasciare un messaggio sulla casella vocale. Il personale del call centre (*richiamare*) .... in giornata o al massimo il giorno dopo.
8. Sono un tipo tranquillo che non si arrabbia mai, ma c'è un limite a tutto! Sono arrabbiatissima, (*esplodere*) ....!

5 Scrivi alcune promesse per ciascuna delle seguenti situazioni, usando il futuro come nell'esempio. Poi vai all'esercizio 2 nella sezione successiva.

1. Il figlio/la figlia adolescente ai genitori: *Rifarò il letto ogni mattina.*
2. Il marito alla moglie: ....
3. Il sindaco ai cittadini: ....
4. Lo studente/la studentessa all'insegnante: ....
5. L'insegnante agli studenti: ....

Come esprimere il futuro: il punto di vista nel passato

[ConTesto]

A Leggi la seguente dichiarazione dell'attrice americana Jennifer Lawrence e poi svolgi le attività di riflessione sulla lingua.

> "Sin da quando ero piccola ho sempre avuto un'idea molto normale di quello che volevo. Sarei stata una mamma e un medico e avrei vissuto nel Kentucky. Ma in realtà ho sempre saputo che sarei stata famosa".
>
> *(www.lastampa.it 12/08/2013)*

▶ Traduci questo breve testo in inglese. Cosa cambia dal punto di vista dei verbi?

....

....

....

....

....

....

....

....

....

....

....

....

▶ Il punto di vista da cui parla Jennifer è nel passato, cioè quando era piccola. Con quale tempo si esprime il futuro nel passato in inglese e in italiano? Completa la tabella.

	Inglese	Italiano
Futuro nel passato		

[Esercizi]

1 Ti ricordi i tuoi compagni di scuola o i tuoi amici di infanzia? Torna indietro nel tempo e parla di loro come negli esempi.

Sapevo che Federico sarebbe diventato dentista come il padre.
Non immaginavo che Chiara avrebbe avuto tanti figli.
Non sapevo che Lorenzo sarebbe andato a vivere in campagna.

2 Nell'esercizio 5 della sezione precedente (p. 165) hai creato delle promesse usando il futuro. Queste promesse non sono state mantenute. Trasformale usando il condizionale passato come nell'esempio.

1. I genitori al figlio/alla figlia adolescente:
   Avevi promesso che avresti rifatto il letto ogni mattina.
2. La moglie al marito: ....
3. I cittadini al sindaco: ....
4. L'insegnante allo studente/alla studentessa: ....
5. Gli studenti all'insegnante: ....

3 Alcuni dei tuoi propositi e delle tue intenzioni espressi nell'esercizio 3 nella sezione precedente (p. 165) non si sono realizzati. Scrivi delle frasi come nell'esempio.

Ho detto che avrei fatto pace con Luisa, ma sono troppo orgogliosa...

4 Completa il seguente brano con la forma corretta del condizionale passato dei verbi tra parentesi. La narratrice, una donna, racconta di una spedizione a teatro con le amiche di nascosto dal marito.

Io [...] (*raccontare*) .... ad Ashok che andavo a trovare Carmen, la moglie italiana dell'aiuto cuoco al ristorante Ganesh [...]. (*noi/trovarci*) .... in piazza Unità, e prima di andare al teatro (*andare*) .... a bere qualcosa al Caffè degli Specchi, approfittando del bagno per cambiarci d'abito.
Davanti a Laura non potevamo nemmeno parlare di cosa (*indossare*) .... [...] A parlare di vestiti o di acconciature, (*lei/fare*) .... una ramanzina di mezz'ora su come conta di più ciò che hai dentro rispetto a quello che ti metti fuori. [...] Lule era l'unica che non (*dovere*) .... ricorrere ai nostri sotterfugi [...]. Prese dall'entusiasmo, ci eravamo completamente scordate di chiedere a Laura quanto (*costare*) .... i biglietti.

(Adattato da L. Wadia, Amiche per la pelle, *Roma, e/o 2007)*

5 Leggi le esperienze di alcuni studenti stranieri in Italia. Cosa pensavano prima di venire? Completa le loro testimonianze con la forma corretta del condizionale passato.

1. **Amina:** ero triste perché sapevo che i miei parenti e amici mi (*mancare*) .... moltissimo, ma ero anche contenta perché (*vivere*) .... con i miei genitori e con i miei fratelli, ed ero certa che (*fare*) .... nuove amicizie.
2. **Lee:** Quando ho cominciato ad andare a scuola qui ero un po' in ansia perché pensavo che non (*capire*) .... niente e che i miei compagni non (*parlare*) .... con me. Per fortuna, dopo un inizio un po' difficile, ora mi sento integrato.
3. **Irina:** Quando ho lasciato il mio Paese pensavo che tutto in Italia mi (*sembrare*) .... strano, che (*io/sentirsi*) .... un pesce fuor d'acqua e che la scuola (*essere*) .... molto dura per me a causa delle difficoltà linguistiche.
4. **Mustafa:** Quando sono arrivato in Italia credevo che (*essere*) .... l'unico straniero. Non immaginavo che (*trovare*) .... diversi altri stranieri nella mia classe!
5. **Jessica:** Quando ero ancora nel mio Paese, non sapevo che venendo in Italia (*dovere*) .... andare a scuola il sabato, e che le lezioni (*finire*) .... alle 13 o al massimo alle 14 ogni giorno. Non sapevo neanche che la scuola (*cominciare*) .... a metà settembre perché da noi comincia il 1° settembre, né che non (*io/avere*) .... due pause di una settimana in ottobre e in febbraio come da noi e che le vacanze di Pasqua (*durare*) .... solo 4 o 5 giorni. E poi non immaginavo che alla fine dell'anno scolastico i professori (*potere*) .... bocciarmi o rimandarmi!

6 Traduci in inglese i seguenti brevi testi su tre ex compagni di scuola.

ITA ENG

Le motivazioni più chiare erano quelle di Giampiero. Suo padre era notaio, lui avrebbe fatto il notaio. [...]. A scuola non era mai andato né bene né male. Non gliene importava niente – nessuna materia lo appassionava – ma aveva senso della realtà. Andare male a scuola [...] non sarebbe stata una cosa buona. Avrebbe significato taglio dei fondi da parte dei genitori [...].

Paolo avrebbe voluto fare filosofia e voleva andare alla Normale di Pisa. Si iscrisse alla selezione, superò agevolmente gli scritti, ma [...] non si presentò agli orali. [...] Paolo cercò di spiegarci perché aveva deciso di studiare diritto. Questo – diceva – gli avrebbe consentito di affrontare da un'angolazione anche pratica [...] gli studi di filosofia morale cui da sempre aveva voluto dedicarsi. Si sarebbe laureato con una tesi in filosofia del diritto sui rapporti fra diritto e morale [...].

Gli animali mi erano sempre piaciuti, fin da quando ero piccolo. E fin da piccolo dichiaravo che avrei fatto lo zoologo e il cacciatore di belve feroci [...]. In entrambi i casi avrei avuto modo di occuparmi di animali [...]. La vera svolta accadde però con *L'anello di re Salomone* di Konrad Lorenz. Una trentina d'anni fa non avrei spiegato chi era Konrad Lorenz e cos'era *L'anello di re Salomone*, perché l'uno e l'altro erano molto popolari, direi anche piuttosto di moda. Oggi se li ricordano in pochi.

(Adattato da G. Carofiglio, Né qui né altrove, *Bari, Laterza 2008)*

7 Confronta la tua traduzione del testo dell'attività 6 con l'originale italiano. Quali verbi hai tradotto con il condizionale semplice, quali con il condizionale passato? Perché?

[Sintesi Grammaticale]

COME ESPRIMERE IL FUTURO IN ITALIANO: IL PUNTO DI VISTA NEL PRESENTE

Il futuro si esprime sia in inglese sia in italiano, ma tra le due lingue ci sono delle differenze che possono causare errori di interferenza.

ITALIANO E INGLESE A CONFRONTO	Esempi
Presente indicativo / *Present tense* Sia in italiano sia in inglese si usa il presente per esprimere: eventi e programmi "fissi": orari di cinema, mezzi di trasporto e così via.	***La Frecciarossa parte da Roma alle 9.00 e arriva a Milano alle 11.59.*** *The Frecciarossa leaves Rome at 9 a.m. and arrives in Milan at 11.59 a.m.*
Futuro semplice / Futuro con *will* In italiano si usa il futuro semplice quando in inglese si usa il futuro con *will*, per esprimere: • azioni future; • annunci; • previsioni; • promesse; • supposizioni.	***L'anno prossimo farò un lungo viaggio.*** *I'll go on a long journey next year.* ***Il treno partirà dal binario 10.*** *The train will leave from platform 10.*
Presente o futuro / *to be + -ing* In italiano si usano il presente indicativo o il futuro semplice, quando in inglese si usa la forma *to be + -ing*, per esprimere: • un'azione futura già programmata, decisa, che si verificherà sicuramente.	***Parto sabato.*** *I'm leaving on Saturday.* ***A che ora incontri Paolo stasera?*** *At what time are you meeting Paolo this evening?*
Futuro / *to be going to* In italiano si usa il futuro semplice quando in inglese si usa la forma *to be going to* per esprimere: • un programma deciso ma non ancora definito; • un'intenzione, un proposito.	***Andrò all'università l'anno prossimo.*** *I'm going to go to university next year.* ***Hai vinto la lotteria?! Cosa farai con i soldi?*** *You won the lotto?! What are you going to do with the money?*

[Sintesi Grammaticale]

ITALIANO E INGLESE A CONFRONTO	Esempi
Stare per* vs *to be about to In italiano si usa la forma *stare per* + infinito quando in inglese si usa la forma *to be about to* per esprimere un'azione sul punto di succedere.	***Sto per uscire.*** *I'm about to go out.*
Quando* e *se Attenzione: mentre dopo *when* e *if* in inglese si usa il presente e non il futuro, in italiano si possono usare entrambi.	***Quando arrivo/arriverò ti chiamo/chiamerò.*** *When I get there I'll call you.* ***Se studi/studierai, passi/passerai l'esame.*** *If you study, you'll pass the exam.*

COME ESPRIMERE IL FUTURO: IL PUNTO DI VISTA NEL PASSATO

Il "futuro nel passato", cioè un'azione nel passato che avviene dopo un'altra azione nel passato, è un concetto che esiste sia in italiano sia in inglese ed entrambe le lingue usano il condizionale per esprimerlo. Tuttavia attenzione a una differenza importante, che illustriamo qui di seguito.

ITALIANO E INGLESE A CONFRONTO	Esempi
Futuro nel passato Per esprimere un'azione nel passato che avviene dopo un'altra azione nel passato, in inglese si usa il condizionale presente, mentre in italiano si usa il condizionale passato.	***Non credevo che Carlo sarebbe diventato famoso.*** *I didn't think Carlo would become famous.* ***Laura mi ha detto che sarebbe venuta.*** *Laura told me she would come.*

Indicativo o congiuntivo?

[ConTesto]

A **Cristina è single e descrive l'uomo dei suoi sogni. Leggi quello che dice e svolgi le seguenti attività.**

1. Trova tutti i verbi al congiuntivo e spiega perché viene usato in questi casi.
2. Trasforma le frasi evidenziate all'indicativo senza cambiarne il senso, usando le espressioni nel riquadro. Segui l'esempio.

~~Il mio uomo ideale~~ - secondo voi - (il verbo) dovere (2) - è meglio se - anche se - forse - se

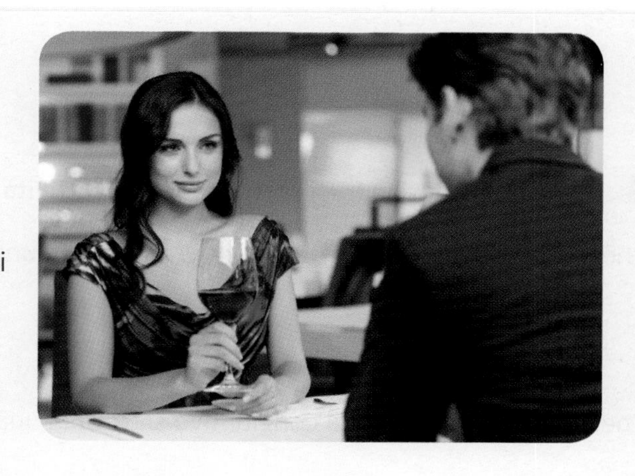

- Sebbene non ci sia una ragione, sono ancora single. Se sapeste come mi sento...
- Cerco un uomo sincero che non mi tradisca con la prima che passa!
- Voglio un uomo che abbia tanti interessi simili ai miei. *Il mio uomo ideale ha...*
- Gli preparerò i miei manicaretti a condizione che mi aiuti in casa!
- È importante che sia socievole e che abbia molti amici. E che non sia mammone...
- Non pretendo che sia ricco, ma esigo che non sia avaro.
- Bisogna che cammini volentieri perché non mi piace andare dappertutto in macchina.
- L'uomo dei miei sogni è contento che io abbia un lavoro che mi piace. Qualunque lavoro faccia, che lo prenda seriamente!
- È preferibile che parli un po' di inglese, così non devo fare sempre da interprete quando siamo all'estero. È anche importante che abbia viaggiato.
- Vorrei che leggesse e che fosse ben informato su tante cose.
- È assolutamente essenziale che ami i cani.
- In poche parole, vorrei che fosse perfetto!
- Non so se quest'uomo sia già stato inventato e dubito che possa avere tutte queste qualità... Che esista? Pensate che abbia qualche speranza?
- Magari ci fosse un uomo così per me da qualche parte, prima che sia troppo tardi...
- Se esiste, chiunque sia e dovunque si trovi, spero che mi stia aspettando. Qualora lo trovassi, naturalmente ve lo farò sapere!

B **Leggi le seguenti frasi in inglese e la loro traduzione italiana. In entrambe si usa il congiuntivo, ma in cosa si differenziano?**

1. God bless America! — *Che Dio benedica l'America!*
2. God save the King! — *Che Dio salvi il re!*
3. Rest in peace — *Riposi in pace*
4. So be it — *Così sia*
5. Suffice it to say — *Basti dire*

C **La differenza tra le frasi sottolineate dell'attività A e quelle dell'attività B è che...**

1. nelle frasi dell'attività A il congiuntivo si trova in una frase

   dipendente ☐ indipendente ☐

2. nelle frasi dell'attività B il congiuntivo si trova in una frase

   dipendente ☐ indipendente ☐

NOTA BENE

Il congiuntivo in inglese non è altro che l'infinito senza il *to*. Si usa nella stessa forma per tutte le persone, quindi non viene coniugato.

D **Traduci in inglese le espressioni evidenziate nel testo dell'attività A: ci sono dei casi in cui useresti il congiuntivo, cioè l'inifinito senza *to*?**

[Esercizi]

1 **Completa le seguenti storielle e battute con una delle espressioni nel riquadro.**

dovunque - a condizione che - non saprei dirti - per evitare che - vuoi - prima che - qualcuno che - nonostante

1. Adesso le dirò che cosa non va in lei, ... non si metta a ridere.
2. Cerco un uomo spontaneo e affidabile: .... abbia cellulare e telefono fisso.
3. .... sapesse bene il francese, Pietro il Grande, lo zar di Russia, non parlava mai tale lingua.
4. Non fare agli altri quello che non .... sia fatto a te.
5. Ecco: lo sformato di verdure va mangiato .... diventi cattivo!
6. .... se lui sia una persona facile da accontentare: non ci ho mai provato, ad accontentarlo.
7. .... i ladri gli rubino l'auto, [...] il francese Jules Dulier ha dipinto con uno spray di un terribile color ciclamino la BMW che ha appena acquistato.
8. Florence Nightingale, l'infermiera passata alla storia per aver organizzato i servizi sanitari inglesi durante la guerra di Crimea (1853-1856), portava sempre con sé, ... andasse, una civetta.

(Adattato da *La Settimana Enigmistica*)

2 **Le seguenti frasi dell'attività A a p. 171 contengono il congiuntivo in frasi indipendenti, cioè che non dipendono da altre frasi. Cosa esprime il congiuntivo in ciascun caso? Associa ogni frase al significato corrispondente.**

1. ☐ Che lo prenda seriamente!
2. ☐ Magari ci fosse un uomo così per me!
3. ☐ Che esista?
4. ☐ Se sapeste come mi sento!

a. Dubbio
b. Esortazione, ordine
c. Esclamazione
d. Desiderio

3 **Piero e Paola si trovano male nell'albergo in cui sono in vacanza. Indica a quale gruppo appartengono le seguenti frasi indipendenti, come nell'esempio.**

1. Andiamo via!
2. Avessimo avuto i soldi per andare in un albergo più bello!
3. Che ci restituiscano i soldi della caparra?
4. Che la smettano di promettere quello che non hanno!
5. Se avessi visto quello che promettevano sul sito!
6. Se solo potessimo riavere i nostri soldi e andarcene!
7. Che sia troppo tardi per cambiare albergo?
8. Che abbiano il coraggio di definirsi un albergo a 4 stelle!

dubbio	esortazione	esclamazione	desiderio
7			

4 Tra le seguenti frasi, indica quali sono corrette e correggi quelle sbagliate.

IN UNA NUOVA CITTÀ

1. Mio marito ha accettato di trasferirsi a Dublino perché i nostri figli diventino bilingui. ☐
2. So che è una città a misura d'uomo, quindi non mi dispiace andarci. ☐
3. Dobbiamo trasferirci in agosto, prima che cominciano le scuole, quindi bisogna che mi sbrigo a organizzare tutto. ☐
4. Mi hanno detto che maschi e femmine siano separati a scuola, ma spero che non lo sono almeno alle elementari, perché noi non ci siamo abituati. ☐
5. Benché siano nel Nord Europa, gli irlandesi hanno fama di essere molto ritardatari. Chissà se è vero! ☐
6. Anche se il clima non sia ideale, spero di abituarmici. ☐
7. Si dice che gli affitti siano abbastanza alti, non me l'aspettavo. ☐
8. Sembra che sia una città molto verde, e questo mi fa piacere. ☐
9. Ho paura che la vita sociale ruoti molto intorno all'alcol, ma io sono astemia! ☐
10. Sono contenta che ci hanno dato questa opportunità perché abbia sempre desiderato fare un'esperienza all'estero. ☐
11. Qualunque cosa succede, ne sarà valsa la pena. ☐

NOTA BENE

Nell'italiano parlato colloquiale non è raro sentire usare l'indicativo al posto del congiuntivo. Nella lingua parlata formale e nella lingua scritta, però, è meglio evitare l'indicativo nei casi in cui si dovrebbe usare il congiuntivo. Per esempio, nella lingua colloquiale è possibile sentire una frase come *Credo che Peter Jones **è** inglese*, ma quando scriviamo o quando parliamo in una situazione più formale dobbiamo dire *Credo che Peter Jones **sia** inglese*.

NOTA BENE

Se i verbi della frase principale e secondaria hanno soggetti diversi si usa il congiuntivo, mentre se hanno lo stesso soggetto si usa l'infinito:

Mio marito ha accettato di trasferirsi (stesso soggetto)
Mio marito ha accettato che io lo aiutassi (soggetti diversi)
Non mi dispiace andarci (stesso soggetto)
Non mi dispiace che tu ci vada (soggetti diversi)

5 **Completa il testo con la forma corretta del presente indicativo o congiuntivo dei verbi tra parentesi.**

1. Secondo una notizia abbastanza recente, sempre più giovani (*studiare*) .... l'italiano, che è tra le lingue più studiate al mondo.
2. Non lo studiano perché (*servire*) .... a trovare un lavoro, ma perché (*essere*) .... affascinati dall'Italia.
3. Pare che soprattutto le ragazze (*iscriversi*) .... ai corsi di italiano e che quindi il mito del latin lover (*andare*) .... ancora forte.
4. Tuttavia, questa non (*essere*) .... l'unica motivazione allo studio dell'italiano da parte dei giovani, e (*resistere*) .... ancora l'enogastronomia, la moda, l'arte, l'architettura, il design, e il made in Italy in generale, la musica lirica e, soprattutto per i ragazzi, lo sport.
5. Le ragazze giapponesi, quando gli si chiede perché mai (*volere*) .... imparare l'italiano, rispondono che lo (*fare*) .... per sposare un uomo italiano.
6. Sembra invece che la donna italiana (*venire*) .... vista come elegante e affascinante, ma attaccata alla famiglia e ai valori tradizionali.
7. Secondo le statistiche, la maggior parte degli studenti iscritti alle scuole di italiano in Italia (*essere*) .... ragazze tedesche.
8. Quindi, nonostante non (*essere*) .... la lingua dell'economia, l'italiano (*rimanere*) .... indiscutibilmente la lingua del fascino.

6 **Completa il testo scegliendo l'opzione corretta.**

Un venerdì nero a Roma

Una mia amica mi aveva invitato a cena e ho deciso di andarci in autobus perché a casa sua non si trova / si trovi mai parcheggio. Ho deciso di usare i mezzi nonostante c'era / ci fosse uno sciopero degli autobus e della metropolitana perché mi avevano detto / avessero detto che non tutti avevano aderito allo sciopero. Dovevo prendere due autobus, e sono uscita presto: con il primo non ho avuto grossi problemi, ma con il secondo siamo letteralmente rimasti bloccati nel traffico, che non si muoveva in nessuna direzione, forse perché tutti avevano preso / avessero preso la macchina a causa dello sciopero. Dopo quaranta minuti avevamo fatto un brevissimo tratto di strada e ho capito che qualunque cosa facevo / facessi non sarei mai arrivata in tempo per la cena. Allora sono scesa nella zona di Via Veneto e sono andata in un bar a telefonare alla mia amica per dirle che non sarei andata da lei (a quel tempo non esistevano i telefonini!). Sono andata a Via Veneto e ho cominciato ad aspettare il 492, che una volta passava / passasse di lì. Finalmente, dopo un'ora di attesa, è arrivato. I pochi passeggeri che erano sul bus avevano fatto amicizia: alcuni chiacchieravano, due donne si mostravano degli acquisti, due uomini giocavano addirittura a carte, segno che fossero / erano sull'autobus da parecchio. Ho cominciato a parlare con loro e mi hanno detto che si erano messi a giocare perché il tempo passava / passasse più in fretta, dato che l'autobus ci aveva messo circa 4 ore per andare dalla stazione Termini a Via Veneto! Dopo non so quanto tempo siamo finalmente arrivati a Piazza Cavour, la mia fermata. Quando sono scesa ho visto che l'autobus per casa mia non c'era e che c'erano moltissime persone che lo aspettavano. Anche se fosse / era una lunga camminata ed fossi / ero stanca, ho deciso di tornare a casa a piedi: non vi dico quanto ci ho messo / abbia messo... È senz'altro la giornata più faticosa e inutile che abbia mai avuto / ho mai avuto. Qualunque cosa accade / accada, non prenderò mai più i mezzi in una giornata di sciopero!

7 Cristina ricorda i suoi pensieri da single. Trasforma le seguenti frasi tratte dall'attività A di p. 171 nel passato, facendo tutti i cambiamenti necessari, come nell'esempio.

1. *Sebbene non ci fosse una ragione, ero ancora single...*
2. Cerco un uomo sincero che non mi tradisca con la prima che passa!
3. Voglio un uomo che abbia tanti interessi simili ai miei.
4. Gli preparerò i miei manicaretti, a condizione che poi lui mi aiuti in casa!
5. È importante che sia socievole e che abbia molti amici.
6. Non pretendo che sia ricco, ma esigo che non sia avaro.
7. Bisogna che cammini volentieri.
8. L'uomo dei miei sogni è contento che io abbia un lavoro che mi piace.
9. È preferibile che parli un po' di inglese.
10. È assolutamente essenziale che ami i cani.
11. Non so se quest'uomo sia già stato inventato e dubito che possa avere tutte queste qualità...

NOTA BENE

Il congiuntivo nelle frasi dipendenti: le tappe fondamentali

1. Prima di tutto, devi riconoscere quando bisogna usare il congiuntivo (es. verbi di opinione, alcune congiunzioni, ecc.).
2. Osserva se il verbo nella frase principale è al presente o al passato.
3. Osserva se il verbo nella frase secondaria esprime un'azione contemporanea o futura oppure un'azione passata rispetto al verbo della frase principale e scegli di conseguenza la forma corretta del congiuntivo (vedi Sintesi Grammaticale).

8 Completa il testo con la forma corretta dell'imperfetto indicativo o congiuntivo imperfetto dei verbi tra parentesi.

IN FILA PER UNA RACCOMANDAZIONE, DA 2000 ANNI

Tra il traffico dell'antica Roma imperiale all'alba e quello di oggi nella capitale all'ora di punta c'è poca differenza: sembra che già duemila anni fa le strade (*essere*) .... animate da un via vai continuo di uomini d'affari. Ma non solo: individui di tutti i ceti sociali prima ancora che il sole (*sorgere*) .... si davano da fare per trovare un posto libero nei vestiboli delle abitazioni dei potenti della città. (*Essere*) .... i *clientes*, che attendevano per ore che il signore (*uscire*) .... Nonostante i maggiordomi li (*chiamare*) .... "cani" o "parassiti", loro resistevano. La ragione? Al senatore o notabile di turno (*servire*) .... un codazzo che (*seguire*) .... la sua lettiga quando (*girare*) .... per la città, una *claque* che lo (*applaudire*) .... durante i discorsi pubblici o un capannello di persone che gli (*fare*) .... compagnia alle terme, allo scopo di mostrare il proprio status. I postulanti, in cambio della propria fedeltà, (*sperare*) .... di ottenere un posto di lavoro, un appezzamento di terreno o un alloggio o ancora, nel caso degli schiavi, la libertà.

(Adattato da Focus Storia*, n. 44, giugno 2010)*

NOTA BENE

Alcuni verbi che hanno una costruzione infinitiva in inglese, richiedono il congiuntivo in italiano:

Voglio che mio figlio smetta di fumare. — *I want my son to give up smoking.*
Aspettavo che mio marito tornasse a casa. — *I was waiting for my husband to come home.*

9 Completa il post di questo blog scegliendo l'opzione corretta.

Spariranno i congiuntivi?

Non solo leggendo molte domande e risposte, ma anche guardando la TV o leggendo i giornali mi accorgo che il congiuntivo viene / venga usato con sempre minore frequenza. Senza arrivare al "se sarei stato..." (condizionale al posto del congiuntivo... brrr...), molti usano tranquillamente l'imperfetto ("Se ero al suo posto non lo facevo...") [...] Cosa ne pensate? In fondo l'italiano sia / è una lingua viva, e se questa sia / è la sua naturale evoluzione ci toccherà accettarla... o no?

purtroppo è triste ma sempre più gente non sa / sappia parlare correttamente l'italiano. Anche in TV, ed è proprio di questa la gran parte della colpa.

probabilmente scomparirà / scompaia, o rimarrà / rimanga relegato ai testi scolastici o a quelli colti... cmq[1] a me piace il congiuntivo, dopotutto fa parte della nostra lingua.

1. **cmq:** abbreviazione di *comunque*

dall'evoluzione della lingua sembra che il destino di questo tempo verbale è / sia di scomparire... io spero di no.

purtroppo questo vizietto di mettere da parte le regole grammaticali si sta / stia spargendo a macchia d'olio...

Il vanto della lingua italiana è sempre stata la varietà delle forme espressive. Purtroppo bisogna studiare alcune regole e queste sono / siano faticose.

credo che molti non lo usano / usino per paura di sbagliare, tra un po' parleranno meglio l'italiano gli stranieri appena arrivati in Italia che gli italiani.

Anch'io rabbrividisco ogni volta che sento un "se sarei" oppure un indicativo al posto del congiuntivo [...]. Non so di chi sia la colpa, anche se la televisione ha fatto / abbia fatto molti danni... Credo cmq che bisognerebbe inculcare la cultura del congiuntivo a scuola: quando ci andavo io, infatti, se avessi / avevo sbagliato un congiuntivo sarebbe stato un 4 assicurato, anche se avessi / avevo scritto un tema da Premio Pulitzer.

(Adattato da http://it.answers.yahoo.com)

NOTA BENE

La migliore risposta scelta dalla persona che ha inviato la domanda viene dall'Accademia della Crusca, che è la più prestigiosa istituzione linguistica italiana:
i casi sono diversi [...]:
1. usare il condizionale al posto del congiuntivo nel periodo ipotetico è sbagliato (es."se sarei stato...").
2. usare l'imperfetto al posto del congiuntivo e del condizionale nel periodo ipotetico dell'irrealtà, come nel tuo esempio, è invece consentito; ed è un uso codificato dai grammatici che parlano di imperfetto ipotetico.
3. meno corretto (orrendo, ma non del tutto sbagliato) usare l'indicativo presente al posto del congiuntivo presente in frasi del tipo "credo che è una buona soluzione".

(*www.accademiadellacrusca.it*)

NOTA BENE

In una frase dipendente da un verbo al presente, si può (e a volte si deve) usare il futuro indicativo al posto del congiuntivo presente.
Es.
Ho paura che il congiuntivo sparisca/sparirà.
Penso che in futuro molti stranieri parleranno l'italiano meglio degli italiani.

10 **Completa il testo inserendo i verbi al posto giusto e coniugandoli nella forma corretta del congiuntivo scegliendo tra tutti e quattro i tempi.**

contenere - degnarsi - essere - pubblicare - ricevere - scommettere - trovare

Poi diventammo rivenditori della "Gazzetta Ufficiale". [...]
Certe mattine già verso le sei si formava una lunga coda di persone in attesa del postino.
"Guardate che la posta non ci verrà consegnata prima delle dieci", tentavamo di far capire alla moltitudine.
Spesso accadeva che proprio per merito del servizio postale non (*noi*) .... gazzette per giorni e giorni. Ma la grande riffa del posto statale e il sogno del biglietto miliardario cementavano l'altrimenti labile volontà delle folle. Imparai che in Italia [...] esistevano centinaia di lotterie legate a ogni tipo di manifestazione sportiva, canora, navale, oppure a pasque, carnevali, epifanie. Sembrava che tutti .... su tutto... [...]
"Senta, il mese scorso ho comprato presso di voi la 'Gazzetta Ufficiale' dei concorsi...".
"Di che data?".
"Non ricordo la data, ma pensavo che .... un concorso per mia figlia". [...] "Ecco, il concorso non c'era. Dove lo trovo adesso?".
"Guardi, non saprei. Può darsi che .... già uscito nei numeri precedenti o che (*loro*) l' .... in uno di quelli successivi".
"In quale numero precisamente?".
"Non lo so signora, non conosco a memoria tutte le 'Gazzette Ufficiali'".
"Ah no? Non fornite questo tipo di servizio?".
Arnoldo (o Arnoldi) no, lui sfarfalleggiava sempre bello riposato. [...]
"Quante volte ve lo devo dire che questo è lo shop dall'immagine più high-tech d'Italia? Come facciamo a dare un'immagine high-tech se il pavimento è pieno di rifiuti?".
Bastava che nel tragitto da casa al negozio .... un po' di traffico.
"Possibile che qui dentro nessuno .... di togliere la polvere dai monitor?

(Adattato da G. Culicchia, Paso Doble*, Milano, Garzanti 1998)*

11 **Traduci in italiano le seguenti frasi tratte da un romanzo in cui il narratore, un ragazzo, si rivolge al pubblico di lettori. Fai particolare attenzione alle parti sottolineate.**

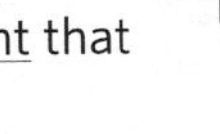

1. You could have guessed that my mum and dad don't live together [...], unless you thought that my dad was the sort of person who wouldn't mind his wife having boyfriends.
2. I'm glad there are things you don't know and can't guess, weird things, things that have only ever happened to me in the whole history of the world, as far as I know.
3. Sometimes it doesn't matter who you talk to, as long as you talk.
4. My mum didn't want me to be with Alicia all the time. [...] "Pizza Express and the cinema. How about that?" "No, you're alright", I said, as if she was being nice to me and offering me something.

(N. Hornby, Slam*, London, Penguin 2007)*

Il congiuntivo nel periodo ipotetico

[ConTesto]

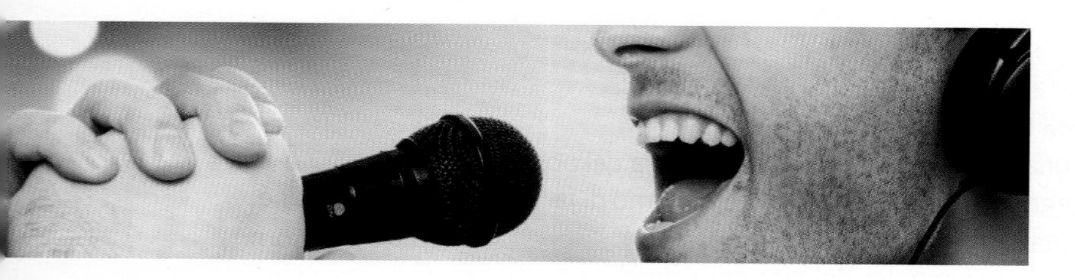

A Leggi il testo di una canzone del 1939 e svolgi le attività. Nella canzone un uomo si rivolge alla donna amata sognando di poter guadagnare mille lire al mese, che a quel tempo erano una bella cifra.

1. Trova i tre casi di periodo ipotetico e indica se appartengono al primo o al secondo tipo (della realtà e della possibilità).
2. Trasforma i periodi ipotetici negli altri due tipi possibili.
3. Nel terzo esempio *se* + il congiuntivo imperfetto introduce il periodo ipotetico della possibilità, che di norma ha il condizionale presente nella conseguenza. L'uso del futuro indica che l'uomo...
   - **a.** è sicuro che avrà mille lire al mese
   - **b.** parla di una probabilità molto vicina alla realtà
   - **c.** fa un errore di grammatica

Che disperazione, che delusione dover campar[1],
sempre in disdetta, sempre in bolletta[2]!
Ma se un posticino domani cara io troverò,
di gemme d'oro ti coprirò!
Se potessi avere mille lire al mese,
senza esagerare, sarei certo di trovar tutta la felicità!
Un modesto impiego, io non ho pretese,
voglio lavorare per poter alfin[3] trovar
tutta la tranquillità!
Una casettina in periferia, una mogliettina
giovane e carina, tale e quale come te!
Ma se questo sogno non si avverasse,
come farò... il ritornello canterò!
Se potessi avere...

1. **Campar:** campare, vivere
2. **In disdetta... in bolletta:** in disgrazia... senza soldi
3. **Alfin:** infine, finalmente

[Esercizi]

1 Completa i seguenti periodi ipotetici della possibilità e giustifica la tua riposta.

1. Se fossi un libro .... perché ....
2. Se fossi un animale ....
3. Se potessi scegliere la città in cui vivere ....
4. Se dovessi cominciare un nuovo sport ....
5. Se potessi andare indietro nel tempo ....
6. Se fossi un personaggio storico ....
7. Se potessi inventare un oggetto ....
8. Se potessi eliminare un'invenzione ....
9. Se fossi una stagione ....
10. Se fossi una lingua ....
11. Se fossi una parte della casa ....
12. Se potessi cambiare lavoro ....
13. Se fossi una celebrità ....

2 C'è una canzone italiana di Elio e le Storie Tese che si intitola *Fossi figo*, che significa "Se fossi una persona alla moda". Completa le frasi con la forma corretta dei verbi.

Fossi figo...
1. (*conoscere*) la gente giusta ....
2. (*indossare*) vestiti trendy ....
3. (*essere*) in palestra tutti i giorni ....
4. (*guidare*) una grande jeep ....

E tu cosa faresti se fossi figo/a?

....

....

....

③ **Completa i seguenti periodi ipotetici della possibilità.**

1. Se tutti gli europei parlassero almeno due lingue straniere ....
2. Se tutti parlassimo la stessa lingua ....
3. Se studiare le lingue fosse obbligatorio dalla scuola elementare in tutti i Paesi ....
4. Se le lingue scomparissero ....
5. Se imparassimo solo le lingue importanti a livello economico ....
6. Se qualcuno dicesse che sapere l'inglese non basta ....

④ **Se tu fossi qui... Immagina di scrivere un messaggio a qualcuno. Cosa faresti se fosse qui? Puoi usare i verbi nel riquadro.**

arrabbiarsi - cantare - dire - fare - guardare - impazzire - parlare - raccontare - ricordare - sapere - toccare

⑤ **Immagina ora che le situazioni nell'esercizio 4 siano impossibili e fai tutti i cambiamenti necessari.**

Se fossi stato/a qui...

⑥ **Formula delle opinioni sul tuo Paese sotto forma di frasi ipotetiche. Puoi usare diverse forme di periodo ipotetico, come negli esempi.**

Se il governo cambia, staremo meglio.
Se ci fosse più spesso il sole, saremmo tutti più allegri.
Se non fossimo entrati nell'Unione Europea, non avremmo avuto dei finanziamenti importanti.
Se avessero costruito una rete ferroviaria e strade migliori, ora viaggiare sarebbe più facile.

⑦ **Trasforma le frasi sottolineate nel testo in periodi ipotetici dell'impossibilità. Segui l'esempio.**

Se avesse sentito la sveglia, non avrebbe dovuto alzarsi / non si sarebbe dovuto alzare di corsa.

Una mattina Sergio non ha sentito la sveglia, quindi si è dovuto alzare di corsa, si è preparato in fretta ed è uscito di casa per andare al lavoro. È uscito di casa troppo tardi, quindi ha perso l'autobus e ha dovuto aspettare quello successivo per un bel po'. Siccome si era alzato tardi non aveva fatto colazione a casa e aveva fame. Non è andato al bar perché non ne aveva il tempo, avrebbe rischiato di perdere di nuovo l'autobus. Finalmente l'autobus è venuto e dopo un po' è arrivato al lavoro. È corso verso il portone dell'ufficio e l'ha trovato chiuso, probabilmente perché era arrivato in ritardo. Ha telefonato a qualche collega, ma avevano tutti il telefono staccato, quindi non ha potuto parlare con nessuno. Finalmente si è guardato intorno ed è rimasto sorpreso di vedere così poche persone per la strada. Alla fine ha avuto un'illuminazione: ha tirato fuori il telefonino e ha visto che... era domenica! Non aveva controllato il telefonino prima di uscire di casa, quindi non se n'era accorto! È stato distratto come al solito e per questo ha perso una mattinata!

8 Se avessi, se non avessi... Immagina il corso che la tua vita avrebbe potuto prendere se avessi o non avessi fatto certe cose.

9 Pensa alla tua esperienza con l'apprendimento dell'italiano: usa i verbi nel riquadro per creare delle ipotesi.

ascoltare canzoni - cantare canzoni - guardare film italiani - chattare in italiano - guardare film già visti in inglese doppiati in italiano - partecipare a eventi italiani nella mia città - parlare italiano con i compagni di corso - leggere libri italiani - leggere giornali e riviste in rete - fare esercizi di grammatica - studiare le regole - fare esercizi interattivi online - associare vocaboli a immagini - guardare canali italiani alla televisione - usare le nuove parole per creare i miei propri esempi - guardare clip su YouTube - leggere ad alta voce - parlare e scrivere senza avere paura di fare errori - scoprire strategie per memorizzare il lessico

ipotesi reali	ipotesi possibili	ipotesi impossibili

10 Cosa succederebbe se il denaro sparisse? Fai delle ipotesi.

Se il denaro sparisse...

11 Ora completa i seguenti testi con il condizionale presente dei verbi elencati, come negli esempi.

aumentare - avere (2) - chiudere - crollare - diminuire - diventare - dovere - esistere (2) - esserci - essere (2) - potere - restare - ridursi - scoprirsi - sparire (2) - vivere - volere

1. Tanto per cominciare, *sparirebbe* quasi del tutto il commercio. Senza monete né banconote, infatti, non .... che il baratto: i negozi non .... più ragion d'essere e tutti .... generi di prima necessità come vestiti, bevande, cibo e medicine, mentre .... molto più complicato lo scambio di prodotti specializzati, come le macchine industriali e i ricambi delle auto.

2. A causa del crollo del commercio, ma anche perché non .... più pagare i propri dipendenti, le industrie .... , e .... dalla circolazione tutti gli oggetti complessi, a partire da computer, tv e cellulari. Non .... più spazio per le professioni specializzate, perché in un mondo del genere .... inutile avere ingegneri elettronici e tecnici del suono. Le banche non .... più senso, e con esse si dileguerebbero i risparmi: l'economia mondiale ...., e all'improvviso il mondo .... troppo povero per sostenere 6 miliardi di persone. Di conseguenza .... le tensioni sociali e le guerre per procurarsi le risorse per sopravvivere. E alla fine la popolazione *si ridurrebbe* molto.

3. Se un mondo così .... veramente, però, agli uomini verrebbe naturale usare alcuni oggetti come riferimento per gli scambi commerciali: per esempio l'oro, il sale... o le sigarette, come si faceva in tempo di guerra.

4. Molti mestieri e specializzazioni non .... più: quindi scomparirebbero le università e gran parte delle scuole.

5. Le persone .... lavorare molto di più per sopravvivere, e il lavoro minorile .... la norma. Si .... peggio e l'età media ....

(Adattato da Focus Extra *n. 60, primavera 2013)*

[Sintesi Grammaticale]

INDICATIVO O CONGIUNTIVO?

Il congiuntivo è un modo verbale problematico per gli anglofoni perché anche se in inglese esiste un equivalente del congiuntivo, questo ha un'unica forma, si usa molto poco e non tutti sono consapevoli di usarlo.

ITALIANO E INGLESE A CONFRONTO	Esempi
Frasi dipendenti In italiano il congiuntivo si usa soprattutto in frasi dipendenti introdotte da *che*, quasi sempre espresso, mentre l'equivalente *that* in inglese generalmente si omette.	***Penso che sia troppo tardi.*** *I think it's too late.*
In italiano si usa l'indicativo per esprimere la certezza e l'oggettività, mentre si usa il congiuntivo per esprimere la possibilità, l'eventualità e la soggettività. In inglese questa distinzione non si fa.	***So che Paul è sudafricano.*** *I know Paul is South African.* ***Penso che Paul sia sudafricano.*** *I think Paul is South African.* ***È certo che Sara viene con noi.*** *It's certain Sara will come with us.* ***È possibile che Sara venga con noi.*** *It is possible that Sarah will come with us.*
In italiano il congiuntivo si usa con verbi ed espressioni che esprimono: • opinione; • una situazione di cui non si è completamente sicuri; • speranze e desideri; • volontà; • dubbio e incertezza; • stati d'animo.	***Credo che siano le otto.*** *I think it's 8 o'clock.* ***Voglio che venga anche lui.*** *I want him to come too.*

[Sintesi Grammaticale]

ITALIANO E INGLESE A CONFRONTO	Esempi
Il congiuntivo si usa anche con: • parole ed espressioni come *sebbene, nonostante, benché, malgrado, senza che, prima che, purché, a condizione che, a meno che, affinché, perché* (nel significato di *allo scopo di*), *chiunque, qualunque/qualsiasi, ovunque, dovunque, in qualunque modo*; • le costruzioni impersonali come *bisogna che, è importante che*; • un'espressione negativa: *non conosco nessuno che..., non c'è niente che..., ecc.* • un'espressione indefinita: *qualcuno, qualcosa, uno/una; il primo che, il solo che* ecc.; • le frasi con un comparativo o un superlativo: *è più simpatico di quanto sembri; il più bello che abbia mai visto* ecc.	***Sebbene sia stanco, esco con voi.*** *Although I'm tired, I'm going to go out with you.* ***Qualunque cosa tu faccia, sarò dalla tua parte.*** *Whatever you do, I'll be on your side.* ***È importante che arriviamo in tempo.*** *It's important that we get there on time.* ***Non conosco nessuno che possa aiutarmi.*** *I don't know anybody who can help me.* ***Cerco qualcuno che parli il russo.*** *I'm looking for someone who speaks Russian.* ***È il libro più bello che abbia mai letto.*** *It's the best book I've ever read.*
In inglese una forma equivalente al congiuntivo si trova dopo verbi ed espressioni che esprimono urgenza, comando, suggerimento, desiderio, raccomandazione, avvertimento. Tuttavia si tende sempre di più a sostituire questa forma con l'indicativo.	*I suggest that he attend the meeting.* *I recommend that she reserve a table.* **Ma si tende a dire:** *I suggest that he attends the meeting/I suggest that he should attend the meeting.* *I recommend that she reserves a table.* ***Non mi sembra che sei migliorato.*** ***Non mi sembra che tu sia migliorato.*** *I wish he were more open to change.*
Anche in italiano nella lingua parlata si tende a usare l'indicativo quando si dovrebbe usare il congiuntivo, ma si tratta di forme colloquiali non accettate nella lingua scritta e in un contesto più formale.	***Non mi sembra che sei migliorato.*** ***Non mi sembra che tu sia migliorato.***
Forma In italiano il congiuntivo è coniugato in quattro tempi distinti e cambia forma in base al soggetto del verbo.	
In inglese non cambia in base alla persona che compie l'azione ed esiste in una sola forma, che è il semplice infinito del verbo senza il *to*, con l'eccezione del passato del verbo *to be*, che è *were* (o *was*, il cui uso è sempre più comune).	*I wish he were more open to change.*

ITALIANO E INGLESE A CONFRONTO	Esempi
Concordanze del congiuntivo È il verbo nella frase principale che determina se si deve usare il congiuntivo nella frase secondaria (o dipendente). Il tempo del verbo nella frase secondaria è determinato dalla relazione temporale tra le due azioni.	
Frase principale al presente Nella frase secondaria... • **azione contemporanea**: congiuntivo presente. • **azione futura:** congiuntivo presente o futuro indicativo. • **azione passata:** congiuntivo passato. Per esprimere una descrizione, sensazione o abitudine, cioè azioni che si esprimono con l'imperfetto indicativo, si usa il congiuntivo imperfetto.	***Credo che Marco sia già qui.*** ***Credo che Marco venga/verrà con noi.*** ***Credo che Marco sia arrivato.*** ***Penso che Marco fosse troppo stanco per uscire ieri sera.*** ***Immagino che il tempo fosse bellissimo in Sicilia.***
Frase principale al passato (o al condizionale) Nella frase secondaria... • **azione contemporanea:** congiuntivo imperfetto. • **azione futura:** congiuntivo imperfetto o condizionale passato. • **azione passata:** congiuntivo trapassato.	***Credevo che Marco fosse già lì.*** ***Credevo che Marco venisse/sarebbe venuto con noi.*** ***Credevo che Marco fosse arrivato.***
Se i verbi della frase principale e secondaria hanno soggetti diversi si usa il congiuntivo, mentre se hanno lo stesso soggetto si usa l'infinito.	***Vorrei che fosse qui.*** ***Vorrei che venissi alla mia festa.*** ***Vorrei che fossi arrivato prima.*** ***Voglio che mio figlio smetta di fumare.*** ***Voglio smettere di fumare.*** ***Spero che venga anche Paolo.*** ***Spero di venire anch'io.***
Alcuni verbi che hanno una costruzione infinitiva in inglese, richiedono il congiuntivo in italiano: *volere/want* e *would like, chiedere/ask* e *request, pregare/beg, aspettare/wait for, aspettarsi/expect,* ecc.	***Voglio che mio figlio smetta di fumare.*** *I want my son to give up smoking.*
Frasi indipendenti In italiano il congiuntivo si trova anche in frasi indipendenti che esprimono speranza, desiderio, esortazione e dubbio. In inglese si usa in alcune espressioni fisse.	***Magari potessi venire!*** ***Che venga anche lui se vuole!*** ***Che sia già partito?*** *Rest in peace.* *So be it.* *God save the Queen.*

[Sintesi Grammaticale]

IL CONGIUNTIVO NEL PERIODO IPOTETICO

Sia in italiano sia in inglese ci sono tre tipi di periodo ipotetico, ma in italiano nel secondo e terzo tipo si usa il congiuntivo nell'ipotesi introdotta da *se*.

ITALIANO E INGLESE A CONFRONTO	Esempi
Secondo tipo (periodo ipotetico della possibilità) • **Ipotesi**: *se* + congiuntivo imperfetto in italiano; *if* + *simple past* in inglese. **Conseguenza:** condizionale presente in entrambe le lingue.	***Se vincessi la lotteria, farei il giro del mondo.*** *If I won the lottery, I would travel around the world.*
Terzo tipo (periodo ipotetico dell'impossibilità) • **Ipotesi**: *se* + congiuntivo trapassato in italiano, *if* + *past perfect* in inglese, oppure *had* + soggetto + participio (più formale). **Conseguenza:** condizionale passato in entrambe le lingue.	***Se avessi saputo che eri nei guai, ti avrei aiutato.*** *If I had known you were in trouble, I would have helped you.* *Had I known you were in trouble, I would have helped you.*
Sia in italiano sia in inglese, se le conseguenze dell'ipotesi hanno un effetto anche sul presente si usa il condizionale presente.	***Se avessi cominciato a studiare prima, ora non saresti sotto pressione.*** *If you had started studying sooner, now you wouldn't be under pressure.*
Nell'italiano parlato, nel periodo ipotetico dell'impossibilità si usa spesso l'imperfetto indicativo al posto del congiuntivo trapassato e del condizionale passato, ma questo in inglese non succede.	***Se sapevo che venivi, ti riportavo l'ombrello* (invece di *Se avessi saputo che venivi, ti avrei riportato l'ombrello*).**

[ConTesto]

A Leggi cosa dice Stefania sui suoi progetti per l'estate e svolgi l'attività.

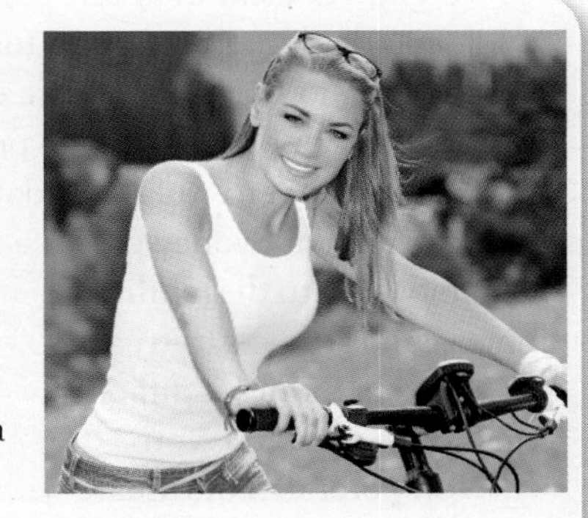

(1) **Sto pensando** di andare in montagna quest'estate. (2) **Pur preferendo** stare sdraiata su una spiaggia a prendere il sole, penso che questo cambiamento mi farà bene.
(3) **Stando** sempre seduta al computer, faccio poco movimento e la mia forma fisica (4) **va peggiorando**. Fare un lavoro sedentario non fa bene alla salute e ho passato mesi sempre seduta, (5) **appesantendomi** e **dimenticando** cosa sia l'attività fisica regolare. Intendo tornare in forma (6) **camminando, mangiando bene e facendo sport**. Non vado in montagna da sola, per fortuna. L'altro giorno (7) **andando** al cinema ho incontrato Laura che faceva la spesa. L'ho ascoltata parlare delle sue cose per un po' e poi le ho proposto di venire con me; (8) **non avendo** ancora **programmato** niente, ha accettato! Tutti gli altri miei amici preferiscono andare al mare.
(9) **Frequentando** sempre le stesse persone si finisce per fare solo quello che vuole la maggioranza!

NOTA BENE

Il gerundio deve avere lo stesso soggetto del verbo principale. Se il soggetto è diverso, si usa l'infinito o una frase introdotta da *che*, *mentre* ecc. + l'indicativo.

Es. *Paola? L'ho incontrata facendo la spesa al mercato.* (Il soggetto di entrambi i verbi è *io*)

Paola? L'ho incontrata mentre faceva la spesa al mercato. (Il soggetto del primo verbo è *io*, mentre quello del secondo è *Paola*, quindi non si usa il gerundio)

Ho visto Maria andando in banca. (Io andavo in banca)
Ho visto Maria andare in banca. (Maria andava in banca)

▶ Quale significato hanno le forme di gerundio evidenziate nel testo? Completa la tabella collocando i numeri corrispondenti alle frasi nella categoria giusta, come nell'esempio. Due forme vanno nella stessa categoria. Poi confronta l'italiano e l'inglese: che cosa noti?

SIGNIFICATO	FRASE NEL TESTO
funzione progressiva (*stare* + gerundio)	
funzione durativa intensiva	4
causale (*siccome...*; perché succede qualcosa)	
concessivo (*anche se...*)	
consecutivo (*quindi...*; le conseguenze di qualcosa)	
ipotetico (*se...* esprime un'ipotesi)	
modale (*come?* In che modo succede qualcosa)	
temporale (*quando, mentre...*)	

[Esercizi]

1 Leggi il brano e completa la tabella collocando le frasi nella categoria giusta del gerundio.

(1) Volendo dedicarmi al mio sogno di diventare illustratrice, un giorno ho cambiato vita (2) lasciando il mio negozio di informatica.
(3) Pur avendo il diploma d'arte e l'attestato di grafico pubblicitario, non c'erano proposte per quello che volevo fare. Sono stata a lungo preoccupata per il mio futuro, (4) decidendo infine di aprire un negozio. Ma dopo 8 anni ero stufa e ho dato una svolta alla mia vita (5) partendo per Sidney con il mio compagno.
(6) Arrivando a Sydney pronti a ricominciare una nuova vita in una terra descritta come il paradiso, abbiamo cercato di stabilirci lì ma siamo stati costretti a ricrederci: a Sidney è difficile rimanere e trovare lavoro.
(7) Non potendo continuare a stare in Australia senza lavoro, abbiamo deciso di andare a Londra, dove è stato abbastanza facile trovare un alloggio e un lavoro.
Ho cominciato a realizzare alcune mostre pittoriche e ho incontrato tanta gente interessata alle mie opere, (8) facendomi conoscere nel mondo dell'arte londinese.
(9) Pur pensando molto alla famiglia e agli amici, non mi sono mai pentita di aver lasciato la Sardegna per Londra. Insomma, sono innamorata di Londra! (10) Avendo il coraggio di lasciare il proprio Paese, a volte si possono trovare migliori opportunità.

(www.voglioviverecosi.com)

NOTA BENE

In inglese ci sono verbi che sono sempre seguiti dal gerundio e altri che possono essere seguiti dal gerundio o dall'infinito. In questo testo vediamo che in italiano i verbi *continuare*, *cominciare*, *pentirsi* sono seguiti da una preposizione e dall'infinito, mentre in inglese *continue*, *start*, *begin*, *regret* possono essere seguiti dal gerundio.

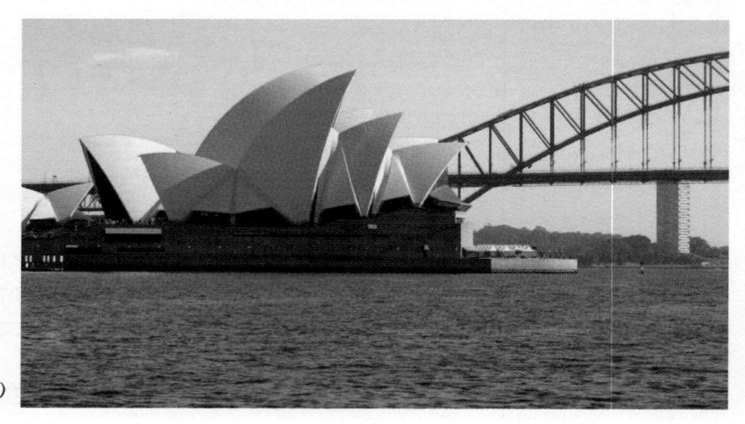

SIGNIFICATO	FRASE NEL TESTO
causale	
concessivo	
consecutivo	
ipotetico	
modale	
temporale	

2 **Riscrivi le seguenti frasi trasformando il gerundio in una frase esplicita che ne esprime il significato. Usa *siccome, anche se, e quindi, se,* o *quando*.**

1. Costando gli appartamenti in affitto un occhio della testa, i giovani italiani rimangono a casa con i genitori molto più a lungo dei loro coetanei di altri Paesi.
2. Non essendoci in Italia la cultura di vivere con altri ragazzi, hanno una ragione in più per restare a casa dei genitori.
3. Volendo lavorare spesso devono fare lavori precari, non sentendosela quindi di lasciare la casa familiare.
4. Vivendo a lungo con i genitori, i giovani italiani si rendono indipendenti più tardi.
5. Guadagnando poco e non pagando le spese, tendono a rimanere eterni ragazzi spensierati.
6. Uscendo con gli amici, esibiscono però i gadget di ultima generazione.
7. Pur avendo le stesse aspirazioni dei loro coetanei, non sono in grado di soddisfarle da soli, dipendendo dai genitori per realizzarle.

3 **Serena vuole festeggiare i suoi 50 anni. Trasforma le parti sottolineate dalla forma esplicita alla forma implicita con il gerundio presente o passato (2 volte). Indica anche il significato del gerundio in ciascun caso.**

1. Siccome volevo festeggiare un evento così importante come si deve, ho deciso di organizzare un apericena per amici e parenti.
2. Quando ho contattato il locale, mi sono resa conto che non ero in grado di dire quante persone sarebbero venute perché non avevo fatto gli inviti! Siccome non ci avevo pensato prima, non potevo neanche dare un numero indicativo.
3. Mi sono trovata spiazzata, e quindi mi sono seduta nel locale per preparare la lista degli invitati.
4. Mentre scrivevo la lista degli invitati, mi sono resa conto che era troppo lunga per il locale a cui avevo pensato. Se fossero venuti tutti, non ci saremmo stati.
5. Alla fine siccome quasi tutti hanno accettato l'invito, ho dovuto cambiare locale, anche se preferivo il primo.
6. Se si vuole andare in un posto particolare, bisogna organizzarsi per tempo!

4 Completa le seguenti frasi con la forma corretta di *andare* + gerundio dei verbi elencati.

allungarsi - acquistare - aumentare - dire - guadagnare - peggiorare - perdere - prescrivere - riempirsi - spifferare

1. L'estate è vicina e le temperature ....
2. L'estate è vicina e le giornate ....
3. Purtroppo la situazione in Medio Oriente ....
4. Questo spettacolo è molto popolare e la sala .... a vista d'occhio.
5. Paolo .... a tutti che ha deciso di lasciare il lavoro.
6. È una bravissima attrice e .... sempre più notorietà.
7. I medici gli .... sempre più farmaci, segno che non sta per niente bene.
8. È una gran pettegola e .... in giro gli affari di tutti.
9. Certe mode .... terreno, non sono più così popolari.
10. Altri trend, invece .... popolarità di giorno in giorno.

5 Completa l'articolo con il gerundio presente dei verbi elencati. Attenzione: in alcuni casi devi usare la forma *stare* + gerundio.

accogliere - adattarsi - condividere - crescere - dare - mantenere

Milano è una città multietnica tra le più grandi d'Italia [...] Se negli anni '50 e '60 del 1900 [...] a Milano si vedeva uno spaccato d'Italia, oggi la città apre una finestra sul mondo, ... i "nuovi milanesi" arrivati da ogni parte del globo. Ma chi sono? Si tratta delle seconde generazioni della nuova immigrazione iniziata una ventina d'anni fa. [...] Le seconde generazioni sono un'importante risorsa per l'integrazione [...] "Gli stranieri sono una realtà che .... e .... all'ambiente. .... il suo contributo, porta una novità nella città milanese che, comunque, tendeva all'invecchiamento e a un calo della popolazione" afferma Gian Carlo Blangiardo, docente di Demografia presso l'Università degli Studi di Milano Bicocca. [...] "L'integrazione non è assimilazione in senso stretto, ma capacità di acquisire certe abitudini, comportamenti, regole, ... la propria integrità nazionale [...]" afferma Blangiardo. Ecco allora che italiani e stranieri si mescolano e si integrano .... gli spazi, pur con le tradizioni di ognuno. Insieme al lavoro arrivano anche gli investimenti immobiliari.

(Adattato da "Milanese anch'io", di Stella Tortora, in Speciali di Focus 246, Milano 360°*)*

6 Completa il seguente testo con il gerundio presente o passato dei verbi tra parentesi, come nell'esempio.

(*Nascere*) **Essendo nato** in Alto Adige, Eric parla l'italiano e il tedesco, che è decisamente la sua prima lingua, pur (*studiare*) .... l'italiano a scuola e pur (*parlarlo*) .... spesso con gli italiani che visitano l'Alto Adige. (*avere*) .... una pensione, infatti, Eric incontra molti turisti. (*frequentare*) .... l'università in Austria, Eric ha molti amici austriaci e persino una moglie di Innsbruck. Un giorno (*cercare*) .... la stanza di un professore all'università, le ha chiesto informazioni e così si sono conosciuti. Ora hanno un figlio e gestiscono insieme la pensione. (*Essere*) .... un ottimo sommelier e (*ereditare*) .... delle vigne da suo nonno, Eric può offrire ai turisti un giro guidato di alcune cantine locali, corsi di degustazione dei vini locali e un giro per le sue vigne.

Quando non si usa il gerundio in italiano

[ConTesto]

A Rileggi il testo dell'attività A nella sezione precedente, riportato di seguito, e trova i casi in cui useresti il gerundio in inglese, ma non italiano. Riporta la traduzione degli esempi nella categoria giusta.

Sto pensando di andare in montagna quest'estate. Pur preferendo stare sdraiata su una spiaggia a prendere il sole, penso che questo cambiamento mi farà bene.
Stando sempre seduta al computer, faccio poco movimento e la mia forma fisica va peggiorando. Fare un lavoro sedentario non fa bene alla salute e ho passato mesi sempre seduta, appesantendomi e dimenticando cosa sia l'attività fisica regolare.

Intendo tornare in forma camminando, mangiando bene e facendo sport. Non vado in montagna da sola, per fortuna. L'altro giorno andando al cinema ho incontrato Laura che faceva la spesa. L'ho ascoltata parlare delle sue cose per un po' e poi le ho proposto di venire con me; non avendo ancora programmato niente, ha accettato! Tutti gli altri miei amici preferiscono andare al mare.
Frequentando sempre le stesse persone si finisce per fare solo quello che vuole la maggioranza!

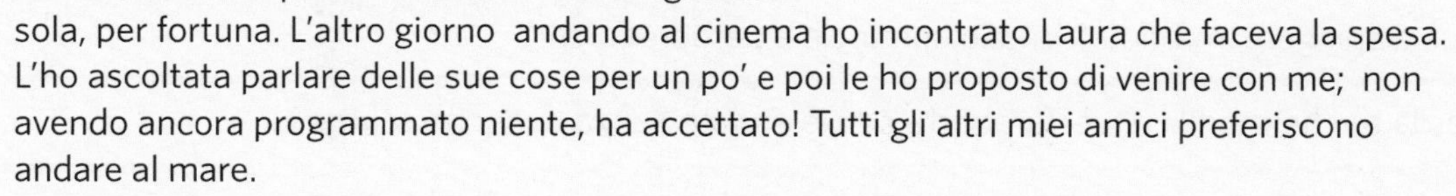

ITALIANO NO	INGLESE SÌ
Dopo il verbo *preferire*	
Dopo una preposizione	
Quando un verbo è il soggetto della frase	
Un'azione già programmata nel prossimo futuro	
Al posto di una frase relativa	

B **Leggi i testi di alcune vignette. Rifletti sulle differenze tra le due lingue e inserisci il numero di ciascuna vignetta nel gruppo giusto come nell'esempio.**

Struttura italiana	Struttura inglese	Vignette
Preposizione + infinito		
Verbo + preposizione + infinito		
Senza + infinito		
Aiutare + a + infinito		7

1. Quando le ho detto di smettere di bere, mi riferivo all'alcool!
(La Settimana Enigmistica, 13-03-14)

2. Continua a spingere, mamma! Orazio comincia a perdere forza!

3. Ma guarda tu che modi!... Quel farabutto se n'è andato senza neanche salutare...

4. Comincia a mordere, e vedrai come ti prenderanno sul serio quando abbai.
(La Settimana Enigmistica, 14-04-12)

5. Dicono che le persone finiscono per assomigliare al proprio cane: se è così, voglio trovare un cane che assomigli ad Angelina Jolie.

6. Quando hai detto che volevi venire a far compere con me, dovevo capirlo che c'era il trucco.

7. Il babbo ha aiutato la Polizia a organizzare una festicciola: lo hanno fermato e lo hanno fatto soffiare in un palloncino!

8. Ho visto che chiede il rimborso spese per essere andato in bagno.
(La Settimana Enigmistica, 03-04-14)

NOTA BENE

Quando in inglese si usa *for* + gerundio presente, in italiano si usa *per* + infinito passato.
Es. *Thank you for coming.*
Grazie per essere venuto.

[Esercizi]

1 Nelle seguenti frasi ci sono cinque errori: trovali e correggili.

Alcune tradizioni "italiane" che in Italia non esistono

1. La famiglia numerosa è una cosa del passato, l'Italia ha un tasso di natalità piuttosto basso e la popolazione italiana si sta riducendo.
2. L'immagine dell'italiano cantando sotto la doccia è uno stereotipo. Sicuramente qualcuno lo fa, ma non tutti!
3. Pur essere l'Italia un Paese cattolico, per molti italiani la religione è più una questione di tradizione che di fede.
4. Mangiare gli spaghetti con il cucchiaio: non è un'abitudine italiana e gli italiani non lo fanno mai tranne, qualche volta, mangiando i bucatini. Anche tagliare gli spaghetti con il coltello non è un'abitudine italiana e se lo fate tutti sapranno subito che siete stranieri.
5. Se trovate l'"insalata di Cesare" su un menù, vi trovate in una trappola per turisti. Ordinando questa insalata significa dichiarare che si è americani o inglesi.
6. Non ordinate gli spaghetti con le polpette perché... non li troverete!
7. Potete ordinare un'insalata prima di mangiare il primo se volete, ma gli italiani la mangiano come contorno o dopo aver finito il pasto o quasi.
8. Non aspettatevi di trovare il burro sul tavolo al ristorante: gli italiani amano pane e burro, ma non mentre mangiando un pasto.
9. Bere un cappuccino dopo un pasto è una cosa da stranieri! Un italiano non lo farebbe mai, almeno in Italia, per paura di perdendo il passaporto italiano!

NOTA BENE

In italiano dopo ***prima di*** e ***dopo*** si usa l'infinito, che nel caso di *dopo* è sempre passato.

Ti chiamo prima di uscire.	*I'll call you before going out.*
Uscirò solo dopo aver finito i compiti.	*I'll go out only after finishing my homework.*

2 Leggi la continuazione del testo dell'esercizio 5 nella sezione precedente e scegli l'opzione corretta.

"Avere / Avendo un lavoro, un'abitazione [...] fa sì che l'integrazione, anche economica, sia molto più facile, nonostante le difficoltà del nostro tempo" continua Blangiardo.
Di qui il fiorire / fiorendo di tantissime attività commerciali cosmopolite: il negozio kebab, il market peruviano, il rivenditore cinese di telefonia super hi-tech, Internet point, macellerie islamiche, librerie. [...]
Negli ultimi anni la città è stata protagonista anche di un altro tipo di flusso migratorio: quello di cittadini di lingua anglosassone o usando / che usano l'inglese come prima lingua per lavorare e relazionarsi alla città.
"Sono circa 35.000 gli inglesi, americani, canadesi, neozelandesi vivendo / che vivono a Milano" racconta Amie Louie, fondatrice di EasyMilano, magazine gratuito nato nel 2000, che ha l'obiettivo di informare / informando la comunità inglese [...] fornire / fornendo informazioni focalizzate come la ricerca di insegnanti, medici o psicologi madrelingua, babysitter.

(Adattato da "Milanese anch'io", di Stella Tortora, in Speciali di Focus 246, Milano 360°*)*

3 Nelle seguenti frasi scegli l'alternativa corretta in ciascun caso.

- Molti italiani temono **di essere / essendo** associati ai soliti stereotipi di mafia e spaghetti. Quando **parlando / parlano** di cibo, pensano che il loro sia il migliore del mondo e lo cercano anche quando vanno all'estero, senza pensando/pensare che potrebbero provare qualcosa di nuovo...
- **Fare / Facendo** bella figura è importantissimo per gli italiani, per questo il **seguendo / seguire** la moda è così associato agli italiani.
- Gli uomini italiani sono famosi per **flirtando / flirtare** con le donne, soprattutto se straniere. D'altra parte, loro ammettono **essendo / di essere** un po' farfalloni e ne sono fieri!
- State considerando l'idea di **trasferirvi / trasferendovi** in Italia? Preparatevi a godervi una grande bellezza e un ottimo clima, ma anche ad affrontare la sua burocrazia!
- Immaginate **andando / di andare** a vivere in Italia: quale regione scegliete? Non sapete ancora la nostra lingua? Cominciate **studiandola / a studiarla**!
- Avete voglia di **mangiare / mangiando** gelato ogni giorno in un posto diverso? Nessun Paese come l'Italia...

4 Completa i seguenti consigli per la scelta della facoltà universitaria coniugando i verbi elencati come nell'esempio. Scegli tra:

- gerundio;
- *stare* + gerundio;
- *che* + presente indicativo;
- infinito presente o passato con o senza preposizione.

disperdere - fare - frequentare - indirizzarsi - offrire - pensare di scegliere - raccogliere - vedersi attraverso gli occhi degli altri

1. **Definisci i tuoi obiettivi** Confrontati con chi ti conosce: .... potrebbe svelarti aspetti di te a cui non hai mai dato peso o pareri discordanti che forniscono spunti utili di riflessione.
2. **Informati sul mondo del lavoro** Approfondisci quali sono le figure professionali richieste dal mercato del lavoro e le opportunità lavorative che il percorso di studi che *stai pensando di scegliere* può offrirti. Parla con chi già lavora nel tuo campo di interesse per avere un'idea più precisa degli ambiti lavorativi verso cui ....
3. **Individua i corsi di laurea di tuo interesse** Individua gli Atenei .... il corso che ti interessa e visita i loro siti. Troverai tra l'altro le date degli open day o delle altre iniziative che vengono organizzate per l'orientamento dei futuri studenti.
4. **Le informazioni sono importanti, ma impara a usarle bene** [...] Vai all'open day con le idee chiare su quali informazioni raccogliere, per evitare .... tempo e attenzione. Usa i servizi di informazione e comunicazione delle università, individua le iniziative di orientamento che più rispondono alle tue necessità..
5. **Approfondisci i contenuti e le materie** Dopo .... volantini e guide per studenti, leggi e analizza attentamente i piani di studio dei corsi a cui sei interessato. [...] Individua le materie che potrebbero risultarti problematiche e gli esami fondamentali e confrontali con la tua preparazione iniziale. Se qualcosa non ti è chiaro, parlane con studenti che .... quel corso [...]. Prova .... una lezione universitaria.

(Adattato da www.unimib.it)

5 **Completa la seguente storia con i verbi tra parentesi. Scegli tra:**

- gerundio presente o passato;
- *stare* + gerundio;
- infinito presente o passato.

Qualche notte fa mi sono svegliata (*sentire*) **sentendo** un rumore (*provenire*) .... dal salotto. Ho considerato l'idea di (*rimanere*) .... nel mio letto, ma poi ho preso il coraggio a quattro mani, mi sono alzata e sono andata verso il salotto (*camminare*) .... in punta di piedi per non farmi sentire. (*passare*) .... dalla cucina prima di (*andare*) .... in salotto ho preso un coltello per difendermi. Ho proseguito per il salotto e ho sentito qualcuno (*muoversi*) ....
Non (*sognare*) ...., tutto questo (*succedere*) .... davvero! E infatti (*entrare*) .... in salotto ho visto un uomo (*frugare*) .... nei cassetti di un comò. (*Fare*) .... tutto con calma, come se non avesse paura di (*essere*) .... colto sul fatto. (*Raccogliere*) .... tutto il mio coraggio, gli ho gridato "Mani in alto!" (*puntare*) .... il coltello verso di lui. A quel punto l'ho visto (*tirare*) .... fuori una pistola dalla tasca dei pantaloni. L'ha puntata verso di me, senza (*dire*) .... una parola. Per la paura di (*essere*) .... uccisa sono rimasta immobile, senza (*fare*) .... neanche il minimo movimento. Anche il ladro sembrava paralizzato e non si muoveva, forse non voleva rischiare di (*commettere*) .... un reato ben più grave del furto. Per fortuna nel frattempo si è svegliato anche mio fratello, ma prima di (*venire*) .... in salotto ha telefonato ai Carabinieri, che sono venuti subito e hanno arrestato il ladro. (*avere*) .... coraggio a volte si corrono grossi rischi!

6 **Indica il significato dei casi in cui hai usato il gerundio nell'esercizio 5, come nell'esempio.**

→ sentendo > **causale (poiché ho sentito)**
→ ....
→ ....
→ ....
→ ....
→ ....
→ ....
→ ....
→ ....
→ ....

7 **Completa le seguenti notizie con la forma corretta dei verbi tra parentesi. Scegli tra:**

- gerundio;
- *stare* + gerundio;
- *che* + verbo all'indicativo;
- infinito presente o passato con o senza preposizione.

1. Una donna di Mount Dora, in Florida, si è svegliata ed ha trovato uno sconosciuto (*dormire*) .... sul divano. La donna (*prepararsi*) .... il caffè quando ha sentito qualcuno (*russare*) .... in soggiorno. Quando è andata a vedere, ha trovato un uomo (*dormire*) .... sul divano, con una coperta, e apparentemente si era preso una birra dal frigo prima (*addormentarsi*) ....

2. Il diciannovenne Danny Bowman è uno dei primi casi conclamati di dipendenza da 'selfie' e la sua mania gli stava per costare la vita. Danny passava fino a 10 ore al giorno (*scattarsi*) .... foto con l'iPhone, e ad un certo punto ha smesso (*andare*) .... a scuola per avere più tempo per i selfie. Ha fatto di tutto per essere fotogenico, ma soprattutto ha resistito fino all'ultimo ai genitori che volevano aiutarlo.

3. Ashley Keast lo scorso settembre si è introdotto in una casa di Rotherham, in Inghilterra, (*approfittare*) .... del fatto che i padroni di casa erano in vacanza. Durante il furto ha trovato un cellulare, e si è scattato una foto ricordo. [...] Il venticinquenne è riuscito a mettersi nei guai fino al collo quando ha involontariamente inviato la foto via WhatsApp ai colleghi del proprietario del telefono. Dopo (*ricevere*) .... il messaggio con la foto del ladro nella casa, i colleghi hanno immediatamente contattato il padrone di casa e la polizia, che non ha avuto difficoltà (*rintracciare*) .... il colpevole e lo ha arrestato poche ore dopo. Da qualche giorno è arrivata la condanna a Keast, che dovrà scontare due anni e otto mesi di prigione.

4. Il newyorkese Robert Samuel ha creato la sua impresa con un'idea di business piuttosto originale, (*aspettare*) .... in coda a pagamento. Per 25 dollari la prima ora, e 10 dollari le mezze ore successive, potete avere qualcuno (*aspettare*) .... in coda per voi diverse ore prima che apra il negozio con i saldi, o per il lancio del nuovo prodotto. L'idea è venuta a Robert qualche tempo fa, quando era in coda per comprare il nuovo iPhone 5 e un tizio gli ha offerto 325 dollari per comprare il suo posto in fila: lì si è reso conto che si poteva guadagnare con la paura di molti newyorkesi (*perdersi*) .... l'ultimo modello o (*non riuscire*) .... ad entrare a vedere uno spettacolo di cui parlano tutti.

5. C'è un alone di mistero attorno alla John Lawson House, vicino alla stazione di New Hamburg a New York. [..] Ogni giorno, la veranda della casa è abitata da manichini femminili vestiti in abiti del XIX secolo, spesso con accessori come tazzine, libri e simili. Il loro numero, posizione e abbigliamento cambia di giorno in giorno, ma nessuno è riuscito a scoprire chi sia a posizionare i manichini e perché. Non mancano quelli che giurano che i manichini arrivano lì da soli. Alcuni garantiscono che ci sia una motivazione soprannaturale: nel 1871, un treno è deragliato a meno di cento metri dalla casa, (*uccidere*) .... 22 persone: secondo qualcuno, i manichini guarderebbero sempre in quella direzione. I vicini dicono (*vedere*) .... più volte una debole luce in cucina, di notte, ma non hanno mai visto delle persone (*muoversi*) ....

(Adattato da http://notizie.delmondo.info)

8 Completa questi brevi testi su alcuni simboli dell'italianità con il verbo giusto tra le coppie di verbi elencate.

arrangiandosi/di arrangiarsi - avendo/ad avere - che cambia/cambiando - collezionando/a collezionare - entrando/entrare - facendo/far - rendendoci/renderci - seduto/sedendo - spalmando/spalmare - stupendoci/a stupirci

1. **Aglio, olio e peperoncino.** È l'unico piatto che tutti sanno cucinare e che si può proporre in tutte le occasioni e a tutte le ore. [...] Un rarissimo caso in cui .... festa aiuta la salute, perché aglio, olio e peperoncino hanno tali e tante virtù terapeutiche che andrebbero corredati di un "bugiardino"[1] come per le medicine.
2. **Biscotto Bucaneve.** Anni Cinquanta: l'inizio della nostra storia scorre parallelo a quello della televisione italiana con Carosello, da lì i biscotti Bucaneve usciranno dalle scatole in latta che poco più tardi qualcuno inizierà ....
3. **Nutella®.** La Nutella®, la crema di nocciole da ...., brevettata dai Ferrero di Alba, è una dolce bandiera di italianità che molto racconta del genio italiano. [...] È l'efficace simbolo di quell'arte .... che aguzza l'ingegno, ... inventori senza scuole e tirocini.
4. **Pasticche Leone.** Mitiche! Le pastiglie Leone continuano .... dal lontano 1857. [...] Basta .... in una qualsiasi tabaccheria o drogheria [...] e i vostri occhi verranno rapiti da un arcobaleno infinito di gusti e colori.
5. **Moka Bialetti.** Mia nonna [...] per fare il caffè usava sempre la moka Bialetti, vero e proprio emblema di questo rito tutto italiano; oggetto sempre uguale, sempre perfetto dal 1933, anno della sua nascita avvenuta a Crusinallo a opera di Alfonso Bialetti; icona del design italiano ma soprattutto di un design democratico distribuito in milioni di esemplari a pochi soldi. Dal 1933 a oggi di nuove caffettiere a caldaia ne sono state prodotte a centinaia. Eppure [...] la moka Bialetti continua .... un posto unico nelle abitudini degli italiani.
6. **Il seggio elettorale.** Nell'Italia .... il seggio elettorale resta uguale nel tempo da nord a sud: edificio scolastico, il militare fuori, il carabiniere dentro, nell'atrio, ... al banchetto insieme a una bidella, la radio e le partite, la domenica.

(Adattato da G. Iacchetti (a cura di), Italianità, *Mantova, Corraini Edizioni 2008)*

1. **bugiardino:** foglietto illustrativo che accompagna le medicine

9 **Leggi questi testi e considera le espressioni sottolineate. Come le tradurresti? Nei casi in cui non usi il gerundio, fai ricorso alle strutture elencate.**

- *considerare importante* + infinito
- forma impersonale
- *in base a/a seconda di*
- infinito (con o senza preposizione)
- presente indicativo

Italian and American Youth: Some Cultural Differences

Work

Most American teens have part time jobs. Youths in Italy tend not to. There is a different cultural attitude to take into consideration, especially when thinking of certain parts of Italy: young Italians like to enjoy life to the full and feel there will be time to work once they become adults, hence the lack of interest in finding odd jobs while still in school.
The work situation in Italy and the United States becomes tragically similar in the years after University. Both countries have been struggling with high unemployment rates. Used to a system of extreme stability and gilded benefits, young Italians are now entering into a workforce that more closely resembles the American's: many employers require employees to be able to move, but Italians find these *trasferimenti* (transfers) from one city to another hard to accept. Waiting for a job with great benefits, security and prospects for advancement means that many of the young in Italy can't find employment at all.

Meeting Places

When going out, Italians teens tend to meet and gather on the streets of their cities or town, something not as common in the United States. If you're in Italy, don't be surprised by the sight of hundreds gathered in a piazza or on the street, laughing and drinking the night away.
Activities in Italy usually include going to a club, a pub or grabbing a pizza, which is very much what youngsters do in the United States, too.
In the United States one of the biggest meeting places for teens is the mall. Depending on the set up of the town, a central store or coffee shop will often provide the same function.

Free Time

In a lot of ways, young Italians and Americans spend their free time in similarly: listening to music, watching movies, hanging out, practicing sports and surfing the internet are all common ways to pass some free time. Italians, especially, make a point of going out and being social, often choosing between *pizzerie*, *birrerie* (pub) or *paninoteche*, which stay open late. Italians often pile into a couple of cars and go out in a big group.

(Adattato da www.lifeinitaly.com)

[Sintesi Grammaticale]

I SIGNIFICATI DEL GERUNDIO IN ITALIANO

Sia in italiano, sia in inglese il gerundio ha due forme (presente e passato) e si trova in frasi dipendenti implicite. I significati del gerundio impiegati dalla lingua italiana si trovano anche in inglese, con poche differenze.

ITALIANO E INGLESE A CONFRONTO	Esempi
I significati del gerundio sono i seguenti:	
• **causale** (*siccome*, *poiché*, ecc.); questo uso si trova in entrambe le lingue;	***Essendo valdostano, parla francese.* (forma implicita) = *Siccome è valdostano, parla francese.* (forma esplicita)** *Being from the Aosta Valley, he speaks French. / As he is from the Aosta Valley, he speaks French.*
• **concessivo** (*anche se*): in questo caso è preceduto da *pur*; questo uso si trova in entrambe le lingue;	***Pur preferendo il mare, sono andata in montagna. = Anche se preferisco il mare, sono andata in montagna.*** *Despite preferring the sea, I went to the mountains.* *Although I prefer the sea, I went to the mountains.*
• **consecutivo** (*e quindi*);	***Ho vissuto molto in Irlanda, imparando ad apprezzare la Guinness. = Ho vissuto molto in Irlanda, e quindi ho imparato ad apprezzare la Guinness.*** *I lived in Ireland for a long time, so I learned to appreciate Guinness.*
• **ipotetico** (*se*);	***Guidando così avrai un incidente. = Se guidi così avrai un incidente.*** *Driving like this you'll have an accident. = If you drive like this, you'll have an accident.*
• **modale** (*come*);	***Pratico l'italiano parlando con amici italiani.*** *I practise Italian by speaking with Italian friends.*
• **progressivo** (*stare* + gerundio): In inglese si usa come in italiano, ma con il verbo *to be*;	***Non posso venire, sto studiando.*** *I can't come, I'm studying.*
• **progressivo intensivo** (*andare* + gerundio) per descrivere un'azione continuata e ripetuta; questo uso non esiste in inglese, dove si usa la forma *to be* + *-ing* anche in questo caso.	***La temperatura va diminuendo.*** *The temperature is decreasing.*

[Sintesi Grammaticale]

QUANDO NON SI USA IL GERUNDIO IN ITALIANO

Ci sono molti casi in cui il gerundio si usa in inglese, ma non in italiano, dove viene sostituito dall'infinito o da una frase relativa.

ITALIANO E INGLESE A CONFRONTO	Esempi
Presente progressivo nella forma passiva	
Questo esiste in inglese ma non in italiano, che lo sostituisce con *stare* + gerundio nella forma attiva.	*The suspect is being interrogated by the police.* ***La polizia sta interrogando il sospetto.***
Il gerundio dopo alcuni verbi • In inglese alcuni verbi richiedono il gerundio, mentre in italiano il loro equivalente richiede l'infinito preceduto o meno da una preposizione. Questi sono *admit, avoid, consider, deny, enjoy, fancy, finish, give up, go/carry on, imagine, keep/keep on, mind, postpone, put off, risk, stop, suggest*.	*Do you mind opening the window?* ***Ti dispiace aprire la finestra?*** *He denied doing it.* ***Negò di averlo fatto.*** *I enjoy working with you.* ***Mi piace lavorare con te.*** *I'll finish working in an hour.* ***Finirò di lavorare tra un'ora.***
• Talvolta questi verbi si usano anche nella struttura verbo + persona + gerundio, dove in italiano si usa l'infinito o una frase relativa.	*I cannot imagine Mary driving a scooter.* ***Non riesco a immaginare Mary guidare/che guida uno scooter.***
• Alcuni verbi possono essere seguiti indifferentemente dal gerundio o dall'infinito: *begin, bother, continue, intend, prefer, (can't) stand, start*. Il loro equivalente italiano è seguito dall'infinito con o senza preposizione.	*It has started snowing. / It started to snow.* ***Ha cominciato a nevicare.***
• Per alcuni verbi come *like, love, hate* l'uso del gerundio indica una situazione esistente. In italiano si usa l'infinito.	*Do you like living in Rome?* ***Ti piace vivere a Roma?***
• Per alcuni verbi di percezione come *see, hear, listen*, ecc. in inglese si usa il gerundio per indicare che l'azione si sta svolgendo, mentre si usa l'infinito senza il *to* per indicare che l'azione è completata.	*I saw Paul taking the money.* **(nell'atto di prenderli)** *I saw Paul take the money.* **(li ha già presi)** ***Ho visto Paul prendere i soldi.***
• In italiano i verbi di percezione sono seguiti dal gerundio se il soggetto è lo stesso di quello del verbo nella frase principale. Se il soggetto è diverso, si usa l'infinito o una frase relativa.	***Ho visto Paul andando al mercato.*** **(io ho visto Paul e io sto andando al mercato)** ***Ho visto Paul andare/che andava al mercato.*** **(io ho visto Paul, ma è Paul che andava al mercato)**

ITALIANO E INGLESE A CONFRONTO	Esempi
• Alcuni verbi sono seguiti dal gerundio o dall'infinito, con una differenza di significato: *go on*, *remember*, *regret*. In italiano si usa l'infinito, presente o passato.	*I remember calling him.* ***Ricordo di averlo chiamato.*** *I remembered to call him.* ***Mi sono ricordato di chiamarlo.*** *He went on working for the same company.* ***Ha continuato a lavorare per la stessa società.*** *He then went on to work for another company.* ***È poi andato a lavorare per un'altra società.***
• Quando un verbo è il soggetto di una frase, in inglese si usa il gerundio, in italiano l'infinito.	*Smoking is bad for you.* ***Fumare ti fa male.***
Il gerundio dopo le preposizioni	
• In inglese dopo le preposizioni il verbo va al gerundio, in italiano si usa l'infinito.	*Thank you for coming.* ***Grazie per essere venuto.*** *I've given up smoking.* ***Ho smesso di fumare.*** *I'm looking forward to going on holiday.* ***Non vedo l'ora di andare in vacanza.*** *I'm used to living on my own.* ***Sono abituato a vivere da solo.***
Il gerundio con alcune espressioni	
• In inglese si usa il gerundio dopo alcune espressioni: *it's no use, it's (not) worth, there's no point in..., have trouble/difficulty, go swimming/running* etc.	*It's no use trying.* ***Non serve a niente provare.*** *I'm going swimming.* ***Vado a nuotare.***

7 LA FRASE

• La posizione dell'aggettivo e dell'avverbio
• L'ortografia

---➔ **La posizione dell'aggettivo: gli aggettivi in posizione fissa p. 206**
questa ragazza this girl
primo giorno first day *cibo italiano* Italian food
occhi azzurri blue eyes

---➔ **La posizione dell'aggettivo: gli aggettivi in posizione mobile p. 211**
Dopo una snervante attesa/un'attesa snervante, finalmente è arrivato il mio turno
After a nerve-wracking wait, it's finally my turn
uomo grande big man *grand'uomo* great man

---➔ **Il sostantivo accompagnato da due o più aggettivi p. 216**
Una lunga e penosa attesa A long and painful wait
Ho visto un bel giardino giapponese I saw a beautiful Japanese garden

---➔ **La posizione dell'avverbio p. 223**
Sono molto stanco I'm very tired
Paolo mangia troppo Paul eats too much
Ho già visto questo film I have already seen this film

---➔ **Ortografia: le consonanti p. 230**
- Alcune consonanti e gruppi di lettere: *c, g, sc, cu, qu, cq, gi, gn, ni, li, gli*
- Con o senza *h*? *Vado a mangiare Ho mangiato*
- Consonanti semplici o doppie?

comunicare communicate *letteratura* literature
- Gruppi di lettere che non esistono in italiano

psicologo psychologist *meccanico* mechanic
fisioterapista physiotherapist

---➔ **Ortografia: lettera maiuscola o minuscola? p. 237**
italiano Italian *lunedì* Monday *Italia* Italy

---➔ **Ortografia: l'accento p. 241**
e è la là da dà attività caffè perché

La posizione dell'aggettivo: gli aggettivi in posizione fissa

[ConTesto]

A **Nei seguenti testi che hai già incontrato a p. 36, osserva gli aggettivi in corsivo, che vanno sempre prima del nome come in inglese. Poi completa la tabella mettendo gli aggettivi nella categoria giusta.**

Questa ragazza si chiama Elisabetta ed è una madre single con una figlia di 10 anni. È parrucchiera e quindi sta ***molte*** ore al giorno fuori casa, ma per fortuna i ***suoi*** genitori sono molto disponibili e la nipote sta con loro il pomeriggio, che è pieno perché oltre ai compiti fa anche ***parecchio*** sport. La domenica e il lunedì Elisabetta è libera dal lavoro e si dedica completamente alla figlia. Anche se a volte è faticoso crescere una figlia da sola, Elisabetta è fortunata perché ha l'aiuto dei suoi genitori. ***Poveri*** nonni!! Cosa farebbe l'Italia senza di loro?

Patrizia e Giovanni sono sposati da ***sedici*** anni e la loro è una famiglia allargata. Abitano con la figlia che Patrizia ha avuto dal ***primo*** marito, i ***due*** figli maschi che Giovanni ha avuto dalla ***prima*** moglie e la figlia che hanno avuto insieme. Il figlio grande di Giovanni è sposato e ha un bambino, quindi Giovanni è già nonno. Nonostante la grande famiglia, Giovanni e Patrizia lavorano: lui è barista e lei fa la receptionist in un albergo. In ***quale*** albergo? Non lo so...

"

NOTA BENE

Normalmente gli **aggettivi possessivi** precedono il nome a cui si riferiscono. In alcuni casi, però, lo seguono:

- nella lingua parlata, in un contesto **colloquiale**: *Marina è un'amica mia; sta sempre attaccata a Marco suo.*
- quando si vuole mettere **l'enfasi** sul possessivo: *Andiamo con la macchina mia, non con la sua.*
- nelle **frasi esclamative**: *Figlio mio!*
- in alcune **espressioni fissate nell'uso**: *Non sono affari tuoi; Vieni a casa mia?; Abito per conto mio; È colpa sua se siamo arrivati tardi.*

agg. dimostrativo	
agg. esclamativo	
agg. indefinito	
agg. interrogativo	
agg. numerale	
agg. possessivo	

B In queste brevi informazioni su alcuni personaggi italiani, osserva la posizione degli aggettivi qualificativi evidenziati, che si trovano dopo il nome a cui si riferiscono. Completa la tabella mettendoli nella categoria giusta e fai il confronto con l'inglese, come nell'esempio. Cosa noti?

- Flavio Parenti è un attore italiano di bella presenza. I capelli scuri con gli occhi azzurri e il sorriso incantevole lo rendono popolare tra le ragazze.
- Umberto Boccioni è stato un pittore e scultore futurista. La rappresentazione di una sua scultura bronzea si trova sulla nostra moneta da 20 centesimi.
- Antonella Clerici è una conduttrice televisiva. Ha condotto tra gli altri il programma gastronomico *La prova del cuoco*, da cui è anche stato tratto un libro pieno di ricette.
- Gli scultori Giò e Arnaldo Pomodoro sono considerati tra i più grandi artisti del Novecento, non solo a livello nazionale. Le caratteristiche sculture sferiche di Arnaldo, il fratello più grande, si trovano per esempio a Roma, New York e Dublino.
- Paolo Sorrentino è un regista bravo bravo! Con il suo film *La grande bellezza*, il cineasta napoletano ha vinto sia il Golden Globe che l'Oscar per il miglior film straniero.
- Gino Bartali è stato un ciclista. Vinse tre Giri d'Italia e due Tour de France. Il suo amico e rivale era Fausto Coppi, detto il Campionissimo, il ciclista più vincente di quella che fu l'epoca d'oro del ciclismo. Simbolo della loro amicizia e di come dovrebbe essere lo spirito sportivo, è rimasta famosa una fotografia del 1952 in cui i due ciclisti si passano con la mano destra una borraccia[1] durante una salita faticosa, probabilmente in un caldo soffocante.

NOTA BENE

A volte un aggettivo qualificativo può accompagnare un nome formando un'espressione fissata nell'uso: l'aggettivo *bella*, per esempio, si trova in espressioni come *bella presenza, bella figura, bella vita,* ecc.

NOTA BENE

In alcuni casi, aggettivi come per esempio quelli che derivano da un participio o quelli che indicano un colore si possono trovare prima del nome. Questo accade per esempio nei testi letterari, dove la struttura assume una funzione espressiva e descrittiva.

Es. *Come si può amare e odiare solo una donna di sorridente crudeltà.*

Si innamorò a prima vista dei suoi verdi occhi.

1. **borraccia**: contenitore di alluminio o altro materiale, a forma di bottiglia. Si riempie di acqua o altre bevande e si usa durante escursioni, competizioni sportive o gite

AGGETTIVI...	NEL TESTO	IN INGLESE
di origine, nazionalità, appartenenza a un gruppo	attore italiano	Italian actor
che indicano colore		
di forma e materia		
che indicano la localizzazione del nome		
che derivano da un participio (presente o passato)		
seguiti da una specificazione		
che derivano da un nome		
alterati o modificati da un avverbio		
ripetuti		

[Esercizi]

1 Completa il testo scegliendo l'opzione corretta.

Ho passato la giornata più lunga / più lunga giornata della mia vita in Olanda, dove io e il ragazzo mio / il mio ragazzo siamo stati ospiti di amici per dieci giorni ad Amsterdam. Abitano su una barca con un arredamento bianco e azzurro / un bianco e azzurro arredamento, molto marittimo! La nostra giornata / La giornata nostra più lunga è avvenuta il secondo giorno / il giorno secondo della vacanza: ci siamo alzati presto e abbiamo preso il treno per l'Aia, dove siamo arrivati alle 9,30. Siamo andati subito alla Mauritshuis, una ricca galleria di quadri / una galleria ricca di quadri. Poi abbiamo camminato per la città e all'ora di pranzo abbiamo fatto uno spuntino. Nel pomeriggio, alle 3, siamo saliti su un altro treno / treno altro per andare in una località fuori l'Aia. Un austriaco amico / Un amico austriaco, che lavorava lì, è venuto a prenderci alla stazione. Abbiamo fatto una passeggiata e poi siamo andati a sua casa / a casa sua. Poi siamo usciti per andare a Delft, dove abbiamo fatto un giro e abbiamo cenato in un ristorante indonesiano / indonesiano ristorante. Dopo cena siamo passati per la biblioteca universitaria / l'universitaria biblioteca perché il nostro amico / l'amico nostro doveva restituire un libro. Poi siamo tornati all'Aia, dove lui aveva prenotato tre biglietti per un concerto. Dopo il concerto abbiamo passeggiato sul lungomare sabbioso / sabbioso lungomare di Scheveningen.
Per finire siamo andati in un pub, poi siamo corsi alla stazione dove abbiamo preso l'ultimo treno / il treno ultimo per Amsterdam. Quando siamo entrati in casa ci siamo resi conto che c'era una festa, quindi non ci siamo addormentati fino alle tre di notte. Non ho mai fatto tante cose / cose tante nella stessa giornata! Siamo anche stati fortunati perché non ha mai piovuto durante giornata quella / quella giornata e per quasi la vacanza tutta / tutta la vacanza. Noi beati! / Beati noi!

2 Completa il seguente testo con gli aggettivi elencati nella posizione corretta rispetto al nome a cui si riferiscono.

isterica - mia (2) - molti - moltissime - nessuna - parecchio - più faticosa - pochi - pochissima - primo - quel - questo - sua - tutti - ultima

Una .... amica .... mi aveva invitato a cena e ho deciso di andarci in autobus perché a .... casa .... non si trova mai parcheggio. Ho deciso di usare i mezzi nonostante lo sciopero degli autobus e della metropolitana perché mi avevano detto che non .... gli autisti .... avevano aderito allo sciopero. Dovevo prendere due autobus, e sono uscita presto: con il .... autobus .... non ho avuto .... problemi ...., ma con il secondo siamo rimasti bloccati nel traffico, che non si muoveva in .... direzione ...., forse perché tutti avevano preso la macchina a causa dello sciopero. Dopo quaranta minuti avevamo fatto .... strada .... e ho capito che qualunque cosa facessi non sarei mai arrivata in tempo per la cena. Allora a un bel momento sono scesa nella zona di Via Veneto e sono andata in un bar a telefonare (a .... tempo .... non c'erano i telefonini!) che non sarei andata. Sono quindi andata a Via Veneto e ho cominciato ad aspettare il 492, che una volta passava di lì. Finalmente, dopo una lunga attesa, è arrivato. I .... passeggeri .... che erano sul bus avevano fatto amicizia: alcuni chiacchieravano, due uomini giocavano addirittura a carte, segno che erano sull'autobus da .... tempo ....! Dopo non so quanto tempo siamo finalmente arrivati a Piazza Cavour, la .... fermata .... Quando sono scesa ho visto che l'autobus per .... casa .... non c'era e che c'erano .... persone .... che lo aspettavano, con la .... faccia .... a .... punto ....! Anche se era una lunga camminata ed ero stanca, ho deciso di tornare a casa a piedi: non vi dico quanto ci ho messo... È senz'altro la .... giornata .... che abbia mai avuto.

NOTA BENE

In italiano ci sono degli aggettivi qualificativi come ***buono***, ***bello***, ***certo***, ecc. che "intensificano" il senso del nome a cui si riferiscono. In questo caso precedono il nome.

Es. *un bel momento, un bel giorno, un buon bicchiere, un certo Paolo, una bella pizza*, ecc.

3 Unisci gli aggettivi e i nomi elencati per formare delle espressioni fissate nell'uso formate da aggettivo + nome oppure nome + aggettivo, come nell'esempio. Alcuni aggettivi si possono associare a più di un nome.

brutta - buona - falso - freddo - gemella - giusta - grande - legittima - massimi - ottimo - sana - sesto - stretto - tacito

accordo - allarme - anima - causa - difesa - dose - figura - fine - livelli - perdita - ~~pianta~~ - piega - sangue - senso - stato

1. *sana pianta*
2. ....
3. ....
4. ....
5. ....
6. ....
7. ....
8. ....
9. ....
10. ....
11. ....
12. ....
13. ....
14. ....
15. ....

4 Ora crea degli esempi con alcune delle combinazioni dell'esercizio 3, come nell'esempio.
Es. *Si è inventato questa storia di sana pianta.*

5 Traduci in italiano le seguenti espressioni inglesi, in cui il sostantivo ha la funzione di aggettivo. In tutti i casi devi usare un aggettivo al posto del primo sostantivo.

1. Evening course ....
2. 16-year-old girl ....
3. Bank transaction ....
4. Airport staff ....
5. Summer holidays ....
6. Christmas decorations ....
7. City park ....
8. Afternoon show ....
9. Spring collection ....
10. Winter clothes ....
11. Railway station ....
12. Night life ....

NOTA BENE

In inglese un sostantivo può avere la funzione di aggettivo e in questo caso precede il nome a cui si riferisce. In italiano questa costruzione si traduce:

- con un aggettivo al posto del primo sostantivo:
Es. *love life = vita amorosa*

- con la costruzione 2° sostantivo + preposizione + 1° sostantivo:
Es. *cotton shirt = camicia di cotone*

La posizione dell'aggettivo: gli aggettivi in posizione mobile

[ConTesto]

A Sulla base della tua esperienza di questo argomento della grammatica italiana, completa la seguente regola con le parole elencate.

conosciuta - identificare - letterale - oggettività - significato - soggettivo - unico

- Se l'aggettivo qualificativo viene dopo il nome, esprime un significato .... e oggettivo. In questo caso l'aggettivo permette di .... il nome cui si riferisce perché lo caratterizza come l'.................... dotato della qualità espressa dall'aggettivo.
  Es. *Ho bevuto un aperitivo ottimo* (oggettivamente buonissimo).
- Se l'aggettivo qualificativo viene prima del nome, la persona che parla o scrive esprime una qualità .... del nome, oppure esprime un suo giudizio personale, ..., la sua partecipazione emotiva rispetto a quello di cui parla, oppure ancora fa una scelta di stile.
  Es. *Ho bevuto un ottimo aperitivo* (ottimo per me, a mio giudizio).
- In alcuni casi la posizione dell'aggettivo indica semplicemente una maggiore .... o soggettività, ma il .... non cambia in modo sostanziale.
- Es. *Dopo una snervante attesa/un'attesa snervante, finalmente è arrivato il mio turno.*

B **In italiano ci sono anche casi in cui la collocazione dell'aggettivo qualificativo prima o dopo il nome esprime significati completamente diversi. Leggi le seguenti coppie di frasi e svolgi le attività.**

Luigi è un mio amico vecchio.
Luigi è un mio vecchio amico.

Suo padre è un alto dirigente.
Devi rivolgerti al dottor Rossi, il dirigente alto con i baffi.

È un libro bello, guarda la qualità della carta e la grafica della copertina!
È un bel libro, sicuramente venderà molte copie.

Alessio è un uomo povero.
Alessio è un pover'uomo.

Andiamo al mare con la macchina nuova.
Andiamo al mare con la nuova macchina.

Paolo è un uomo grande e simpatico.
Paolo è un grand'uomo.

La professoressa Fogliani è un'insegnante buona.
La professoressa Fogliani è una buona insegnante.

Quel giornalista dà sempre notizie certe.
Certe notizie ti fanno proprio spaventare.

Cesira è una donna curiosa.
Cesira è una curiosa donna.

In Italia oggi ci sono poche famiglie numerose.
In Italia oggi numerose famiglie sono in crisi.

▶ **Completa la tabella per spiegare come cambia il significato di un aggettivo se si trova prima o dopo il nome a cui si riferisce.**

NOME + AGGETTIVO	SIGNIFICATO	AGGETTIVO + NOME	SIGNIFICATO
Notizie certe		Certe notizie	
Dirigente alto		Alto dirigente	Dirigente che ha una carica importante
Uomo grande	Uomo grande fisicamente	Grand'uomo	
Amico vecchio		Vecchio amico	Amico da tanto tempo
Famiglie numerose	Famiglie con molti figli	Numerose famiglie	
Donna curiosa	Donna che vuole sapere	Curiosa donna	
Uomo povero		Pover'uomo	Uomo sfortunato
Macchina nuova		Nuova macchina	Modello appena uscito; o macchina che si aggiunge a quelle già possedute
Insegnante buona	Buona d'animo, gentile e generosa	Buona insegnante	
Libro bello	Bello esteticamente	Bel libro	

▶ **In inglese come si rende questa differenza di significato?**

[Esercizi]

1 Nel seguente testo, scegli il significato che hanno gli aggettivi qualificativi che si trovano prima del nome nelle espressioni evidenziate.

Quel post-it che cambiò il mondo. "Capo, ho un'idea". E nacque Internet.

1. Tutto cominciò con un semplice appunto...
   solo un appunto ☐ un appunto breve e non complicato ☐

2. un 'memo' preparato da un giovane fisico del Cern di Ginevra per i suoi capi.
   un fisico giovane, non uno anziano ☐ un fisico giovane di età ☐

3. Tim Berners-Lee vi spiegava la sua idea di una grande rete mondiale per la condivisione di dati e informazioni.
   grande nella sua immaginazione e aspirazione ☐ grande di dimensioni ☐

4. Cominciava l'avventura del World Wide Web, lo strumento che ha permesso l'apertura a tutti della rete Internet attraverso le interfacce grafiche e gli indirizzi che cominciano con il classico http://www...
   cha appartiene a un'altra epoca ☐ tipico, conosciuto ☐

5. Era il marzo del 1989 e all'epoca solo poche persone erano in grado di capire [...] ciò che Berners-Lee immaginava. Internet era utilizzato solo all'interno di certe comunità scientifiche e fino al 1991 il World Wide Web creato da Berners Lee con la collaborazione di un ingegnere informatico belga, Robert Cailliau, rimase conosciuto solo nell'ambito del Cern.
   alcune ☐ sicure ☐

6. [...] Nato a Londra nel 1955, oggi al Mit negli Stati Uniti, Tim Berners-Lee può essere considerato, senza esagerazioni, uno degli uomini più importanti del secolo scorso, un protagonista assoluto dell'era digitale. Un personaggio, per certi versi, più significativo e affascinante di Steve Jobs, uomo geniale e grande manager, ma che non ha rispettato lo spirito libertario e collaborativo all'origine della rivoluzione digitale.
   importante, bravo ☐ di costituzione robusta ☐

7. Berners-Lee, diversamente da Jobs e altri grandi personaggi della Rete, non ha guadagnato un solo dollaro dalla sua invenzione, che non è stata brevettata. Lui l'ha sempre considerata come un contributo alla diffusione delle conoscenze, uno strumento al servizio della creatività.
   unico ☐ solitario ☐

(Adattato da www.lanazione.it)

2 **Nel seguente testo, osserva gli aggettivi evidenziati e completa la tabella indicando quali...**

- sono fissi, cioè non possono cambiare posizione;
- cambiando posizione assumerebbero un significato diverso;
- cambiando posizione non cambierebbero significato in modo sostanziale.

Famiglia sì, ma allargata!

di Laura Simoncelli

Alcuni mesi fa, mentre guardavo la televisione, sono incappata nella pubblicità di una nota autovettura station-wagon. Un papà che porta a scuola il figlio avuto dalle prime nozze. Quindi accompagna la bimba più piccola, quella nata dal secondo matrimonio, a scuola di danza ed infine riporta a casa il terzo ragazzo, il figlio dell'attuale moglie con il suo primo marito. In pochi minuti lo spot ha dimostrato, ovviamente, la spaziosità dell'auto. Allo stesso tempo [...] il ritratto della società moderna conferma che siamo negli anni della famiglia allargata.
A sottolinearlo è, anche, l'ultimo studio dell'Ined (Ente nazionale studi demografici), che evidenzia la nuova inclinazione: più separazioni, nuovi amori, più figli. [...] È, infatti, la seconda unione ad incentivare il desiderio di un altro figlio, frutto e prova del nuovo amore che si consolida. Avere avuto figli da precedenti relazioni non inibisce, quindi, il desiderio della cicogna[1].

(Adattato da www.popolis.it)

1. **Il desiderio della cicogna:** il desiderio di avere bambini

Aggettivi che non possono cambiare posizione	
Aggettivi che cambiando posizione assumerebbero un significato diverso	
Aggettivi che cambiando posizione non cambierebbero sostanzialmente significato	

3 Nel seguente brano, sottolinea tutti i casi in cui l'aggettivo qualificativo precede il nome a cui si riferisce. Poi, decidi se, cambiando la posizione dell'aggettivo, il significato non cambia sostanzialmente oppure cambia, e come. Completa la tabella.

A Zurigo, capitale finanziaria e industriale della Svizzera, scorre il fiume Limmat, limpido corso d'acqua che taglia in due la città famosa tra le altre cose per il suo favoloso sistema di trasporti pubblici. Alla Svizzera non solo i torinesi ma in generale gli italiani, [...] associano notoriamente tre cose: la cioccolata, le mucche e le banche. Ma la svizzera Zurigo e i suoi svizzeri abitanti riservano da questo punto di vista non poche sorprese. Lasciando da parte il favoloso sistema di trasporti pubblici, [...], e la straordinaria creatività di designer, architetti, grafici, fotografi e artisti vari, oltre che perfino dei cosiddetti 'squatters', che a Zurigo hanno fatto dell'occupata Rote Fabrik una meraviglia del riciclaggio di strutture ex industriali aperta a chiunque, tra le sorprese più grandi spicca tuttavia senza dubbio proprio il Limmat, fiume che a Zurigo diventa mare. Perché nel Limmat gli zurighesi nuotano beati, approfittando del fatto che dopo decenni di inquinamento le sue acque sono state ripulite. In riva al Limmat, gli zurighesi prendono il sole su lettini e stuoie, a seconda dei casi sdraiandosi direttamente sull'erba o utilizzando le strutture dei piccoli e semplici stabilimenti balneari sorti a pochi passi dal centro cittadino. E sulle sponde del Limmat, fino all'altro ieri poco frequentate se non da spacciatori e relativi clienti, gli zurighesi ora passeggiano amabilmente pure la sera [...]. Da fiume [...] infrequentabile, lo svizzero Limmat è insomma diventato una delle risorse della svizzera città, e percorrendo a piedi il suo corso durante l'estate, [...] non si direbbe di stare nella capitale finanziaria e industriale della Svizzera. Ora: il bagno, a Torino, è il Po con i suoi Murazzi. [...] Un uso per così dire svizzero del Po e dei Murazzi, con tanto di ombrelloni e sedie sdraio e docce sul modello dello zurighese Limmat, in modo da ovviare alla cronica mancanza di lidi cittadini e da rendere una volta per tutte obsoleto il luogo comune secondo cui Torino certo non è male e però con il mare sarebbe meglio, non è possibile. Bisogna fare i conti con la dura realtà. Senza inutili perifrasi, e senza ipocrisie: il Po, a Torino, fa schifo. E pare che ripulirlo e renderlo balneabile non interessi davvero a nessuno.

(Adattato da G. Culicchia, Torino è casa mia, *Bari, Laterza 2008)*

SIGNIFICATO CHE NON CAMBIA SOSTANZIALMENTE	SIGNIFICATO CHE CAMBIA (E COME)
Limpido corso d'acqua = corso d'acqua limpido	svizzera Zurigo: con 'la Zurigo svizzera' si identificherebbe Zurigo come distinta da un'altra Zurigo, in un altro Paese.

Il sostantivo accompagnato da due o più aggettivi

[ConTesto]

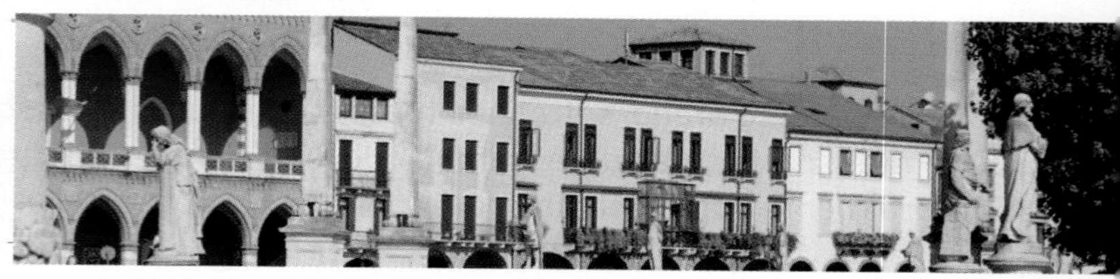

A Leggi la presentazione dell'Orto Botanico di Padova e la sua traduzione in inglese. Fai attenzione a come sono tradotte le parti evidenziate: quale differenza principale noti tra le due lingue?

L'Orto Botanico di Padova

L'Orto botanico di Padova, fondato nel 1545 [...], è il più antico Orto universitario del mondo che abbia conservato nei secoli l'ubicazione originaria e [...] le principali caratteristiche scientifiche e architettoniche. Il suo carattere eccezionale deriva da un lato dal suo elevato interesse scientifico in termini di sperimentazione, attività didattica e collezionismo botanico, e dall'altra dalla singolarità delle caratteristiche architettoniche, che nei secoli ne hanno fatto un modello per istituzioni analoghe in Italia e nel mondo [...]. Questo complesso dallo straordinario valore scientifico, storico, artistico e naturalistico è ubicato nel mezzo del centro storico di Padova, tra le grandi basiliche di Sant'Antonio e di Santa Giustina [...].

(Adattato da www.ortobotanico.unipd.it)

Botanical Garden of Padova

ITA ENG

The Botanic Garden of Padova, founded in 1545 [...], is the world's oldest university botanic garden to have preserved its original location and [...] main scientific and architectural features throughout the centuries. Its unique character derives partly from its high scientific value in terms of experimentation, educational activity and plant collecting. It is also due to the uniqueness of its architectural features, which have made it a model for similar institutions in Italy and in the world [...]. This place of extraordinary scientific, historic, artistic and naturalistic value is located in the heart of Padova's historic centre, between the imposing basilicas of St. Anthony and St. Justina [...]

NOTA BENE

In italiano non si possono avere due aggettivi qualificativi uno dopo l'altro; è necessario unirli con una congiunzione o separarli mettendone uno prima del nome, l'altro dopo.
Es. *Roma è una città antica e splendida.*
Roma è una splendida città antica.

Si può invece dire sia *Roma è una splendida città italiana* sia *Roma è una città italiana splendida* perché in quest'ultimo caso *splendida* qualifica l'intera espressione *città italiana*.

B Completa la regola con le espressioni elencate.

funzione descrittiva - funzione restrittiva - oggettiva e restrittiva - soggettiva e descrittiva

In italiano, nel caso di più aggettivi, questi vanno:
- **prima** del nome se hanno una funzione .... , o se sono aggettivi che vanno comunque sempre prima del nome.
- **dopo** il nome se hanno una funzione .... , o se sono aggettivi che vanno comunque sempre dopo il nome.

Questo significa che non è raro trovare un nome accompagnato da aggettivi con .... che lo precedono e altri con .... che lo seguono.
Es. *L'estate prossima farò finalmente la maturità e lascerò* ***quel maledetto liceo scientifico****!*

[Esercizi]

1 Nel seguente testo ricomponi le frasi mettendo le parole tra parentesi nell'ordine giusto, come nell'esempio.

L'alba degli ospedali

La via Francigena, che nel Medioevo univa Roma al Nord Europa, attraversava Siena in (*la lunghezza tutta sua*) tutta la sua lunghezza.
I pellegrini che la percorrevano, giunti in città, facevano una doverosa sosta al Duomo e, proprio di fronte (*chiesa grande alla*) ...., potevano trovare accoglienza e cure nello "spedale" di Santa Maria della Scala [...]
Intorno alla metà del Quattrocento al posto (*ospizi vecchi dei*) .... nacquero, [...] (*città nelle maggiori italiane*) ...., ospedali in cui lavoravano medici e chirurghi professionisti.

(*Adattato da* Focus Storia n. *14, giugno-luglio 2007*)

2 Completa i seguenti consigli per mantenere la forma fisica, scegliendo l'opzione corretta.

1. Se sei in sovrappeso: aumenta le "uscite" energetiche con una vita fisicamente più attiva, riduci le "entrate" mangiando meno e preferendo cibi a basso contenuto calorico / contenuto basso e calorico [...] come ortaggi e frutta.
2. Cammina o vai in bicicletta il più possibile, [...], usa le scale invece dell'ascensore, esegui personalmente qualche domestico lavoro / qualche lavoro domestico o manuale, pratica un'attività sportiva.
3. [...] Consuma un'ampia varietà di cibi (frutta, verdura, cereali e tuberi come patate, carne, pesce, uova, legumi, latte e derivati, grassi) alternandoli opportunamente nell'arco della giornata e della settimana.
4. [...] Fai almeno tre pasti al giorno (colazione, pranzo, cena) eventualmente completati da uno spuntino. Distribuisci regolarmente i pasti nella giornata aiuta a rispettare l'apporto calorico corretto / l'apporto calorico e corretto.
5. Modera la quantità dei grassi da condimento, in particolare quelli di origine animale (burro, panna, ecc.).
6. Riduci progressivamente l'uso di sale sia a tavola che in cucina.
7. Leggi sempre l'etichetta: ti aiuterà a conoscere il prodotto, ad evitare ingredienti non desiderati e a mettere a confronto prodotti diversi / diversi prodotti per valutarne qualità e convenienza.
8. Bevi ogni giorno acqua in abbondanza.
9. Se desideri consumare alcoliche bevande / bevande alcoliche, introducile con moderazione, preferibilmente durante i pasti, dando la preferenza alle bevande a basso alcolico tenore / basso tenore alcolico quali vino e birra.
10. Mangia quotidianamente almeno 5 porzioni fra verdura e frutta fresca / fresca verdura e frutta di stagione.

(*Adattato da* Mantenere la forma fisica: le 12 regole, *volantino informativo dell'Azienda USL di Bologna*)

3 Traduci le seguenti frasi in italiano.

1. An old English movie.
2. A beautiful black dress.
3. A long narrow street.
4. A new red car.
5. A quaint little English village.
6. Beautiful long blond hair.
7. Beautiful smiling blue eyes.
8. An interesting Irish novel.
9. An ugly old grey sweater.
10. A famous old Italian monument.
11. My big fat Greek wedding.

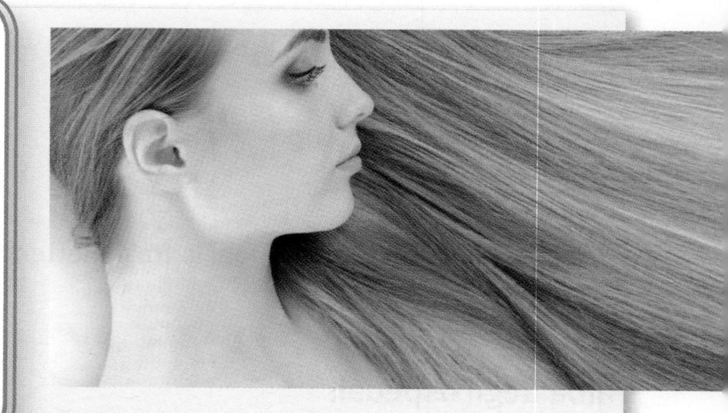

4 Traduci il seguente testo in italiano.

Built in 1870 against the magical backdrop of a vast centuries-old park, surrounded by the gentle hills of Romagna, Terme di Riolo Spa enables you to enjoy utmost tranquillity and rediscover the rhythms of nature, savour the superb regional wines and foods and visit places abounding in history and charm.
Points of excellence of the Spa [...] are its precious natural resources: Vittoria, Breta, Margherita and Salsoiodica medicinal waters and the very fine mud from the "vulcanetti" ("little volcanoes", or mud springs) of Bergullo.

(Adattata da www.termediriolo.it)

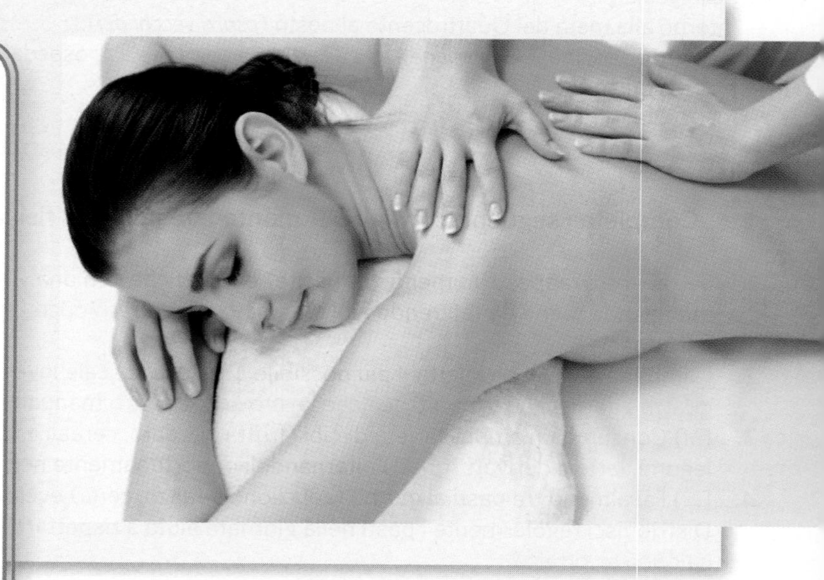

[Sintesi Grammaticale]

LA POSIZIONE DELL'AGGETTIVO: GLI AGGETTIVI IN POSIZIONE FISSA

Gli aggettivi in posizione fissa precedono sempre o seguono sempre il sostantivo cui si riferiscono.

ITALIANO E INGLESE A CONFRONTO	Esempi
Come in inglese, gli aggettivi che precedono sempre il sostantivo sono:	
• aggettivi dimostrativi;	***Questo esercizio è difficile!*** *This exercise is difficult!*
• aggettivi esclamativi;	***Povero me!*** *Poor me!*
• aggettivi indefiniti;	***Alcune città sono molto inquinate.*** *Some cities are very polluted.*
• aggettivi interrogativi;	***Qual è il tuo colore preferito?*** *What is your favourite colour?*
• aggettivi numerali;	***Abito al primo piano.*** *I live on the first floor.*
• aggettivi possessivi (ma vedi la sezione sugli aggettivi in posizione mobile).	***Mio fratello abita in Canada.*** *My brother lives in Canada.*
Inoltre, l'aggettivo precede il nome in molte frasi fatte come, per esempio, *bella figura, dolce vita, buona dose, brava ragazza, gran numero, dura realtà, a basso costo,* ecc.	
Contrariamente all'inglese, gli aggettivi che **seguono sempre il sostantivo** sono i seguenti:	
• aggettivi di origine, nazionalità e appartenenza a un gruppo o categoria (nel caso dei nomi comuni);	***Ho un amico greco.*** *I have a Greek friend.* ***Mussolini fu un dittatore fascista.*** *Mussolini was a fascist dictator.*

[Sintesi Grammaticale]

ITALIANO E INGLESE A CONFRONTO	Esempi	
• aggettivi che indicano i colori;	**Indosso un vestito nero.** *I'm wearing a black dress.*	
• aggettivi che indicano la forma o la materia del sostantivo;	**In quel museo ci sono sculture bronzee.** *In that museum there are bronze sculptures.*	
• aggettivi che localizzano il sostantivo;	**L'assassino sparò con la mano sinistra.** *The murderer fired with his left hand.*	
• aggettivi che derivano da un participio presente o passato. In alcuni casi gli aggettivi che derivano da un participio si possono trovare prima del sostantivo, come in inglese. Questo è tipico dei testi letterari, dove in italiano la struttura assume una forte funzione espressiva e descrittiva;	**Non sopporto questo caldo soffocante.** *I can't stand this stifling heat.* **Si innamorò dei suoi verdi occhi.** *He fell in love with her green eyes.*	
• aggettivi che sono seguiti da una specificazione (come in inglese);	**Sono salito su un autobus pieno di turisti.** *I got on a bus full of tourists.*	
• aggettivi che derivano da un nome. Terminano con i suffissi *-ale*, *-ano*, *-ario*, *-ista*, *-oso*, ecc.	**A livello nazionale...** *At national level...*	
• aggettivi alterati o modificati da un avverbio;	**Abito con il mio fratello più piccolo.** *I live with my younger brother.*	
• aggettivi ripetuti (questo rafforzamento dell'aggettivo in inglese si ottiene attraverso un avverbio davanti all'aggettivo);	**È un bambino buono buono.** *He's a really good boy.*	
Ricordati anche che in inglese un sostantivo può avere la funzione di aggettivo, precedendo il sostantivo a cui si riferisce. In italiano questa costruzione si rende come negli esempi accanto.	*evening course* *cotton shirt*	**corso serale (aggettivo al posto del primo sostantivo)** **camicia di cotone**

LA POSIZIONE DELL'AGGETTIVO: GLI AGGETTIVI IN POSIZIONE MOBILE

Gli aggettivi in posizione mobile rispetto al sostantivo a cui si riferiscono possono precedere o seguire il nome, e questo secondo caso è il più frequente. La scelta di collocare l'aggettivo prima o dopo il nome dipende da ciò che si vuole esprimere.

ITALIANO E INGLESE A CONFRONTO	Esempi
Cambiamenti di significato in base alla posizione dell'aggettivo qualificativo	
Se l'aggettivo qualificativo precede il sostantivo, lo descrive (funzione descrittiva) aggiungendone una qualità, oppure esprime il giudizio personale di chi parla, la sua partecipazione emotiva rispetto a ciò di cui si parla, oppure ancora rappresenta una scelta di stile.	**Funzione descrittiva:** ***Ricordi la torrida estate del 2003?*** **(l'aggettivo descrive l'estate come molto calda, ma non la distingue in modo particolare da altre estati precedenti o successive)**
Se l'aggettivo qualificativo segue il sostantivo, significa che è usato nel suo significato letterale e oggettivo. In questo caso l'aggettivo permette di identificare il sostantivo a cui si riferisce (funzione restrittiva) perché lo caratterizza come l'unico dotato della qualità espressa dall'aggettivo, che lo distingue dagli altri appartenenti alla stessa categoria.	**Funzione restrittiva:** ***Ricordi l'estate torrida del 2003?*** **(l'aggettivo fa distinguere l'estate del 2003 in quanto più calda di altre)**
In inglese questa distinzione non c'è e l'aggettivo qualificativo precede sempre il sostantivo a cui si riferisce.	*Do you remember the hot summer of 2003?*
In alcuni casi la posizione dell'aggettivo indica semplicemente una maggiore oggettività o soggettività, ma il significato della frase non cambia in modo sostanziale. In inglese non si usa questa costruzione mobile.	***Dopo una snervante attesa/un'attesa snervante, finalmente è arrivato il mio turno.*** *After a nerve-wracking wait, it's finally my turn.*
Ci sono infine casi in cui la collocazione dell'aggettivo prima o dopo il nome esprime significati completamente diversi. In inglese questa differenza si ottiene usando aggettivi diversi, ma collocati sempre prima del sostantivo.	***Ho notizie certe.*** *I have definite news.* ***Ho certe notizie...*** *I have some news...* ***Marco è un alto dirigente.*** *Mark is a senior executive.* ***Marco è un dirigente alto.*** *Mark is a tall executive.*

[Sintesi Grammaticale]

ITALIANO E INGLESE A CONFRONTO	Esempi
Gli aggettivi possessivi Come hai notato, gli aggettivi possessivi generalmente precedono il sostantivo a cui si riferiscono. Tuttavia, ci sono casi in cui lo seguono, contrariamente all'inglese. Questo secondo caso si verifica:	
• nelle frasi **esclamative e vocative**;	***Mamma mia!*** *Oh my!* ***Padre nostro...*** *Our Father...*
• quando si vuole dare particolare **rilievo** all'aggettivo possessivo;	***Andiamo con la macchina mia, non con la sua.*** *We are going with my car, not his.*
• in alcune **espressioni fissate nell'uso**;	***Vivo per conto mio.*** *I live on my own.* ***Posso venire a casa tua?*** *Can I come to your place?*
• nel **registro colloquiale**;	***Voglio vivere con Lorenzo mio.*** *I want to live with my beloved Lorenzo.*

QUANDO IL SOSTANTIVO È ACCOMPAGNATO DA DUE O PIÙ AGGETTIVI

Ci sono anche casi in cui il sostantivo è accompagnato da due o più aggettivi, come capita anche in inglese.

ITALIANO E INGLESE A CONFRONTO	Esempi
Gli aggettivi precedono il sostantivo se hanno **funzione soggettiva e descrittiva**, o se si tratta di aggettivi che andrebbero comunque sempre prima del sostantivo.	***Una lunga e penosa attesa.*** *A long and painful wait.*
Seguono il sostantivo se hanno **funzione oggettiva e restrittiva**, o se si tratta di aggettivi che andrebbero comunque sempre dopo il sostantivo.	***Ho visto un bel giardino giapponese!*** *I saw a beautiful Japanese garden.*
Non è raro trovare un sostantivo accompagnato da aggettivi con funzione descrittiva che lo precedono e altri con funzione restrittiva che lo seguono.	*A vast centuries-old park.* ***Un vasto parco secolare.*** *An old English movie.* ***Un vecchio film inglese.***
In inglese, invece, gli aggettivi qualificativi vanno prima del sostantivo seguendo un ordine ben preciso: opinione, grandezza, età, forma, colore, origine, materiale, scopo.	*A beautiful black dress.* ***Un bel vestito nero.***

La posizione dell'avverbio

[ConTesto]

A Osserva la posizione degli avverbi evidenziati nel seguente testo e completa la tabella, come negli esempi.

Gianfranco lavora alla Piaggio. Spesso e volentieri va in Cina e Giappone, dove la Vespa, uno dei prodotti più famosi della Piaggio, è molto amata. Quando deve partire, prende sempre l'Alitalia. Quando è all'estero di solito cerca di comprare solo prodotti tipici del Paese in cui si trova. La prossima volta che andrà in Cina comprerà anche la procellana per sua madre, mentre l'ultima volta in Giappone ha comprato il sake e a New York le Timberland per suo nipote Filippo, naturalmente. Lui e Filippo vanno spesso insieme allo stadio a vedere l'Inter, e fra un mese, se tutto va bene, molto probabilmente lo porterà a Londra a vedere gli Arctic Monkeys in concerto. Fiippo non è mai stato a Londra. Forse ci andrà anche Veronica, la sorella più piccola di Filippo. Inoltre, Gianfranco ha già pensato di approfittare della visita in Inghilterra per comprarsi il Belstaff nuovo per la Ducati, la moto che ha comprato l'estate scorsa. Francamente, non può certo lamentarsi della sua vita!

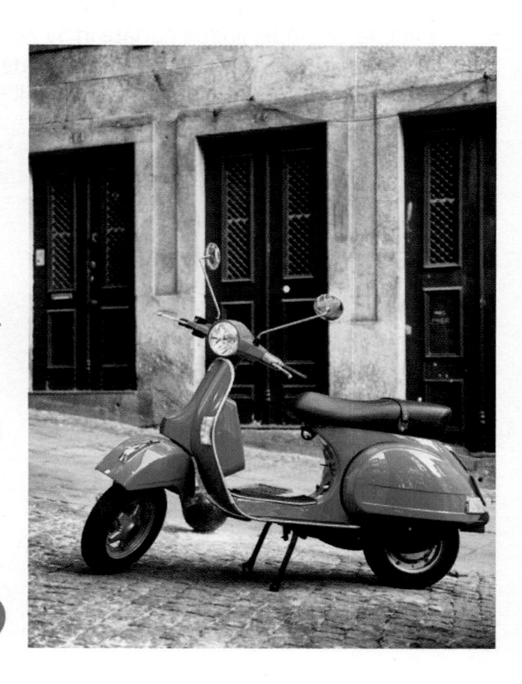

FUNZIONE DELL'AVVERBIO	AVVERBIO NEL TESTO	POSIZIONE	IN INGLESE
Modifica un altro avverbio	molto (probabilmente)	prima dell'avverbio	prima dell'avverbio
Modifica un aggettivo			prima dell'aggettivo
Modifica un verbo			
Modifica un nome			
Esprime un giudizio	francamente	all'inizio della frase	all'inizio della frase
L'enfasi è sull'avverbio			
Con un tempo composto			

NOTA BENE

Alcuni avverbi che troviamo normalmente tra l'ausiliare e il participio nei tempi composti sono *affatto, ancora, già, mai, più, sempre.*

B Considera l'uso degli avverbi *anche* e *inoltre* evidenziati nel seguente testo. Qual è la loro posizione nella frase? Cosa hanno in comune l'italiano e l'inglese e in cosa differiscono in questo caso?

L'italiano fuori d'Italia

L'italiano è la lingua nazionale dell'Italia, ma non solo. Non dobbiamo dimenticare infatti che l'italiano è anche una delle lingue parlate in Svizzera insieme al francese, al tedesco e al romancio e che fino al 1936 è stato una delle lingue nazionali dell'isola di Malta. Su *Ethnologue* del 2009 leggiamo anche che la lingua italiana è parlata in due Paesi dell'Europa orientale, la Croazia e la Slovenia, come lingua ufficiale di alcune zone. Anche l'emigrazione degli italiani all'estero è stata molto interessante per il successo della lingua; vediamo infatti che in Australia la nostra lingua è la più parlata dopo l'inglese e che, nell'America latina, gli argentini che la studiano sono sempre in gran numero. Inoltre, negli Stati Uniti, dal 2005 l'italiano è entrato nell'Advanced Placement Program, ed è quindi insegnato in molte scuole secondarie, come già avviene per lo spagnolo e il francese.

NOTA BENE

Normalmente l'avverbio *anche* precede l'elemento che modifica, ma **non** si trova **mai** davanti a un verbo coniugato.

Es. *Prenderò anche il dolce* **non** *Anche prenderò il dolce*.

Quando si vuole aggiungere un'informazione, in italiano si usa la costruzione *inoltre*,... che corrisponde all'inglese *furthermore*, ... *o also*, ...

In italiano **non** si può cominciare una frase con *Anche*, ... con questo significato

C Osserva la posizione della parola *solo* nelle seguenti frasi e abbina ciascuna frase al significato che *solo* vi assume.

1. ☐ Claudio ha mangiato un gelato solo.
2. ☐ Solo Claudio ha mangiato un gelato.
3. ☐ Claudio ha mangiato solo un gelato.
4. ☐ Claudio ha solo mangiato un gelato.

a. (e nient'altro)
b. (senza nessuno)
c. (e nessun altro)
d. (e non ha fatto altro)

NOTA BENE

Qualche volta cambiando la posizione dell'avverbio otteniamo un cambiamento di significato della frase.

[Esercizi]

1 **Nelle seguenti frasi, indica il significato della frase in base alla posizione dell'avverbio.**

1. Anche Marco va al cinema.
   - ☐ oltre ad andare a teatro
   - ☐ oltre a Paolo
2. L'insegnante ha semplicemente spiegato la regola.
   - ☐ ha fatto solo questo
   - ☐ in modo chiaro, facile da capire
3. Carlo mi ha detto di chiamarti subito.
   - ☐ senza rimandare
   - ☐ non ha aspettato a dirmelo
4. Soprattutto Cristina è contenta.
   - ☐ più che un altro stato d'animo
   - ☐ più degli altri
5. Rossella ha specialmente mangiato gelato.
   - ☐ più che fare un'altra cosa
   - ☐ oltre che un'altra cosa

2 **Completa le battute scegliendo l'opzione corretta, come nell'esempio. Fai attenzione al significato dell'intera battuta.**

Ma sì, mangiala pure! Anche se è scaduta da qualche giorno, non può mica farti male! / non può farti male mica!

NOTA BENE

L'avverbio ***mica*** si usa per rafforzare una negazione ed è molto usato nella lingua parlata. La sua posizione nella frase può cambiare come segue: *Non può mica farti male! Mica può farti male!*

1. Se anche lei è un avvocato / lei è anche un avvocato, chi è qui l'imputato?
2. Non più comprarmi / Non comprarmi più quelle magliette con il coccodrillo sul petto!
3. Vorrei che tu non dicessi sempre / non sempre dicessi quello che pensi: mai riesco / non riesco mai a capire i tuoi farfugliamenti.
4. Ho deciso subito di non sposarlo / Ho deciso di non sposarlo subito, mamma: vorrei prima vedere come si comporta con un mercato che scende.
5. – Diego, siamo squattrinati, al verde, in bolletta!
   – Personalmente preferisco / Preferisco personalmente il termine "viaggiare leggeri".
6. Voglio sentire anche / Anche voglio sentire il parere di un altro medico!
7. Anche i milionari hanno dei sentimenti / I milionari hanno dei sentimenti anche, lo sa?
8. Bini, sono giunto alla conclusione che lei non è affatto un pazzo / non è un pazzo affatto, ma un perfetto idiota.
9. Bene, possiamo considerare terminata la cura. Ora le prescrivo un calmante solo / solo un calmante da assumere subito dopo che le avrò dato la parcella con il mio onorario.

(La Settimana Enigmistica)

3 Riscrivi le seguenti frasi, inserendo gli avverbi tra parentesi al posto giusto.

1. È un paese civile. (*altamente*)
2. È un paese che si è dimostrato pronto ad accogliere gli stranieri. (*sempre*)
3. E una città grande come Londra, immensa, è però combinata in modo che questa grandezza non si avverte e non pesa. (*mostruosamente*)
4. Tetra è la periferia di Londra, dove le strade di casette uguali si moltiplicano e si prolungano fino alla vertigine. (*assai*)
5. L'Inghilterra non è volgare. È conformista, ma non volgare. Non è sguaiata, essendo triste. (*mai, mai*)
6. Il popolo inglese [...] non conosce stupore. Volta il capo a guardare il suo prossimo, per la strada. (*mai*)
7. Nei caffè, nei ristoranti, l'Inghilterra esplica il suo estro. (*anche*)
8. Mi sono chiesta quale sia il motivo, nei caffè inglesi, d'una tale desolazione. Essa deriva, forse, dalla desolazione dei rapporti sociali. (*spesso*)
9. Non c'è difatti nulla di triste al mondo d'una conversazione inglese, assorta a non sfiorare nulla d'essenziale, ma a fermarsi in superficie. (*più, sempre*)
10. Quando entriamo in un negozio, la commessa ci accoglie con le parole "Can I help you". Ma si tratta di mere parole. Essa si rivela del tutto inutile ad aiutarci. (*immediatamente*)
11. L'Italia è un paese pronto a piegarsi ai peggiori governi. È un paese dove tutto funziona, come si sa. È un paese dove regna il disordine, il cinismo, l'incompetenza, la confusione. E tuttavia, per le strade, si sente circolare l'intelligenza. (*male*)
12. Mi stupisce come in Italia, chi ha figli adolescenti, non sogna che di mandarli in Inghilterra nelle vacanze d'estate. I [...] genitori sperano che i loro figli in quei soggiorni estivi imparino l'inglese, lingua difficilissima ad impararsi, che pochissimi stranieri sanno, e che ogni inglese parla a modo suo. (*sempre, invano*)

(Adattato da N. Ginzburg, "Elogio e compianto dell'Inghilterra", in Le piccole virtù, *Torino, Einaudi 1962)*

4 Completa i seguenti interventi su un blog sul congiuntivo con gli avverbi elencati, collocandoli prima o dopo le parole a cui si riferiscono come nell'esempio.

anche - correttamente - davvero - più - probabilmente - purtroppo - sempre (2) - soprattutto

1. Purtroppo è triste ma .... più .... gente non sa .... parlare .... l'italiano. .... in TV ...., ed è proprio di questa la gran parte della colpa. Inoltre .... si legge .... poco .... in Italia e **soprattutto** nessuno .... osa .... correggerti quando sbagli a coniugare i verbi.
2. .... scomparirà ...., o rimarrà relegato ai testi scolastici o a quelli colti...
3. Grande! qualcuno che la pensa come me... .... questo vizietto .... di mettere da parte le regole grammaticali si sta spargendo a macchia d'olio... [...] c'est la vie... l'italiano è ormai in via d'estinzione ;-)

(Adattato da http://it.answers.yahoo.com)

NOTA BENE

Quando un avverbio si riferisce a una frase intera, il cambiamento della sua posizione non modifica il significato della frase, come nei seguenti esempi:

Ormai l'italiano è in via d'estinzione.
L'italiano è ormai in via d'estinzione.
L'italiano ormai è in via d'estinzione.

5 Metti in ordine le seguenti frasi su una popolare forma di viaggio a basso costo.

a.
- [1] Il couch surfing è una forma di viaggio low cost
- [ ] di scoprire paesi lontani
- [ ] non solo
- [ ] che permette
- [ ] ma anche di entrare in contatto
- [ ] diretto con usi e costumi delle popolazioni locali

b.
- [ ] per girare
- [ ] semplicemente
- [ ] nello scambiarsi
- [ ] i divani
- [ ] il mondo a costi contenuti
- [ ] Consiste

c.
- [ ] semplicemente
- [ ] è semplice e
- [ ] Partecipare
- [ ] ci si iscrive
- [ ] che propongono il couch surfing
- [ ] molto
- [ ] ad uno dei siti
- [ ] economico:

d.
- [ ] soprattutto
- [ ] sta prendendo piede
- [ ] Questa tipologia di viaggio
- [ ] da studenti
- [ ] anche
- [ ] ma il fenomeno
- [ ] è adottata
- [ ] e da professionisti del viaggio alternativo,
- [ ] tra persone costrette a frequenti trasferte

e.
- [ ] è spesso
- [ ] L'iscrizione ai principali siti
- [ ] generalmente
- [ ] gratuita,
- [ ] che si occupano di couch surfing
- [ ] completamente
- [ ] così come
- [ ] non occorre pagare per il pernottamento

(Adattato da www.informagiovanionline.it)

6 Traduci le frasi evidenziate nei seguenti testi.

Thirty years ago [...] I arrived in Hong Kong. [...] In those days, when you emigrated it felt like you would never be back. Going to Asia was a big step, not having been there before. Entering the office for the first time and seeing 98 per cent of the staff were Chinese was quite a culture shock. But it was also a huge opportunity. I spent seven years there and became a partner when I was 30. I moved to Bangkok in 1989 to open an office [...]. Asia has huge potential for young people, especially Singapore, which can act as a gateway to work in other Asian countries. The most important thing is to go with an open mind and embrace the culture, because the best part of living somewhere else is the life experience. I come back regularly, and almost feel like I live in Thailand and Ireland. That's the benefit of modern aviation. It is very different to 30 years ago, when you felt you were going down a dark hole, never to return.
(Paul Scales, managing director of Pacific Investments Ltd and chairman of the Irish-Thai Chamber of Commerce and a director of the Thai Board of Trade)

I was employed by British American Tobacco in the late 1980s [...]. I was based mostly in Singapore, but worked also in Vietnam, Sri Lanka, and Indonesia. Seven years ago I set up my own business, and now I am a consultant, entrepreneur and investor in start-up companies in southeast Asia and China [..]. I came up with the idea for the Farmleigh Fellowship as a way to strengthen Ireland's ties with Asia by developing a network of young Irish professionals there. [...] The culture in Asia is much different to Ireland and it can take time to adjust. You have to respect their way of doing things, while also bringing your own professional experience to the table. But there are great opportunities here for ambitious young people. Living a nomadic life like I have can create a sense of rootlessness, a homesickness for the country you come from, but overall it has been a very positive experience for me, especially professionally.
(Fred Combe is managing director of NATUS Pte Ltd in Singapore and chairman of the Farmleigh Fellowship)

In 1991 I spotted an ad in the paper looking for a meat-factory manager for Zambia. I sent off a CV and got the job. [...]. By 1994, myself and my Zambian employer's son had taken over the business and set up Zambeef. [...] We started off with beef, followed by pork, dairy and poultry. [...] You have to be passionate about something to make a success of it, and I was passionate about this business and still am. [...] But you have to do your research properly and be prepared to roll up your sleeves and work hard. Do things properly and professionally, give it your all, and you will succeed. I've never said I am in Zambia to stay, but I do really like it there. It has huge business opportunities, a beautiful climate and scenery, very nice people, and it is safe. People think of Africa and think of wars and famine, but it is not like that at all. It is a very secure and peaceful place.
(Francis Grogan, chief executive of Zambeef in Zambia, and nominee for the Southern African Entrepreneur of the Year 2013)

(Adattato da www.irishtimes.com)

[Sintesi Grammaticale]

LA POSIZIONE DEGLI AVVERBI

In italiano l'avverbio cambia posizione in base all'elemento che modifica.

ITALIANO E INGLESE A CONFRONTO	Esempi
In italiano, l'avverbio, come in inglese, **precede** l'aggettivo oppure un altro avverbio che modifica.	***molto stanco*** *very tired* ***troppo lentamente*** *too slowly*
Come in inglese, se l'avverbio modifica il verbo di solito lo **segue** immediatamente.	***Paolo mangia troppo.*** *Paul eats too much.*
Se si vuole dare enfasi all'avverbio, lo si mette **all'inizio o alla fine della frase**.	***Mai lo farò!*** *I'll never do it!* ***Francamente non so cosa fare.*** *Frankly, I don't know what to do.*
Come in inglese, nel caso dei tempi composti o di due verbi consecutivi l'avverbio si colloca generalmente tra i due verbi. Avverbi che si trovano spesso in questa posizione sono *affatto, ancora, già, mai, più, sempre*, ecc.	***Ti ho sempre amato.*** *I have always loved you.*
Alcuni avverbi come *anche, neanche, nemmeno, solamente, solo, soltanto* precedono la parola che modificano, **ma** contrariamente all'inglese non si trovano **mai** davanti a un verbo coniugato.	***Viene anche Maria?*** *Is Maria coming too?* ***Prenderò anche il dolce.*** *I'll also have a dessert.*
Quando si vuole aggiungere qualcosa a quanto già detto in precedenza, in italiano si usa *Inoltre...*, che equivale all'inglese *Also,....*. In italiano **non** si può cominciare una frase con *Anche,...* con questo significato.	***[...] Inoltre, non ho soldi per andare in vacanza.*** *[...] Also, I have no money to go on holiday.*
Come spesso anche in inglese, la posizione dell'avverbio può cambiare il significato della frase.	***Mi ha ordinato immediatamente di uscire.*** *He immediately ordered me to go out.* ***Mi ha ordinato di uscire immediatamente.*** *He ordered me to go out immediately.*

Ortografia: le consonanti

[ConTesto]

 **Nel seguente testo osserva come la *c*, la *g* e il gruppo *sc* si combinano con le vocali nelle sillabe evidenziate. Poi completa la tabella collocando le parole nella categoria giusta, come nell'esempio.**

> "L'Italia è un Paese perfetto per le vacanze! Se arrivi dal nord in auto o moto, puoi usare uno dei numerosi varchi aperti tutto l'anno: il tunnel del Monte Bianco, che da Chamonix collega la Francia all'autostrada A5 per Torino e Milano; il tunnel del Gran San Bernardo che collega la Svizzera sempre con l'autostrada A5. Una volta arrivato in Italia puoi scegliere la vacanza che preferisci: se ti piace il mare, ricorda che il Paese è circondato dal Mar Mediterraneo. Il mare è anche la scelta preferita degli italiani in vacanza. Al primo posto troviamo la Riviera romagnola con Rimini e Riccione. Molti vanno anche nelle località di mare nell'Italia del Nord, in Veneto al Lido di Jesolo e in Liguria a Santa Margherita Ligure, o alle Cinque Terre.
> Non dimenticare le isole: la Sicilia, con l'Etna, la Sardegna e le numerose isole minori come l'Isola d'Elba, l'arcipelago della Maddalena, l'arcipelago Campano, con Ischia e Capri, le isole Ponziane, le Pelagie, le Egadi, le Eolie, e le Tremiti.
> Preferisci la montagna? Nelle zone montagnose puoi visitare dei parchi spettacolari, oppure fare camminate o a cercare il fresco, come in Trentino Alto Adige. E che dire dei fiumi e dei laghi? Il fiume più importante è il Po, che attraversa la Pianura padana. E i laghi più estesi e famosi sono il Lago di Garda, il Lago Maggiore e il Lago di Como. Per non parlare di città e cittadine. Fra i turisti italiani è molto amata la Toscana con Viareggio, o il Chianti e le città d'arte come Firenze e Siena, e la Campania con la splendida costiera amalfitana. Insomma, la scelta è varia, per tutti i tipi di testa e tutti i tipi di tasca!"

Consonante o gruppo consonantico	Si pronuncia come in...	Parola/parole nel testo
C	cat	*Vacanze*
C	cheap	
G	garden	
G	gist	
SC	scorn	
SC	she	

B **Risolvi i seguenti anagrammi che nascondono parole contenenti le coppie di lettere *cu*, *qu* e *cq*, che possono essere difficili da distinguere. Poi rifletti e completa la regola.**

1. OSLACU ....
2. SETUOQ ....
3. ARQODU ....
4. TAQORULINL ....
5. LACUTUR ....
6. RECUO ....
7. DOQARUNE ....
8. CAUAQ ....
9. RELUQOI ....
10. SUDICISOSEN ....
11. ASUQICETRA ....

- La *q* è sempre seguita dalla .... e da un'altra vocale, cioè ...., ..., ..., ...
- Normalmente la coppia .... è seguita da una consonante, ma ci sono delle eccezioni: le più comuni sono *innocuo, cuoco, cui, cuoio*, ..., ..., *taccuino, cuocere, cospicuo, evacuare, proficuo, promiscuo*.
- All'inizio di una parola troviamo sempre la forma ...., ma ci sono alcune eccezioni: *cui, cuocere, cuoco, cuoio* e ....
- Si usa il gruppo *cqu* nella parola *acqua* e nei suoi derivati (*sciacquare, acquazzone, acquedotto*, ecc.), in alcune altre parole come ...., *acquirente, acquisire* e in alcune forme del passato remoto (*nacque, piacque*, ecc.).

NOTA BENE

Il gruppo *cqu* è sempre seguito da una vocale.

C **Facciamo il punto sui gruppi *gi, gn, ni, li* e *gli* con un quiz sull'Italia. Completa le frasi con le parole giuste, facendo attenzione a come si scrivono.**

1. Napoli è il capoluogo della ....
2. La .... umbra è bellissima e, come quella toscana, è particolarmente amata dai turisti ....
3. La .... che corrisponde al piede dello Stivale è la Calabria, mentre quella che corrisponde al tacco è la ....
4. L'isola più lontana dalla costa è la .... e il suo capoluogo è ....
5. L'altra grande isola è la .... e il suo capoluogo è Palermo.
6. La città di .... è molto frequentata dagli studenti italiani e non, ed ha l'università più antica del mondo. È il capoluogo dell'Emilia............
7. L'Italia ha circa 60 .... di abitanti.

D Come sai, la *h* è muta in italiano, cioè non si pronuncia. Correggi gli errori nel seguente testo: ci sono delle *h* di troppo e altre che mancano.

Sarah a 21 hanni, è irlandese e studia Medicina all'università. Fa un modulo di italiano al Centro Linguistico di Ateneo perché ha molti amici e va spesso ha Roma, dove habitano. I suoi amichi anno un buon livello d'inglese, ma lei preferisce parlare in italiano con loro. Ha Dublino la sua giornata è piuttosto intensa. Le lezioni cominciano alle 10 del mattino, fa una pausa per pranzo e va ha mangiare alla mensa, poi riprende le lezioni e poi spesso resta all'università per studiare in biblioteca o in un'aula vuota insieme hai suoi amichi. Sarah fa il secondo hanno di università, e a passato gli esami del primo senza difficoltà e con ottimi voti. Non si sa dove trovi il tempo, ma riesce anche ha suonare il piano e il violino, e di tanto in tanto fa anche un po' di sport.

NOTA BENE

Ecco una filastrocca che i bambini italiani imparano per ricordarsi quando usare o non usare la *h*:
Con i verbi
are, ere, ire l'h va a dormire (cioè non si usa, es. *Vado a mangiare.*)
ato, uto, ito, l'h ha già dormito (cioè si usa, es. *Ho mangiato.*)

E Facciamo il punto sulle consonanti doppie. Nella seguente poesia, trova le parole che dovrebbero avere una consonante doppia, ma che sono state scritte male.

L'insalata sbagliata

Il profesor Grammaticus
entrò nel ristorante
e ordinò al cameriere
un'insalata abondante:

- Metteteci l'indivia,
la latuga, la riccetta,
il sedano, la cicoria,
due foglie di rugheta,

un mezo pomodoro, cipola
se ce n'è:
portate l'olio e il sale,
la condirò da me.

E il bravo profesore,
con la forcheta in mano,
si accingeva a gustare
il pranzo vegetariano.

Ma tuta la sua delizia
fin dal primo bocone
si mutò[1] in una smorfia
di disperazione.

Guardò meglio nell'ampolla
dell'olio e inorridì:
gli avevano servito
un "OGLIO" con la "g"!

Ofeso e disgustato
fuggí dalla tratoria:
sono un pesimo condimento gli erori di ortografia!

(G. Rodari, Il libro degli errori, *Torino, Einaudi 1964)*

NOTA BENE

In italiano la ***m***, come le altre consonanti, non è sempre doppia; ricordati che alcune parole comuni hanno una sola *m*, mentre il loro equivalente inglese ne ha due, per esempio *comunicare, comunicazione, comune, comunale, cominciare, comunità, comunione, comunismo, cumulativo, comando*.

Altre, invece, hanno due *m* come in inglese, per esempio *commercio, commerciale, immediatamente, grammatica*.

NOTA BENE

Le parole che finiscono in ***-zione*** si scrivono con una sola *z*: *eccezione, colazione, lezione, moderazione*, ecc.

1. **si mutò**: si trasformò

F **Osserva i seguenti sostantivi relativi alle professioni e confrontali con il loro equivalente inglese. Quali combinazioni di lettere contengono che non esistono in italiano?**

psicologo - cronista sportivo - cassiera - meccanico - tecnico telefonico - fisioterapista

In italiano non esistono i gruppi di lettere ....

G **Ora osserva i nomi di altre professioni e fai il confronto con il loro equivalente inglese. A quali combinazioni di lettere in inglese corrispondono generalmente determinate combinazioni in italiano? Per ciascuna combinazione, aggiungi altri esempi che ti vengono in mente, appartenenti a qualsiasi campo lessicale.**

architetto - elettricista - amministratore di condominio - assistente sociale - istruttore di scuola guida - ottico - segretaria d'amministrazione - professore di scienze - tecnico di laboratorio - scrittore di fantascienza

COMBINAZIONE INGLESE	COMBINAZIONE ITALIANA	ALTRI ESEMPI
ct	tt	direttore, attore, contratto, atto, settore

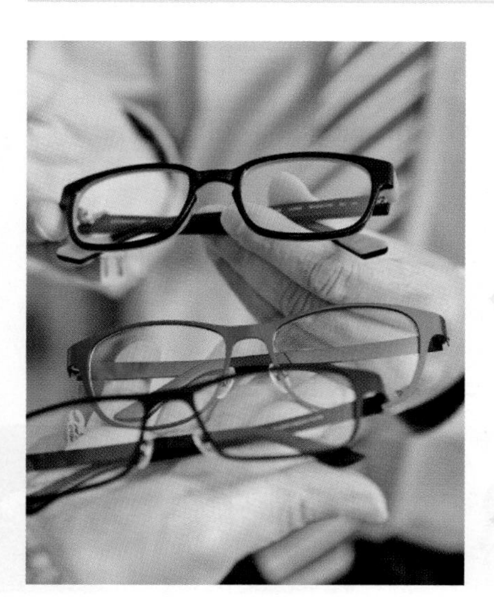

NOTA BENE

Molto spesso all'inglese ***ct*** corrisponde l'italiano ***tt***, ma ci sono anche delle eccezioni, per esempio *practical > pratico, action > azione.*

NOTA BENE

Molto spesso all'inglese ***inst*** corrisponde l'italiano ***ist***, ma ci sono anche delle eccezioni, per esempio *instal >installare.*

[Esercizi]

1 **Completa i nomi dei Paesi dell'Unione Europea con le lettere mancanti. Fai attenzione: in ogni spazio possono mancare due o tre lettere.**

Austria; Bel.........; Bulgaria; ....pro; Croa.........a; Danimar.........; Estonia; Finlandia; Fran.........; Germania; Gre.........; Irlanda; Italia; Le.........onia; Li.........ania; Lu.........emburgo; Malta; Paesi Bassi; Polonia; Portoga.........o; Re.........o Unito; Repu.........lica ....ca; Romania; Slova.........ia; Slovenia; Spa.........a; Sve.........a; Un.........ria.

2 **Completa questi indovinelli. Fai attenzione: le parole contengono i gruppi *cu*, *qu*, o *cq*.**

1. La Roma è una .... di calcio.
2. Qual è il verbo che trasforma il cibo da crudo a cotto? ....
3. Spesso si celebra in aprile. ....
4. Uno, due, tre, ...
5. È la "casa" dei pesci quando non nuotano liberi nei mari, laghi e fiumi. ....
6. È una tecnica di pittura in cui i colori sono diluiti. ....
7. Quando piove molto forte diciamo che c'è un ....
8. È un giocattolo per il quale è necessario il vento. ....
9. Significa *comprare* ....
10. È un grosso uccello rapace, con un grande becco. ....
11. Un animale appena nato è un ....
12. È il percorso che seguono le macchine in una gara di automobilismo. ....

3 **Completa i nomi di alcuni prodotti e piatti della tradizione gastronomica italiana con le lettere mancanti.**

1. Pe... ...e all'a.........a... ...iata
2. Lasa... ...e al ragù
3. Torte... ...ini in brodo
4. Pro... ... ...u... ...o di Parma
5. Parmi... ...ano reg... ... ...no
6. Mo... ...are... ...a di bufala campana
7. Riso... ...o al radi... ... ...o di Treviso
8. Car... ...ofi alla romana
9. ... ...occhi di patate
10. Pesto alla ... ...novese
11. Foca... ... ...a ligure
12. A... ...to balsami... ... di Modena
13. Pasta e ce... ...
14. Timballo di ma... ... ...roni
15. Bru... ... ...tta
16. Gelato ai pista... ... ... di Bronte
17. Torta alle no... ... ...ole di Piemonte

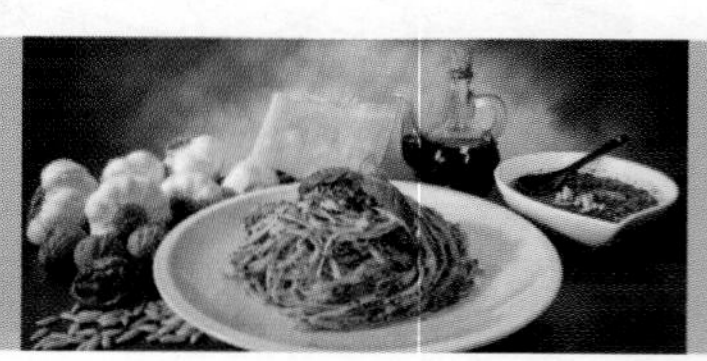

4 **Alcune parole italiane si differenziano solo per la consonante singola o doppia, ma hanno significati completamente diversi. Indica qual è il significato corretto delle seguenti parole, come nell'esempio.**

CASA ☑ abitazione ☐ contenitore in metallo o legno

1. SERRA	☐ ambiente riscaldato per la coltivazione	☐ parte del giorno
2. SETE	☐ numero	☐ desiderio di bere
3. CARRO	☐ costoso	☐ veicolo, mezzo di trasporto
4. NONO	☐ numero ordinale	☐ membro della famiglia
5. CALO	☐ ispessimento della pelle	☐ diminuzione
6. PENA	☐ oggetto per scrivere	☐ dolore
7. TONNO	☐ pesce	☐ volume della voce
8. PORRO	☐ pianta simile all'aglio e alla cipolla	☐ piccolo buco
9. RISSA	☐ suono prodotto da persone che ridono	☐ lite violenta
10. ROSA	☐ colore pallido	☐ colore forte (femminile)

5 **Completa le seguenti espressioni idiomatiche con i gruppi di lettere elencati e associale al loro significato.**

cchi - ccio - chio - chiu - cia - ghe - gli (2) - gn - sce - tt

1. ☐ Mangiare la fo.........a
2. ☐ Fare il porto.........se
3. ☐ Essere al se.........imo cielo
4. ☐ Far venire il latte alle gino.........a
5. ☐ Na.........re con la cami.........
6. ☐ Non ....dere occhio
7. ☐ Prendere un gran.........
8. ☐ Venire al no.........lo
9. ☐ Volere la botte piena e la mo.........e ubriaca
10. ☐ Mettersi in pompa ma.........a

a. non dormire
b. essere felicissimi
c. non pagare il biglietto
d. arrivare al punto centrale di una questione
e. fare un grosso errore
f. vestirsi bene
g. essere molto fortunati
h. aspirare ad avere tutto senza compromessi e sacrifici
i. essere molto noioso
l. capire, intuire

6 Completa il testo scegliendo l'opzione corretta..

Si sa com'è Londra per noi: una città impossibile da frequentare se non si ha / a il portafoglio straboccante di sterline. Una cena costa un occhio della testa, per un caffè/cafè servono più o meno tre euro, per un cinema quatordici / quattordici e così via. I voli aerei sono economichi / economici, le compagnie / compagne fanno a gara ad abbassare i prezzi, ma una volta atterrati comincia il massacro. E poi c'è l'annoso problema della lingua: fin da piccoli abbiamo studiato la grammatica inglese da capo a fondo e tradotto le loro canzoni più belle, ormai riusciamo / riuschiamo a comporre alcune frasette come si deve, ma quando chi / ci troviamo davanti a un londinese che parla speditamente non capiamo più nulla e ci assale la frustrazione. Che inventarsi, allora, se d'improvviso / d'improviso ci viene voglia di fare quattro passi per le vie di quella / cuella città che oggi è il centro della musica, del teatro, della letteratura / leteratura e di tante altre cose? Vi propongo un ripiego modesto ma simpatico. Tesa tra via Flaminia e via del Vignola ce / c'è una stradina che i romani chiamano Little London.

(M. Lodoli, Isole. Guida vagabonda di Roma, *Torino, Einaudi 2005)*

NOTA BENE

In italiano ci sono verbi che derivano da un sostantivo o da un aggettivo attraverso un **prefisso** che dà luogo al raddoppiamento della consonante:
basso > abbassare, terra > atterrare, ecc.

7 Nel seguente testo ci sono 12 errori di ortografia. Trovali e correggili.

Non è vero che la facilità delle communicazioni acresce la capacità di conoschere, o affini la cultura del viagiatore. Anzi la facilità di transportarsi da un luogo all'altro ottunde[1] il valore della sorpresa e ci offre come acquisite le concuiste che un tempo si dovevano lungamente desiderare. Il pellegrinaggio non è tanto nel raggiungere la meta, ma nel raggiungerla con quel conveniente lasso di tempo che permetta di agognarla, e di farne veramente lo scopo spirituale del viaggio. [...] Oggi le città sconoscute appaiono al viaggiatore come cuartieri della sua stesa città mai visitati [...]. Gli aeroporti sostituiscono le catedrali, gli albergi le abbazie, e lo shopping la conoscienza.

(E. Flaiano, Diario degli errori, *Milano, Adelphi 2002)*

1. **ottunde:** limita, priva di intensità

Ortografia: lettera maiuscola o minuscola?

[ConTesto]

A Leggi i seguenti testi e fai attenzione all'uso delle maiuscole in italiano. Poi completa la tabella alla pagina successiva.

1. Il mio giornalaio è pakistano, il mio lavasecco è persiano, il mio medico di famiglia è italiano, il dentista è brasiliano, il veterinario è spagnolo, l'imbianchino è polacco, l'elettricista serbo, il fruttivendolo indiano, il meccanico dell'auto è bulgaro, la domestica lettone, il portinaio sudafricano, il parcheggiatore libanese, il custode della scuola di mio figlio è israeliano, l'impiegata della banca che mi sorride sempre è del Bangladesh, [...]. Mi fermo, ma potrei continuare per un pezzo: vivo a Londra da oltre sette anni e a volte mi domando dove sono gli inglesi.

   (E. Franceschini, Londra Babilonia, *Bari, Laterza 2011)*

2. Al Southfields Community College [...] gli scolari parlano un totale di 76 lingue, inclusi cinese mandarino, arabo e lingue meno conosciute come il tigrinya (parlato in Eritrea ed Etiopia), l'ibo (originario della Nigeria) [...].

   (E. Franceschini, Londra Babilonia, *Bari, Laterza 2011)*

3. Sono nato un mercoledì di fine dicembre, nella camera d'angolo di una clinica di Crema. Mamma e papà erano arrivati un'ora prima, a bordo di una Topolino blu. Erano le due di notte, faceva freddo, avevo molti peli sulle braccia e Giovanni Gronchi era presidente della repubblica. [...]

   (B. Severgnini, Italiani si diventa, *Milano, Rizzoli 1998)*

4. **Egregio Direttore,**
   mi permetto di rivolgermi direttamente a Lei per chiederLe se potrebbe indirizzare la Sua attenzione a un problema che sta particolarmente a cuore alla comunità in cui vivo...

5. Virginia Woolf ha scritto un romanzo, *Flush*, che prende il nome dal suo cocker spaniel.

6. **L'Italia è un Paese perfetto per le vacanze!**

NOTA BENE

Anche se in quest'ultimo caso l'uso della maiuscola non è obbligatorio, generalmente si scrive *Paese* per riferirsi a uno stato, a una nazione, e per distinguerlo da un *paese*, cioè un villaggio, un comune di piccole dimensioni.

	ITALIANO		INGLESE	
	MAIUSCOLA	MINUSCOLA	MAIUSCOLA	MINUSCOLA
All'inizio di un testo				
All'inizio di un discorso diretto				
Aggettivi di nazionalità				
Nomi geografici (Paesi, città, continenti, ecc.)				
Nomi propri di persona, cosa o animale				
Titoli per rivolgersi alle persone				
Festività				
Lingue				
Sigle				
Nomi di strade o piazze				
Istituzioni pubbliche e monumenti				
Dopo il punto, il punto interrogativo e il punto esclamativo				
Pronomi e possessivi nella corrispondenza formale				
Nomi dei popoli moderni				
Giorni della settimana				
Mesi				

NOTA BENE

Nel testo 3 a pagina 237 ***presidente*** e ***repubblica*** sono nomi comuni. Si scrive però la *Repubblica di San Marino* con la maiuscola perché ci si riferisce al nome proprio di uno stato.

NOTA BENE

La parola ***piazza*** si può scrivere anche con la lettera minuscola.

NOTA BENE

Benché lo si trovi ancora, l'uso della maiuscola per i pronomi e i possessivi nelle lettere formali va diminuendo, soprattutto all'interno di una parola (*chiederle* invece di *chiederLe*).

NOTA BENE

Nel caso dei **popoli antichi** si usa la maiuscola, quindi...:
I romani (i cittadini della Roma di oggi)
I Romani (i cittadini dell'antica Roma).

NOTA BENE

Anche se i **nomi dei mesi** si dovrebbero scrivere con la lettera minuscola, non è raro vederli scritti con la lettera maiuscola.

[Esercizi]

1 **In *Torino è casa mia*, lo scrittore Giuseppe Culicchia ci fa un ritratto di Torino. Ha scritto anche un capitolo sulle cose che mancano nel libro, scusandosi. Leggi la seguente lista di alcune di queste cose e spiega gli usi della maiuscola.**

- La pasticceria napoletana in Corso Vinzaglio.
- Sindbad Kebab, il miglior kebab della città in Via Milano.
- Piazza Bodoni con le note che escono dalle finestre del Conservatorio.
- Il Goethe Institut in Piazza San Carlo, che a Torino ha portato una quantità di cose interessanti.
- Il supermercato LIDL di Via Carlo Alberto con i suoi prezzi incredibili [...] e i suoi clienti rumeni, inglesi, francesi, nigeriani, tedeschi, albanesi, camerunensi, spagnoli e persino italiani, che ne fanno il posto più internazionale della città.
- Le regge dei Savoia a Stupinigi, Racconigi, Venaria, Carignano.
- Piazza Palazzo di Città, quella del Municipio dove il martedì sera si danno appuntamento i giocolieri.
- Gi automobilisti che su Corso Giulio Cesare viaggiano d'estate a velocità ridottissima con la mano fuori dal finestrino come usa in Meridione.

(G. Culicchia, Torino è casa mia, *Bari, Laterza 2005)*

2 **Completa seguenti testi tratti dallo stesso libro scegliendo l'opzione corretta. Quali altre categorie puoi aggiungere alla tabella di pagina 238?**

a.
I cantieri sono stati a Torino / torino in questi ultimi anni il più grande spettacolo gratuito messo in piedi dalla città per i pensionati. Ma l'Estate / estate scorsa si è organizzato anche un bus pensato per i turisti [...]. Il torpedone partiva da Piazza Solferino / solferino ogni venerdì / Venerdì alle 14:30 e toccava i cantieri firmati Isozaki, Aulenti, Foster e Fuksas. Costo della corsa dagli scavi per la stazione / Stazione della metro in Piazza XVIII Dicembre al palavela / Palavela dell'Aulenti [...], cinque euro / Euro.

b.
[...] i centri commerciali non sono altro che l'equivalente contemporaneo della basilica / Basilica di San / san Pietro, dei menhir e delle Piramidi. Dovunque vi sia uno spazio libero, [...] oggi sorge un nuovo centro commerciale. [...]. Ciò che più sorprende, riguardo ai centri commerciali, è la loro capacità d'attrazione nei confronti di soggetti che in realtà non vi si recano per acquistare qualcosa, come di dovere nei centri commerciali. [...] il fenomeno, a prima vista sbalorditivo, riguarda in particolare [...] i cosiddetti "teenager". Che a partire dagli undici, dodici anni circa, cominciano a uscire di casa il sabato / Sabato pomeriggio con i coetanei e senza i genitori. [...] Niente più passeggiate in centro / Centro né partite a pallone in cortile. E nemmeno scorrerie in motorino. Del resto: scomparsa delle ideologie e crisi degli oratori hanno avuto inizio proprio durante gli anni Ottanta / ottanta, un decennio che di recente è stato oggetto di revival e rivalutazione [...].

(G. Culicchia, Torino è casa mia, *Bari, Laterza 2005)*

3 Nel seguente testo mancano le maiuscole. Correggilo.

giuliana era nata a budapest, nel 1900. Aveva perduto la madre a sette anni; il padre, un facoltoso proprietario di mulini, si era rimaritato. era molto carina, anche se zoppa, e aveva ricevuto un'ottima educazione, come si confaceva a una ragazza perbene e sofisticata di budapest, allevata in una società molto più evoluta di quella siciliana e nella stagione più fulgida dell'europa asburgica. Lei non andava d'accordo con la matrigna e passava le vacanze presso una zia materna, a sarajevo. Lì si era innamorata follemente e voleva sposare un ingegnere palermitano che lavorava presso le ferrovie dello stato: una posizione di prestigio, allora i treni avevano lo charme e lo status dei jet. Al divieto del padre, i due erano fuggiti a trieste.

(S. Agnello Hornby, Via XX Settembre, *Milano, Feltrinelli 2013)*

4 Traduci il seguente blog in italiano.

Hi all, we are going to Puglia for one week (Thursday to Thursday) in early June, and have a list of way too many places that we'd like to visit. We want to mix beaches with great food and architecture: Vieste, Parco Nazionale / Promontorio del Gargano, Trani, Alberobello, Locorotondo, Lecce, Gallipoli. Where would you recommend on visiting and how many days would you spend in each place?

Haven't been to all the places in your post but Lecce is great for Baroque architecture.

We loved Alberobello and stayed 2 nights. Trani is a lovely fishing village. Plenty of delicious seafood meals available. Stayed 2 nights. Lecce also worthwhile.

Hi! I wouldn't try to visit the entire Puglia in 1 week, it would be very stressful. You should choose if you want to visit the north or Salento (south). I would suggest Salento including Lecce, Gallipoli, Nardò and the beautiful sea at Finibus Terrae (World's End) in Santa Maria di Leuca.

If you get into Bari airport, stay in Monopoli or Polignano a Mare, both beautiful seaside towns. In the morning, you can head to Castellana Grotte – one of the longest cave systems in Italy,[...] then head to Altamura – DOP protected bread. They still make them the way they used to from medieval times. Get focaccia too.

(Adattato da www.lonelyplanet.com)

5 **Anche in italiano, come in inglese, nella comunicazione come quella degli sms c'è la tendenza a eliminare le maiuscole, a usare abbreviazioni e a fare errori di grammatica. Prova a "correggere" i seguenti sms trascrivendoli in italiano standard.**

1.

ciao giorgio, dove 6? ke fai? se 6 libero
sabato io e paolo andiamo a maranello a
vedere le prove della ferrari.
sxo ke tu venga, cmq fammi saxe.

2.

nn ne posso + di studiare!
ho una stankezza 3menda...
ti va una pizza da baffetto? bax

Ortografia: l'accento

[ConTesto]

A Osserva le seguenti parole che hanno l'ultima vocale accentata.

università attività facilità

caffè cioè né perché sé

però farò pedalò

lunedì così

virtù menù

- Quanti tipi di accento noti e come si chiamano?
- Su quale vocale possiamo trovare entrambi gli accenti?
- Cosa indica la presenza di un accento o dell'altro su questa vocale?

B Alcuni monosillabi in italiano hanno un doppio significato. Per distinguerli mettiamo l'accento su uno di loro. Completa la tabella con le differenze tra le coppie di monosillabi, come nell'esempio.

SIGNIFICATI	
da dà	preposizione 3ª persona del verbo dare
li lì	
la là	
e è	
ne né	
se sé	
si sì	

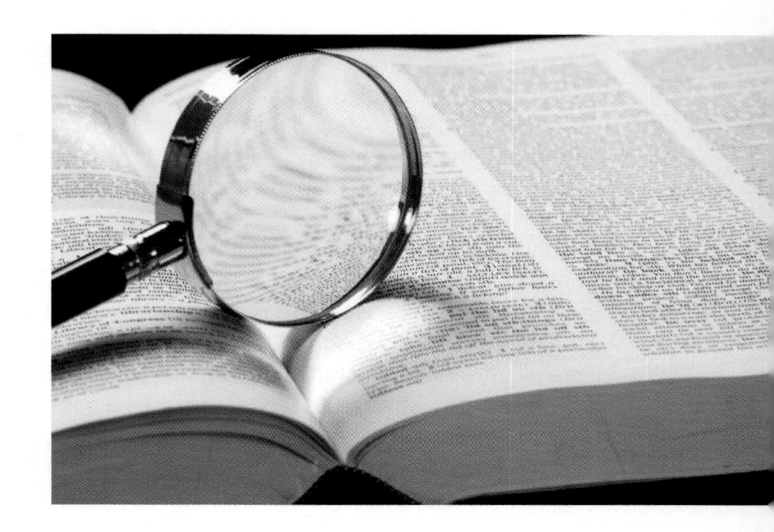

NOTA BENE

Contrariamente a *lì* e *là*, gli avverbi ***qui*** e ***qua*** non vogliono l'accento.

[Esercizi]

1 **Completa il testo scegliendo l'opzione corretta.**

Non so se / sè andare al cinema più tardi, sono stanco e non ne / né ho molta voglia. In realtà non ho voglia di uscire ne / né di stare a casa, ma devo finire un lavoro un po' impegnativo che devo fare da solo, perché chi fa da se / sé fa per tre!
Neanche Paolo e / è Mirella ci vanno, figuriamoci. Sono partiti per Spoleto e credo che siano già li / lì. Loro se /sé ne stanno sempre da / dà soli! Paolo in particolare e / è un orso! Insomma, rifiutano sempre gli inviti e diverse persone non li / lì chiamano più.

NOTA BENE

Sui monosillabi ***ciò***, ***già*** e ***giù*** l'accento è obbligatorio.

2 **Inserisci gli accenti nel seguente testo.**

Sarah ha 21 anni, e irlandese e studia Medicina all'universita. Il mercoledi fa un modulo di italiano al Centro Linguistico di Ateneo perche ha molti amici e va spesso a Roma, dove abitano, e li vede piu spesso che puo. I suoi amici hanno un buon livello d'inglese, ma lei preferisce parlare in italiano con loro.
A Dublino la sua giornata e piuttosto intensa. Non si alza troppo presto, dato che le lezioni cominciano alle 10.
Per pranzo fa una pausa e va a mangiare alla mensa dove il menu non e male, poi riprende le lezioni e poi spesso resta all'universita per studiare, cosi poi a casa si puo rilassare un po'. Sarah fa il secondo anno, e ha passato gli esami del primo senza difficolta e con ottimi voti.
Non si sa dove trovi il tempo, ma riesce anche a fare qualcosa per se; per esempio suona il piano e il violino, e di tanto in tanto fa anche un po' di sport.

3 Inserisci gli accenti nei seguenti testi.

1. I cantieri sono stati a Torino in questi ultimi anni il piu grande spettacolo gratuito messo in piedi dalla citta per i pensionati. Ma l'estate scorsa si e organizzato anche un bus pensato per i turisti [...]. Il torpedone partiva da Piazza Solferino ogni venerdi alle 14:30 e toccava i cantieri firmati Isozaki, Aulenti, Foster e Fuksas.

[...] i centri commerciali non sono altro che l'equivalente contemporaneo della Basilica di San Pietro, dei menhir e delle Piramidi. Dovunque vi sia uno spazio libero, [...] oggi sorge un nuovo centro commerciale. [...]. Cio che piu sorprende, riguardo ai centri commerciali, e la loro capacita d'attrazione nei confronti di soggetti che in realta non vi si recano per acquistare qualcosa, come di dovere nei centri commerciali. [...] il fenomeno, a prima vista sbalorditivo, riguarda in particolare [...] i cosiddetti "teenager". Che a partire dagli undici, dodici anni circa, cominciano a uscire di casa il sabato pomeriggio con i coetanei e senza i genitori. [...] Niente piu passeggiate in centro ne partite a pallone in cortile.

(G. Culicchia, Torino è casa mia, *Bari, Laterza 2005)*

2. Tanto per cominciare, sparirebbe quasi del tutto il commercio. Senza monete ne banconote, infatti, non resterebbe che il baratto: i negozi non avrebbero piu ragion d'essere e tutti vorrebbero generi di prima necessita come vestiti, bevande, cibo e medicine [...]. A causa del crollo del commercio, ma anche perche non potrebbero piu pagare i propri dipendenti, le industrie chiuderebbero, e sparirebbero dalla circolazione tutti gli oggetti complessi, a partire da computer, tv e cellulari. Non ci sarebbe piu spazio per le professioni specializzate, perche in un mondo del genere sarebbe inutile avere ingegneri elettronici e tecnici del suono. Le banche non avrebbero piu senso, e con esse si dileguerebbero i risparmi [...].

Se un mondo cosi esistesse veramente, pero, agli uomini verrebbe naturale usare alcuni oggetti come riferimento per gli scambi commerciali: per esempio l'oro, il sale... o le sigarette, come si faceva in tempo di guerra. [...]. Molti mestieri e specializzazioni non esisterebbero piu: quindi scomparirebbero le universita e gran parte delle scuole. Le persone dovrebbero lavorare molto di piu per sopravvivere, e il lavoro minorile sarebbe la norma. Si vivrebbe peggio e l'eta media diminuirebbe.

(Adattato da Focus Extra *n. 60, primavera 2013)*

[Sintesi Grammaticale]

ORTOGRAFIA: LE CONSONANTI

Le consonanti in italiano e in inglese sono le stesse e alcune delle consonanti inglesi in italiano sono usate solo per le parole straniere. Tuttavia, ci sono delle differenze riguardo a come le consonanti si combinano con le altre lettere.

ITALIANO E INGLESE A CONFRONTO	Esempi			
C* e *G Quando la ***c*** e la ***g*** sono seguite dalle vocali ***a***, ***o*** e ***u***, producono un suono che viene definito *duro*, come nelle parole inglesi *cat*, *garden*, *gold*, ecc.	***castello*** ***cura*** ***gas*** ***gondola***			
Se invece la ***c*** e la ***g*** sono seguite dalle vocali ***e*** e ***i*** producono un suono *dolce*, come nell'inglese *cheap* o *Germany*. Attenzione: la c seguita da *e* e *i* **non** si pronuncia come una *s*. Quindi una parola come *cinema*, che si scrive nello stesso modo nelle due lingue, ha però una pronuncia diversa.	***celeste*** ***ciao*** ***cinema*** ***Cina*** ***Germania*** ***giallo***			
Se tra la ***c/g*** ed ***e/i*** si inserisce una ***h***, le tre lettere producono un suono duro, come nell'inglese *cat* e *garden*.	***perché*** ***margherita***	***chiesa*** ***ghiaccio***		
SC Se la coppia di lettere ***sc*** è seguita dalle vocali ***a***, ***o***, ***u*** si pronuncia come nelle parole inglesi *scam*, *scorn*, *school*, ecc.	***scatola*** ***scoperta*** ***scusa***			
Se invece è seguita dalle vocali ***e*** e ***i*** si pronuncia come nelle parole inglesi *she*, *shampoo*. Attenzione, il gruppo *sce* non si pronuncia come una *s*, quindi parole molto simili e con lo stesso significato come l'italiano *scena* e l'inglese *scene* si pronunciano in modo diverso.	***scelta*** ***sciopero***			
Se tra ***sc*** ed ***e/i*** si inserisce una ***h***, le tre lettere producono un suono come nell'inglese *scam*, *scorn*, *school*, ecc.	***maschera*** ***maschile***			
CU*, *QU* e *CQ La ***q*** è sempre seguita dalla ***u*** e da un'altra vocale, cioè ***a***, ***e***, ***i***, ***o***.	***quando***	***questo***	***qui***	***liquore***
Normalmente la coppia *cu* è seguita da una consonante, ma ci sono delle eccezioni: le più comuni sono *innocuo, cuoco, cui, cuoio, scuola, cuore, taccuino, cuocere, cospicuo, evacuare, proficuo, promiscuo.*	***discussione***	***cugino***	***cura***	

ITALIANO E INGLESE A CONFRONTO	Esempi
All'inizio di una parola troviamo sempre la forma **qu**, ma ci sono alcune eccezioni: *cui, cuocere, cuoco, cuoio* e *cuore.*	***questura*** ***qualunque***
Si usa il gruppo **cqu** nella parola *acqua* e nei suoi derivati: *sciacquare, acquazzone, acquedotto*, ecc., in alcune altre parole come *acquistare, acquirente, acquisire* e in alcune forme del passato remoto: *nacque, piacque*, ecc.	***acqua*** ***acquazzone*** ***acquatico***
Anche in inglese ci sono delle parole che appartengono al campo semantico dell'acqua, ma contengono solo la *q*.	***acquatico*** *aquatic* ***acquario*** *aquarium* **Acquario** *Aquarius* ***acquedotto*** *aqueduct*
GN, NI, LI* E *GLI A volte gli italiani stessi confondono i suoni ***gn/ni*** e ***li/gli***. Questo può essere un problema anche per te, ma con il tempo e la pratica diventa sempre più facile distinguere i suoni.	***ingegnere*** ***gardiniere*** ***bagno*** ***genio*** ***migliore*** ***milione*** ***aglio*** ***olio***
ACCA *(H)* In italiano l'***h*** è **muta**, cioè non si pronuncia. Bisogna fare particolare attenzione a se si deve mettere all'inizio di una parola a seconda del significato, come vedi qui a destra. Quando si inserisce tra la *c* e la *g* e le vocali *e* e *i* produce un suono duro, come hai visto.	***ho*** **(1ª pers. *avere*)** ***o*** **(congiunzione)** ***hai*** **(2ª pers. *avere*)** ***ai*** **(prep. articolata)** ***ha*** **(3ª pers. *avere*)** ***a*** **(prep. semplice)** ***hanno*** **(3ª pers. pl. *avere*)** ***anno*** **(sostantivo maschile)**
Le consonanti doppie Entrambe le lingue fanno uso delle consonanti doppie, ma talvolta in parole simili abbiamo una consonante in inglese e due in italiano, o viceversa.	***comune*** *common* ***comunicazione*** *communication* ***cotone*** *cotton* ***appartamento*** *apartment* ***letteratura*** *literature* ***cattedrale*** *cathedral*
Combinazioni particolari Ci sono combinazioni di consonanti in inglese che spesso corrispondono a combinazioni specifiche in italiano, per esempio *ct > tt, dm > mm, ant > ent, ns > s, pt > tt, tion > zione, chn > cn, ience > ienza.*	*actor* ***attore*** *admiration* ***ammirazione*** *assistant* ***assistente*** *institute* ***istituto*** *situation* ***situazione***
Ci sono anche combinazioni di lettere in inglese che in italiano non esistono, per esempio *psy, cho, chr, sh, cha, chn, ph, th.*	*psychologist* ***psicologo*** *technical* ***tecnico*** *phisiotherapist* ***fisioterapista***

[Sintesi Grammaticale]

ORTOGRAFIA: LETTERA MAIUSCOLA O MINUSCOLA?

Anche se l'uso della maiuscola in italiano e in inglese è simile, ci sono alcune differenze che riguardano parole di uso molto comune.

ITALIANO E INGLESE A CONFRONTO	Esempi	
Come in inglese, la maiuscola è obbligatoria: • all'inizio di un testo • all'inizio di un discorso diretto • dopo il punto, il punto interrogativo e il punto esclamativo • nei nomi geografici • negli indirizzi • nei nomi propri di persona, animali, divinità, monumenti e alcuni luoghi pubblici e istituzioni • nei nomi di festività • nelle sigle	***Paolo Rossi*** ***Roma*** ***Sardegna*** ***il Vaticano*** ***Natale*** ***UE***	*John Smith* *Rome* *Sardinia* *the Vatican* *Christmas* *EU*
Contrariamente all'inglese, si usa la lettera minuscola per: • i giorni della settimana • i mesi dell'anno • gli aggettivi di nazionalità • le lingue • i popoli moderni	***lunedì*** ***maggio*** ***irlandese*** ***italiano*** ***gli italiani***	*Monday* *May* *Irish* *Italian* *Italians*
Alcuni casi in cui la maiuscola è facoltativa. • Anche se non è obbligatoria, generalmente si usa la lettera maiuscola per la parola *Paese* quando significa nazione, per distinguerla da *paese* nel significato di villaggio, comune di piccole dimensioni. Anche se la parola inglese *country* ha due significati, si scrive con la lettera minuscola in entrambi.		
• I **secoli** e i **decenni** si scrivono generalmente con la lettera maiuscola, ma non è raro vederli scritti con la lettera minuscola.	***il Novecento*** ***gli anni Ottanta***	*the 1900s* *the 80s*
• I **titoli di libri e altre opere** si possono vedere con la maiuscola per tutte le parole (tranne articoli e preposizioni), o con la maiuscola solo per la prima parola (soprattutto nei titoli più lunghi), mentre in inglese generalmente vale il primo caso.	***Il Gattopardo*** ***Caos calmo*** ***L'insostenibile leggerezza dell'essere*** *The Unbearable Lightness of Being*	*The Leopard* *Quiet Chaos*

ORTOGRAFIA: L'ACCENTO

Se hai difficoltà con l'accento in italiano, probabilmente è perché in inglese l'accento non esiste. Tuttavia, come sai, mettere o non mettere l'accento su una vocale può cambiare il significato di una parola.

ITALIANO E INGLESE A CONFRONTO	Esempi	
Tipi di accento In italiano ci sono due accenti: grave (`) e acuto (´).		
Quando l'accento è sull'ultima vocale di una parola, questa ha anche l'accento grafico, cioè scritto.	***caffè*** ***università***	
L'accento grafico **grave** si usa nelle vocali *à, è, ì, ò, ù* e indica un suono aperto.		
L'accento grafico **acuto** si usa nella vocale *é* e indica un suono chiuso.	***perché*** ***affinché***	
Monosillabi con o senza accento		
L'accento è obbligatorio sui monosillabi *ciò, già, giù*.		
Nei monosillabi con doppio significato uno dei due è accentato per non confonderlo con l'altro.	***la* (pronome, articolo femminile)** ***da* (preposizione)** ***si* (pronome)**	***là* (avverbio)** ***dà* (verbo)** ***sì* (affermazione)**

1. L'ARTICOLO

LE PAROLE DELLA GEOGRAFIA

A L'Italia; all'Europa; dalle Alpi; l'Asia; l'Africa; del Monte Bianco; Chamonix; la Francia; Torino; Milano; del Gran San Bernardo; la Svizzera; il Passo del Brennero; l'Austria; Bologna; in Italia; dal Mar Mediterraneo; il Mar Ligure; il Tirreno; lo Ionio; il mare Adriatico; la Riviera romagnola; Rimini; Riccione; la Puglia; Gallipoli; Porto Cesareo; Vieste; nell'Italia del nord; in Veneto; al Lido di Jesolo; in Liguria; Santa Margherita Ligure, alle Cinque Terre; la Sicilia; l'Etna; la Sardegna; l'Isola d'Elba, l'arcipelago della Maddalena, l'arcipelago Campano; Ischia; Capri; le isole Ponziane; le Pelagie; le Egadi; le Eolie; le Tremiti; nelle Alpi; il Cervino; il Monte Rosa; il Monte Bianco; gli Appennini; dalla Liguria; alla Sicilia; il Parco Nazionale d'Abruzzo; il Parco Nazionale dell'Aspromonte; in Trentino Alto Adige; le Dolomiti; la Val Gardena; la Val Pusteria; la Val di Non; il Po; la Pianura padana; il lago di Garda; il lago Maggiore; il lago di Como; la Toscana; Viareggio; il Chianti; Firenze; Siena; la Campania; costiera amalfitana.

B

	Con o senza articolo?	E in inglese?
Città	senza	senza
Continente	con	senza
Fiume	con	con
Gruppo di isole	con	con
Isola grande	con	senza
Isola piccola	senza	senza
Lago	con	senza
Mare	con	con
Monte	con	senza
Catena montuosa	con	con
Nazione	con	senza
Parco nazionale	con	senza
Regione	con	senza
Valle	con	con
Vulcano	con	senza
Zona di una regione	con	con

ESERCIZI

1 l'; ---; il; l'; ---; il; la; ---; ---; il; ---; l'; ---; il; ---.

2 dell'; la; la; il; il; del; delle; la; la; la; delle; del; il; ---; le; del; ---; ---; ---.

3 1. Lombardia; 2. Valle d'Aosta; 3. Piemonte; 4. Trentino Alto Adige; 5. Friuli Venezia Giulia; 6. Lazio; 7. Campania; 8. Puglia.

SOLUZIONI

LINGUE, NAZIONALITÀ E TITOLI

A In italiano si usa l'articolo con le nazionalità e le lingue.
In inglese non si usa.

B In italiano l'articolo si usa quando parliamo di una persona con il suo titolo; non si usa quando parliamo a una persona usando il suo titolo. In inglese non si usa l'articolo in nessuno dei due casi.

ESERCIZI

1 *Il dottor Zivago*; La contessa scalza; Addio, Mr Chips; Mrs Doubtfire – Mammo per sempre; La duchessa; Buongiorno, Miss Dove; The Queen - La regina; Il Re Leone; Gli anni fulgenti di miss Brodie (libro) e La strana voglia di Jean (film); Arrivederci Contessa; La signora Miniver.
Nella traduzione italiana si nota che in alcuni casi i titoli vengono lasciati in inglese, talvolta accompagnati da un sottotitolo in italiano.

2 Italia; Svizzera; tedesco; Malta; Europa; Croazia/Slovenia; Slovenia/Croazia; inglese; argentini; Stati Uniti; italiano; spagnolo; francese.

3 1. il; dal; dal; del. 2. il. 3. la; l'. 4. ---. 5. ---. 6. ---.

DATE, ORARI E NUMERI

A

Come si indica...	Esempi dai testi	Sfumature di significato	Differenze importanti tra l'italiano e l'inglese
L'ora	alle 20,45		in inglese non si usa l'articolo
Il giorno della settimana	il lunedì lunedì	• Ogni lunedì • Un lunedì particolare	• senza articolo, ma con il giorno della settimana al plurale • senza articolo come in italiano, ma con la preposizione *on*
La data	il 10 Aprile		in inglese non si usa l'articolo
L'anno	nel 1909		in inglese non si usa l'articolo
Il secolo	del '700		quando si usa il numero ordinale (Settecento) in inglese si usa l'articolo, ma si aggiunge la parola *century*
Una percentuale	il 57%		in inglese non si usa l'articolo
Nome + numero	dal binario 2		in inglese non si usa l'articolo
Numero + nome	4,371 ristoranti		come in italiano
L'età	45,4 anni fra i 31 e i 40 anni	• Età precisa • Fascia d'età	• come in italiano • in inglese non si usa l'articolo
La durata di un'azione	dalle 18 alla chiusura		in inglese non si usa l'articolo

SOLUZIONI

ESERCIZI

1 1. ---; 2. il; 3. di; 4. ---; 5. le; 6. nel; 7. al; 8. il; 9. il; 10. ---; 11. l'; 12. dall'; 13. di; 14. la.

2

Forma sbagliata: 94,4%	Forma corretta: il 94,4%
Forma sbagliata: a giorno	Forma corretta: al giorno
Forma sbagliata: in 64,4%	Forma corretta: nel 64,4%
Forma sbagliata: da 36	Forma corretta: dalle 36

3 il; ---; il; il; il; ---; ---; ---; dal; al; il; il; il; il; ---; il; al.

4 **Possibile traduzione**: Ti/Vi piace scrivere la data? Provi/Provate particolare soddisfazione quando lo fai/fate nei giorni che presentano uno schema, come il 01/02/03, data che si è presentata per gli americani il 2 gennaio 2003 e per gli europei un po' più tardi, il 1° febbraio? A volte il diverso ordine del giorno e del mese nella pratica americana e in quella europea non è importante: il 6 giugno 2006 è 06:06:06 in entrambi i casi. A volte l'ordine è cruciale: tra due anni agli americani sarà negato il piacere del 31:1:13. Ma nessun cacciatore di brividi numerologici deve sentirsi ingannato nel 2011.
Gli europei non avranno molti schemi l'11 di ogni mese, tranne in ottobre e in dicembre. Gli americani possono confidare negli elettrizzanti primi nove giorni di novembre. Ognuno avrà il proprio 9:10:11. E il 2011 sarà speciale per due motivi.
In primo luogo, porterà l'11:11:11. L'11 novembre è una data significativa in molti Paesi dal 1918, quando, alle 11 di quel giorno, entrò in vigore l'armistizio che poneva fine alla prima guerra mondiale. In secondo luogo, come il 2010, porterà una spruzzata di date con nient'altro che zeri e uno.

PATRIMONIO ARTISTICO, POLIITCA, SOCIETÀ E PRODOTTI

A

Squadra di calcio: l'Udinese, l'Atletico Madrid
Ente pubblico: la banca d'Italia, l'Istat
Prodotto: la mozzarella, la Nutella, il Prosecco
Industria/società: la Fiat, la Chrysler
Partito Politico: il Pd, il Fli
Compagnia aerea: l'Alitalia
Gruppo musicale: gli U2
Palazzo (con un nome di famiglia): Palazzo Chigi
Monumento: il Big Ben, la Torre di Pisa
L'ultima parte dell'attività è libera.

ESERCIZI

1 la Vespa; l'Alitalia; la porcellana; il sake; le Timberland; l'Inter; gli Arctic Monkeys; *il Belstaff*; la Ducati.

2 il; dell; ---; al; il; ---.

3 Italy has always been a synonym for "good food". It's the most popular cuisine in the world and it offers, better than any other, an incredible choice of different dishes and recipes for every town, province and region. [...] The famous Parmesan, ~~the~~ Parma or San Daniele ham, ~~the~~ Modena balsamic vinegar, ~~the Liguria pesto~~ pesto from Liguri, ~~the~~ buffalo mozzarella from Campania, ~~the~~ Alba truffle and ~~the~~ cured meats are just some of the products that make Italy the land of taste. And how could we forget ~~the~~ pasta or ~~the~~ pizza, that are seen universally as a synonym for Italy?

Chi ha scritto ha inserito l'articolo davanti ai prodotti, come in italiano.

SOLUZIONI

ASPETTO FISICO E MALESSERI

Ⓐ In italiano si usa l'articolo determinativo nella descrizione fisica e si dice quindi *i capelli rossi*, mentre in inglese si dice *red hair* senza articolo.
In italiano si usa l'articolo determinativo in *avere la barba*, mentre in inglese si usa l'articolo indeterminativo (*a beard*); la stessa cosa avviene per *il raffreddore* (*a cold*) e i sintomi relativi a parti del corpo (es. *il bruciore alla gola/a tickle in the throat*).

ESERCIZI

❶ 1. d; 2. a; 3. h; 4. g; 5. f; 6. b; 7. c; 8. e.

❷ **Possibile traduzione**: 1. Le persone dalla/con la pelle chiara possono avere bisogno di più vitamina D; 2. Una sterlina al giorno per la "pillola della felicità" che allevia l'agonia dell'artrite; 3. Le attività quotidiane che peggiorano le tue/vostre allergie; 4. Una delizia gustosa per la mente e per il palato/la bocca; 5. Perché il cancro è di moda sui social media? 6. La dislessia è un'etichetta senza senso.

❸ 1. dai capelli biondi e gli occhi azzurri. 2. lunghi capelli castani, la carnagione abbronzata. 3. i capelli ricci e grandi occhi scuri. 4. capelli rosso fuoco, la carnagione molto chiara. 5. i capelli corti e biondi. 6. dai bellissimi occhi verdi.

SOSTANTIVI NON NUMERABILI, PLURALI GENERALI COLORI, SOSTANZE, MATERIALI

Ⓐ *gli uomini: plurali generali per categorie*
le bionde: plurali generali per categorie
il rosa: colori
l'oro: materiali, nomi non numerabili
il petrolio: materiali, nomi non numerabili
il mal d'autunno: nomi non numerabili
le donne: plurali generali per categorie

Ⓑ **Possibile traduzione**: **1. Nasceva così il Giro d'Italia:** And so the Tour of Italy was born.
2. Fu infatti il ciclismo - e non il calcio - a diventare il nostro primo rito sportivo collettivo: It was indeed cycling - and not football - that became our first mass sporting passion.
3. In un Paese come il nostro, dove l'economia rurale prevalse fino agli anni '50, questo passaggio tardò ad avvenire: In a country like ours, where the rural economy prevailed until the 50's, this transition arrived late.
4. Fu il fascismo a far scoprire lo sport agli italiani: It was Fascism that made Italians discover sport.
5. La retorica della cultura fisica è tipica dei regimi totalitari: The glorification of physical prowess is typical of totalitarian regimes.
6. L'anno seguente la nazionale allenata da Vittorio Pozzo vinse il suo primo Campionato del mondo di calcio battendo 2-1 la Cecoslovacchia: The following year the national team coached by Vittorio Pozzo won their first world football championship by beating Czechoslovakia 2-1.

1. Articolo in entrambe le lingue: eventi sportivi; 2. Articolo in italiano ma non in inglese: sport
3. Articolo in entrambe le lingue: un decennio; 4. Articolo in italiano ma non in inglese: movimento/partito politico, sostantivo non numerabile, plurale generale (categorie già incontrate); 5. Articolo in italiano ma non in inglese: sostantivo non numerabile e plurale generale (categorie già incontrate); 6. Articolo in entrambe le lingue in un caso, articolo in italiano ma non in inglese nell'altro: nome collettivo (la nazionale) e nome di una squadra di calcio (categoria già incontrata)

SOLUZIONI

ESERCIZI

1 1. di; 2. la; il; la; 3. l'; l'; ---; 4. la; la; 5. la; le; ---; 6. l'; la; di quello; 7. la; dal; dall'.

2 le; ---; i; ---; le; dal; all'; ---; ai; alla; l'; le; i; nel; gli; le; l'; allo; dell'.

L'ARTICOLO INDETERMINATIVO

A

In italiano	In inglese
Dopo il verbo *diventare* non si usa l'articolo indeterminativo	Si usa dopo il verbo *to become* seguito da un sostantivo
Tra *come* (con il significato di *in qualità di/con la funzione di*) e un sostantivo non si usa l'articolo indeterminativo	Si usa tra *as* e un sostantivo
È possibile dire *trovare lavoro* o *trovare un lavoro*	Si dice solo *to find a job*
Per indicare la professione di una persona si usa la struttura *fare* + articolo determinativo + professione	Si usa la struttura *to be* + articolo indeterminativo

ESERCIZI

1 un'auto; una regione bellissima; un'escursione; uno splendido panorama; un'altra passeggiata; una vista eccezionale; un lago; un paesino; un giorno; una delle isole.

2 ---; ---; un; ---; ---; una; ---; un; un; ---; una; un'; ---.

3 l'; della; all'; --; l'; alla; una; l'; un; --; una; la.

4

ARTICOLO	CORRETTO	SBAGLIATO	FORMA CORRETTA
Un		X	*il*
l'		X	---
i	X		
un		X	---
dell'	X		
la	X		
l'		X	un
il		X	un
un		X	---
un	X		
un	X		
un		X	il
una		X	la
una		X	la

5 Possibile traduzione:
How did you start?
During college (in Pavia) I wrote a column for Cremona's newspaper "La Provincia" (it took me a year to get it!). My first piece appeared on 21 January 1979, I had just turned 22. A reader cut out my articles and sent them to Montanelli, who sent for me at the end of 1980. I remember I could not find Via Negri, where "Il Giornale" was located, and it was raining. I arrived at his office with my anorak drenched, dripping water all over the place. Being a gentleman, he asked me if I had been skiing. However, it went well; in 1981 I was already a regular in the newsroom, and in 1984 I was in London as a correspondent.

2. IL SOSTANTIVO

IL GENERE: MASCHILE O FEMMINILE? PERSONE, COSE, ANIMALI

A *Abbiamo indicato anche i sostantivi che compaiono più di una volta.*

figlie; figlio; casa; giardino; cane; insegnante; matematica; economia; impiegato; banca; lavoro; pilota; brevetto; mancanza; aereo; moto; professoressa; passione; tempo; attrice; compagnia; collega.
madre; figlia; anni; parrucchiera; casa; ore; giorno; fortuna; genitori; nipote; pomeriggio; compiti; sport; domenica; lunedì; lavoro; figlia; volte; figlia; aiuto; genitori; nonni.
anni; famiglia; figlia; marito; figli; moglie; figlia; gatta; figlio; bambino; nonno; famiglia; tempo; barista; receptionist; albergo.

B

SOSTANTIVO	ITALIANO	INGLESE
figlie	F	F
figlio	M	M
casa	F	N
giardino	M	N
cane	M	N
insegnante	M/F	M/F
matematica	F	N
economia	F	N
impiegato	M	M/F
banca	F	N
lavoro	M	N
pilota	M/F	M/F
brevetto	M	N
mancanza	F	N
aereo	M	N
moto	F	N
professoressa	F	M/F
passione	F	N

tempo	M	N
attrice	F	F
compagnia	F	N
collega	M/F	M/F
madre	F	F
figlia	F	F
anni	M	N
parrucchiera	F	M/F
ore	F	N
giorno	M	N
fortuna	F	N
genitori	M	M/F
nipote	M/F	M/F
pomeriggio	M	N
compiti	M	N
sport	M	N
domenica	F	N
lunedì	M	N
volte	F	N
aiuto	M	N
nonni	M e M/F	M (grandfathers) e M/F (grandparents)
famiglia	F	N
marito	M	M
figli	M	M (sons)
moglie	F	F
gatta	F	N
bambino	M	M/F (child) e M (baby boy)
nonno	M	M
barista	M/F	M/F
receptionist	M/F	M/F
albergo	M	N

C In inglese la parola *ship* e il nome di una nave sono considerati femminili. In italiano si dice *la RSM Titanic*, ma *il Titanic*, quindi in generale si usa il femminile se la parola *nave* accompagna il nome della stessa, altrimenti si usa il maschile, specialmente per navi molto grandi e famose.

MASCHILE	FEMMINILE	IN INGLESE	DIFFERENZE E PUNTI DI CONTATTO
figlio	figlia	son/daughter	In italiano cambia la vocale finale, mentre in inglese si usano due parole diverse.
insegnante	insegnante	teacher	In entrambe le lingue si usa una sola parola
impiegato	impiegata	employee	In italiano cambia la vocale finale, mentre in inglese si usa una sola parola.
pilota	pilota	pilot	In entrambe le lingue si usa una sola parola.
professore	professoressa	professor	In italiano cambia il suffisso finale, mentre in inglese c'è una sola parola.
attore	attrice	actor/actress (ma anche actor)	In entrambe le lingue cambia il suffisso finale, ma in inglese oggi è comune anche usare una sola parola.
collega	collega	colleague	In entrambe le lingue si usa una sola parola.
cagna	cane	dog/bitch	In italiano ci sono due forme diverse, anche se in generale si usa *cane* per entrambi. Anche in inglese ci sono due forme diverse, ma normalmente si usa la parola *dog* in entrambi i casi.
padre	madre	father/mother	In entrambe le lingue si usano due parole diverse
parrucchiere	parrucchiera	hairdresser	In italiano cambia la vocale finale, mentre in inglese c'è una sola parola.
nipote	nipote	nephew/niece grandson/ granddaughter	In italiano si usa una sola forma (ma cambia l'articolo), mentre in inglese si usano parole diverse.
marito	moglie	husband/ wife	In entrambe le lingue si usano due parole diverse.
gatto	gatta	cat/female cat	In italiano cambia la vocale finale. In inglese ci sono due forme diverse, ma normalmente si usa la parola *cat* in entrambi i casi.
bambino	bambina	boy/girl (ma anche child)	In italiano cambia la vocale finale, mentre in inglese si usano due parole diverse (o una sola parola).
nonno	nonna	grandmother/ grandfather	In italiano cambia la vocale finale, mentre in inglese si usano due parole diverse formate con lo stesso prefisso.
barista (in un caffè)	barista	bartender	In entrambe le lingue si usa una sola parola.
receptionist	receptionist	receptionist	In entrambe le lingue si usa una sola parola.

Nel caso di *barista*, bisogna tenere presente una differenza culturale. Il barista lavora in un bar italiano, cioè un caffè. La persona che lavora in un pub o che prepara cocktail, si chiama *barman* come in inglese.

ESERCIZI

1 **Maschile**: *senso; dovere;* carattere; rispetto; disordine; carattere; riserbo; individualismo; sospetto; soprannaturale; passo; efficientismo; provincialismo.
Femminile: *serietà; durezza;* severità; rigidità; educazione; discrezione; prudenza; misuratezza; diplomazia; avversione; confusione; avarizia; parsimoniosità; abilità; pignoleria; maniacalità; perseveranza; ostinazione; abitudinarietà; insofferenza; novità; innovazioni; fede; magia; sobrietà; gamba; inventiva; creatività.

2 Mesi: M (alcuni); moglie: F (la contrapposizione a *marito*); minuti: M (pochi); anni: M (negli); unione: F (seconda); amore: M (nuovo); relazioni: F (*relazione* finisce in *-zione*, quindi è femminile); classe: F (nella mia); emancipazione: F (finisce in *-zione*, quindi è femminile); incomprensioni: F (incomprensione finisce in *-sione*, quindi è femminile); gestione: F (della).

3 stupita; nessuna politica; amministratrice pubblica italiana; delle cosiddette portoghesi; la passeggera; alla conducente; della conducente; caricate le passeggere; invitata; l'autista; le stesse passeggere; invitarla; pizzicata dalle controllore; alle cittadine oneste; riconosciute; sicura.

4 Sono molt**e** **le** lettere che trattano **il** problema dei portoghesi e sono molti i lettori che propongono la stess**a** su**a** soluzione adottando quell**a** in uso nella maggioranza ***degli*** altr**i** Paesi: di pagare, cioè, il biglietto direttamente al conducente. Vista la frequenza ***del*** tema, a suo tempo mi ero informata e mi era stato detto che in Italia veniva considerato pericoloso far viaggiare dei mezzi pubblici [...] con del danaro a bordo, sia pure chiuso dentro a delle macchinette. Tropp**a** **la** tentazione, per i malintenzionati, di andare all'assalto di autobus o tram [...]. E posso immaginare che su questo argomento sia decisivo **il** parere ***dei*** sindacati. L'informazione ricevut**a** a suo tempo mi fece ***una*** cert**a** impressione, perché lasciava supporre ***una*** situazione simile a qualche contrada violenta dell'America Latina; e non ho potuto non ripensare agli anni - nemmeno così straordinariamente lontani - nei quali ***sugli*** autobus c'erano i bigliettai che ancora non riponevano il danaro in qualche macchinetta a chiusura ermetica bensì in un borsellino legato in vita. [...]

5 **Possibile traduzione**: 1. Gli italiani hanno solo due cose in mente. L'altra sono gli spaghetti. 2. L'umiltà è una virtù meravigliosa. Il problema è che molti italiani la applicano quando compilano la dichiarazione dei redditi. 3. Un italiano è un latin lover, due italiani sono un casino, tre italiani fanno quattro partiti. 4. I francesi sono italiani con un brutto carattere. Gli italiani, al contrario, sono francesi di buonumore. 5. Se incontri tre automobilisti: in Inghilterra formano un club, in Francia un "ménage à trois", in Italia creano un ingorgo. 6. In Germania il nuovo brevetto di una macchina speciale ha creato scalpore. Acchiappa ladri in soli cinque minuti. Installata negli USA, ha permesso la cattura di 1000 ladri in cinque minuti, mentre in Giappone 6000 ladri sono stati acciuffati in cinque minuti. Installata in Italia, è stata rubata in cinque minuti.

IL GENERE: LE PROFESSIONI DELLE DONNE

A Cambio della vocale finale (*o* → *a; e* → *a*); aggiunta del suffisso *-essa;* stessa forma del maschile, ma articolo *la; -tore* → *-trice.*

Confronto tra le due lingue:
Mentre in inglese molti nomi di professione sono di genere neutro, cioè si riferiscono agli uomini e alle donne indistintamente, in italiano ci sono due parole, oppure la stessa parola accompagnata da un diverso articolo.
In italiano però, come già avviene in inglese in maniera molto più marcata, comincia a diffondersi un uso meno sessista della lingua.
Anche in inglese esistono dei suffissi per distinguere il maschile e il femminile di una professione, anche se oggi si tende a usare una forma neutra e quindi non sessista:
- Il suffisso *-ess* esiste anche in inglese (es. *steward/stewardess*);
- *actor/actress* (come *attore/attrice*), ma si tende a usare *actor* per entrambi.
- Il suffisso *-man* o *-woman/maid* in inglese si usa per distingue i due sessi (es. *chairman/chairwoman; policeman/policewoman*), ma oggi si tende a usare l'equivalente neutro (es. *chairperson; police officer*).

ESERCIZI

1 1. la stilista; 2. il poeta; 3. la scrittrice; 4. la dottoressa; 5. il giornalista; 6. la professoressa; 7. un cameriere; 8. una campionessa, un atleta; 9. la cantante; 10. un'attrice; 11. una sindaca/una donna sindaco; 12. l'imprenditore; imprenditrice 13. la controllora; 14. la grafica.

I SOSTANTIVI CHE CAMBIANO GENERE

A foglio: di carta, su cui scrivere; foglia: di un albero
corso: serie di lezioni; corsa: attività fisica
partito: gruppo di persone che appartengono alla stessa ideologia; partita: incontro sportivo.

ESERCIZI

1 1. la banca/il banco; 2. la porta/il porto; 3. il mento/la menta; 4. il tavolo/ tavola/la tavola; 5. la suola/il suolo; 6. il politico/la politica; 7. il buco/la buca/la buca; 8. la costa/il costo.

2 1. nella costa/buche; 2. del suolo/delle banche; 3. un foglio; 4. del corso; 5. del partito/nel corso; 6. la porta/ mento.

LA FORMAZIONE DEL PLURALE: NOMI COLLETTIVI, SOSTANTIVI CHE NON CAMBIANO AL PLURALE E PLURALI IRREGOLARI

A **Parole che non cambiano al plurale (e perché)**: film, autobus, scooter, sport (parole straniere); serie (parole in -*ie*), auto, bici (abbreviazioni); età, caffè (parole con l'ultima vocale accentata)
Plurali irregolari in italiano e in inglese: uomini (*men*)
Plurali irregolari in italiano e regolari in inglese: uova, mani, armi
Plurali regolari in italiano e irregolari in inglese: donne, piedi, denti
Parole con significato singolare in italiano e plurale in inglese: governo
Parole con significato plurale in italiano e singolare in inglese: spaghetti, capelli
La risposta alla domanda alla fine dell'attività dipende dall'esperienza dello studente.

ESERCIZI

1 1. anatre; 2. buoi; 3. daini; 4. galline; 5. gatti; 6. pecore; 7. oche; 8. cani; 9. capre; 10. topi; 11. panda; 12. maiali; 13. cavalli; 14. tacchini.
Plurali regolari in italiano e irregolari in inglese: daini, pecore, oche
Plurali irregolari in italiano e in inglese: buoi

2 1. arresta; 2. batte; 3. mette; 4. fa; 5. vince.

3 miglia (miglio); migliaia (migliaio); centinaia (centinaio); belgi (belga); paia (paio).

I SOSTANTIVI CON PLURALE IRREGOLARE E CON DUE PLURALI

A 1. sopracciglia; 2. *ciglia*; 3. orecchie; 4. zigomi; 5. labbra; 6. occhi; 7. spalle; 8. denti; 9. capelli; 10. braccia; 11. mani; 12. dita; 13. gambe; 14. fianchi; 15. ginocchia; 16. piedi.
I plurali irregolari in italiano sono *sopracciglia, ciglia, orecchie, labbra, braccia, mani, dita, ginocchia*.
I nomi che sono regolari in italiano, ma irregolari in inglese, sono *denti* e *piedi*.
In inglese si usa il singolare *hair* mentre in italiano si usa il plurale *capelli*.

Ⓑ

SINGOLARE	PLURALE REGOLARE	PLURALE IRREGOLARE	IN INGLESE
il braccio	i bracci (settori, parti di un edificio più grande)	braccia (membra superiori del corpo umano)	rows wings arms
il muro	i muri (di un edificio)	le mura (muri di protezione che circondavano la città)	walls
il fondamento	i fondamenti (principi fondamentali, basi)	le fondamenta (le basi di un edificio)	founding principles foundations
il lenzuolo	i lenzuoli (teli individuali)	le lenzuola (insieme dei teli con cui si fa un letto)	bed (sheet/s)

Nota Bene: Il plurale di *protagonista* è *protagonisti/protagoniste*. Il plurale di *collega* è *colleghi/colleghe*.

ESERCIZI

① 1. mani; 2. dita; 3. labbra; 4. ginocchia; 5. ossa; 6. cervella; 7. corna; 8. ciglia; 9. braccia.

② i suoi ossi preferiti; le lenzuola; i bracci; al muro; dita; alle ossa; labbro; le corna.

③ **Possibile traduzione**: 1. Assisi è situata abbastanza vicino alla città di Perugia. I visitatori che vengono da Firenze, da Foligno o da Roma possono prendere un treno per Assisi a Terontola. La stazione di Assisi si trova ai piedi della collina, a tre miglia dal centro della cittadina. Ad Assisi ci sono diversi parcheggi appena fuori le mura della città. All'interno delle mura, si può esplorare il centro storico a piedi, dato che è il modo migliore. 2. A Spoleto, la prima chiesa dei Santi Ansano e Antonio da Padova fu qui costruita nel nono secolo, sulle fondamenta di un tempio romano. 3. Nella chiesa di San Brizio, vicino a Spoleto, c'è una piccola cripta molto bella che ospita un sarcofago romano, forse proprio quello che racchiude le ossa del santo.

3. L'AGGETTIVO

L'ACCORDO TRA SOSTANTIVO E AGGETTIVO QUALIFICATIVO

Ⓐ Contrariamente all'inglese, in italiano l'aggettivo concorda con il sostantivo sia al singolare sia al plurale.

Ⓑ Ci sono aggettivi con quattro desinenze (es. *rosso/a/i/e; nero/a/i/e*), aggettivi con due desinenze (*verde/i*) e aggettivi invariabili (*fuxia, beige*). Questi ultimi hanno un'unica forma indipendentemente dal genere e dal numero del sostantivo, come in inglese.
Se un aggettivo di colore è seguito da un sostantivo o da un altro aggettivo, diventa invariabile (*telo da mare verde bottiglia, maglietta giallo limone*)

ESERCIZI

① 1. scientifica, inglese; 2. infinita, infinito, molte;
3. svedese, uguali, tutto, tutti; 4. solo, tutti; 5. differenti, eccellenti, poco, vecchia, economica.

② Calabria: accogliente, splendidi, selvaggia, intensi, locale, antiche, unico, incontaminato, caldi, cristallino, graziose, lunghe; Puglia: incantevole, selvaggia, suggestivi, interna, antiche; Basilicata: diversa, moderna, uniche, piccoli, pura, genuini, storiche, ionica, note, ampie, finissima, tirrenico, alta. In alcuni spazi bisogna inserire due lettere perché gli aggettivi in *-co* (es. *antico*) e *-go* (es. *lungo*) al femminile plurale inseriscono una *h* e terminano in *-che* e *-ghe*: *antiche, lunghe*, ecc.

3 Possibile traduzione:
Famiglia
La famiglia italiana moderna costituisce la spina dorsale della cultura italiana di oggi. La stabilità e l'equilibrio dati dai legami familiari spiegano quello che sarebbe altrimenti un paradosso incomprensibile: vale a dire, come è possibile che una così variegata collezione di regioni conservi una qualsiasi unità culturale. E a livello politico, come può una nazione che ha cambiato governo più di una volta l'anno dalla seconda guerra mondiale essere rimasta relativamente stabile? La riposta a queste domande è indubbiamente la forza stabilizzante della famiglia.
Amicizia
Gli amici nel vero senso della parola sono pochi e rari in Italia, anche se essere amichevoli e socievoli è nell'indole degli italiani. Un amico è prezioso quanto un membro della famiglia. L'amicizia implica sostegno totale, accettazione totale e disponibilità totale. Siate consapevoli degli obblighi imperituri che vi assumete quando fate amicizia con un italiano.

GLI AGGETTIVI POSSESSIVI CON O SENZA ARTICOLO

A Tre differenze: in italiano il possessivo di accorda con la cosa posseduta; in italiano si usa l'articolo determinativo con il possessivo, tranne che con i nomi di parentela al singolare (da mio a vostro); in italiano c'è un solo possessivo per la terza persona singolare.

B Nomi di parentela al singolare: senza articolo
Nomi di parentela al plurale: con articolo
Altri sostantivi al singolare: con articolo
Altri sostantivi al plurale: con articolo

ESERCIZI

1 *nella mia*; il mio; i miei; del mio; della sua; il nostro; dal mio; i loro; il tuo; il mio; della nostra.

2 la mia; mio; mia; il loro; i miei; le mie; i miei; la nostra; la mia; il mio; la mia; il nostro; i nostri; la mia; nostra.

3 1. suo; 2. la sua; 3. la sua; 4. sua, i loro; 5. il suo, del suo; 6. il mio; 7. i suoi, sua, le loro; 8. suo;
10. il suo, i suoi.

4 Possibile traduzione:
In another photograph is my grandmother Sonia as a young woman: large-faced with protruding cheekbones. She was dark, her skin was white and she had black eyebrows and hair from her native Chile. She had Indian blood in her veins, so she said. Her eyes were huge, tender, while her smile was rather hard, impertinent.
I never saw my grandmother Sonia cry. Not even when my grandfather died. At eighty she still did not speak Italian as she should.
Having come from Chile at the end of the last century with her ambassador father, she had studied piano and singing in Paris. She had a beautiful soprano voice and a theatrical temperament. So much so that all her teachers had encouraged her to make a career of it. But it was not a profession for girls from good families and her father had forbidden her to pursue it. She resisted and, at eighteen, ran away from home to go to "pursue her opera career" as she put it. She landed in Milan, where she met Caruso. But her father Ortuzar had no intention of giving in. He went to Milan and took her back to Paris. Showing great tenacity and a great love for her art, from Paris Sonia ran away again.

QUANDO L'AGGETTIVO POSSESSIVO NON SI USA

In italiano no	In inglese sì
sul telefonino	on her mobile
gli amici	her friends
cambia idea	she changes her mind
i genitori	her parents
il pigiama	her pyjamas
i capelli	her hair
le gambe	her legs
dell'armadio	of her wardrobe
alla sorella	her sister

ESERCIZI

POSSESSIVO SBAGLIATO	POSSESSIVO FACOLTATIVO (E MODIFICHE)
9: suo	18-20: una sua amica → un'amica
9,50: loro 11,30: suo 14, 30: sua 16-17,30: sue 20-23: suo computer	20-23: suo marito → il marito; i loro amici → gli amici

(2) i nostri raffreddori; il nostro cibo; della mia città adottiva; le mie controparti; della nostra anatomia; la mia incapacità; i miei amici; la mia teoria; la nostra ignoranza; della loro esistenza.

(3) **Possibile traduzione**: [Mamma Hajja] recita l'ultimo saluto a Dio e al nostro profeta, Maometto, e alla sua famiglia, ai figli e a tutti i profeti. Gira la testa a destra e a sinistra per salutare gli angeli alle sue spalle. Allunga un braccio dietro la schiena e cerca di afferrarmi, ma io sono piccola e veloce e mi accovaccio appena fuori dalla sua portata, ridendo. Scappo via, barcollando per le risate e puntando il dito verso di lei e improvvisamente lei si siede sui talloni sul lucido pavimento in legno inondato di sole, e comincia a ridere anche lei. Aspetto un paio di secondi per sincerarmi che sia sicuro, poi corro di nuovo a gettarmi tra le sue braccia aperte. "Piccola monella. Mi avresti fatto interrompere le preghiere?" Mi rannicchio soddisfatta contro il suo seno nella luce del sole, succhiandomi il pollice.

4. IL PRONOME

PRONOMI DIRETTI, INDIRETTI E COMBINATI

(A) lo, mi, a un attore, si, lo, a me, (domanda)lo, a lui, lo, (chieder)lo, a lei, (aspetta)mi, con te, le, le, ti, (figura)ti, (telefona)gli, (saluta)lo.

B

	oggetto diretto per la persona	oggetto diretto per la cosa	oggetto indiretto per la persona	oggetto indiretto per la cosa
guardare	✓	✓		
to look at			✓	✓
to watch	✓	✓		
somigliare			✓	✓
to look like	✓	✓		
chiedere / domandare		✓	✓	
to ask	✓			✓
aspettare	✓	✓		
to wait			✓	✓
trovare	✓	✓		
to find	✓	✓		
cercare	✓	✓		
to look for			✓	✓
dare		✓	✓	
to give	✓	✓	✓	
telefonare			✓	
to telephone	✓			
salutare	✓			
to say hello			✓	

C Prima del verbo coniugato, dopo l'infinito e l'imperativo informale e plurale, con i quali formano una sola parola. Nel caso dell'infinito si elimina la *e* finale (es. *fare* → *farlo*). In inglese i pronomi seguono sempre il verbo. Nell'infinito, gerundio e participio, il pronome e il verbo sono separati, non formano una sola parola come in italiano.

D 1. Viene prima il pronome indiretto. 2. Prima del verbo coniugato, dopo l'infinito, il gerundio, il participio e l'imperativo informale e plurale, con i quali formano una sola parola. Nel caso dell'infinito si elimina la *e* finale (es. *fare* → *farlo*) 3. *Mi* diventa *me*, *ti* diventa *te*, e così via.
4. In inglese il pronome si mette sempre dopo il verbo. La particella *ci* non esiste, ma si può rendere con l'avverbio *there*. La particella *ne* non esiste, ma si può rendere con l'espressione *of it/of them*, ecc.

E *gliela*: alla hostess; la proposta; *se lo*: Lei (riflessivo); il rimborso; *te l'*: a te; il fatto che stavamo scavando troppo; *melo*: a me; l'appuntamento; *me ne*: a me; di unghia; *glielo*: al dottore; il fatto che hai perso la voce.

ESERCIZI

1 **vi**: diretto (*voi*); **gli**: indiretto (alle donne); **li**: diretto (i pantaloni corti); **li**: diretto (i jeans); **ci**: diretto (noi); **vi**: diretto (voi); **la**: diretto (una signora); **le**: indiretto (alla donna); **vi**: indiretto (a voi); **vi**: indiretto (a voi); **vi**: diretto (voi); **la**: diretto (la porta); **vi**: diretto (voi); **lo**: diretto (l'intingere un biscotto); **la**: diretto (la scarpetta); **lo**: diretto (il bis)

2 1. *ci*, *ci* (indiretto e diretto) 2. lo (diretto); 3. ti (diretto); 4. mi (indiretto); 5. le, la (indiretto e diretto), 6. ci, ce le (indiretto e combinato); 7. glielo (combinato).

③ le ha chiesto; ucciderla; colpendola; vedermi; impedirmi; tempestarla; le ha distrutto; strangolarla; mi ha fatto capire. Il pronome atono va prima del verbo coniugato; va dopo l'infinito e il gerundio, con i quali forma una sola parola.

④ **Possibile traduzione:**
Car
Travelling by car has the advantage of freeing us from pre-determined destinations and schedules: you can stop where you like and leave again when you want. Not to mention the convenience of being able to bring with you your personal luggage as well as what you purchased during your trip. However, it must be said that long car journeys can be stressful for the driver. Don't force yourselves to keep driving especially if you are tired, allow yourselves to enjoy a few stop-overs without feeling guilty.
Remember that the car horn does not make the traffic jam in which you are stuck disappear. If you nibble crisps or whatever, do not throw the packaging out of the window: the road is not a rubbish bin and a clean country is something you can be proud of too!
Boat
On board a ship good manners dictate exchanging smiles and chatting with everyone without becoming inappropriate or overbearing. If it is your first boat trip, make sure you don't suffer from seasickness and, if you do, stock up on the necessary medicines or refer to the infirmary on board. Bring with you the necessary clothes for every occasion: life on board provides various parties and entertainment, as well as sports activities.

PRONOMI DIRETTI E PARTICIPIO PASSATO

Ⓐ Normalmente nel passato prossimo con avere il participio passato rimane invariato, ma quando è preceduto da un pronome diretto di terza persona o dalla particella *ne* si accorda con la persona o cosa a cui si riferisce.

Ⓑ 1. My mother phoned me about an invitation, but I turned it down. / Il verbo *to phone/ring/call* ha una costruzione diretta in inglese, mentre l'equivalente italiano *telefonare* ha una costruzione indiretta. Il pronome segue il verbo in inglese, ma lo precede in italiano.
2. My aunt has always given gifts to my brothers/siblings, but she's never given any to me. / Il pronome segue il verbo in inglese, ma lo precede in italiano. In inglese non si usa una particella pronominale.
3. Even my mother noticed it. / Il pronome segue il verbo in inglese, ma lo precede in italiano.
4. My mother thinks my reticence is a bit much, but she accepts it. / Il pronome segue il verbo in inglese, ma lo precede in italiano.
5. When I told her to say that I'll be elsewhere on that date, my mother replied that she'll just say that I'm not here. / Il verbo *to tell* ha una costruzione diretta in inglese, mentre l'equivalente italiano *dire* ha una costruzione indiretta con una persona. Il pronome segue il verbo in inglese, ma lo precede in italiano.
6. Her attitude annoyed me, but I didn't say anything (to her). / Il pronome segue il verbo in inglese, ma lo precede in italiano.

ESERCIZI

① 1. *L'abbiamo presa;* 2. Li abbiamo ritirati; 3. Le abbiamo ritirate; 4. L'abbiamo preso; 5. Le abbiamo pagate; 6. L'abbiamo trovato; 7. L'abbiamo trovata; 8. L'abbiamo cambiato; 9. Li abbiamo cambiati; 10. L'abbiamo disinfettata; 11. L'abbiamo trovato; 12. L'abbiamo mangiato; 13. Le abbiamo bevute; 14. L'abbiamo guardata.

② **Mirafiori dà l'esempio**: *L'ha conquistato*; 1. Li hanno ridisegnati; 2. L'hanno ridotto; 3. L'hanno ridotta.
Quaranta chilometri di portici: 1. Le hanno chiuse; 2. L'ha vinto; 3. Li hanno coinvolti.
Potere ai pedoni: 1. Li hanno trasformati; 2. Le hanno eliminate.
Il centro è un mall all'aperto: 1. L'hanno pianificata; 2. Li hanno chiusi; 3. L'hanno trasformata; 4. Li hanno introdotti; 5. Li hanno creati.
Unica al Sud: 1. L'hanno liberata; 2. Li hanno creati; 3. Le hanno individuate.

③ **Possibile traduzione:** Ho iniziato la giornata a Campo de' Fiori. Ho ordinato un espresso in un bar e l'ho bevuto al banco come fanno i romani, poi ho comprato frutta fresca al mercato e l'ho mangiata camminando in direzione del Foro Romano per una full immersion nella vita antica. Da lì sono andato alla Bocca della Verità. La prima volta che l'ho vista è stato nel film *Vacanze Romane*, ma ho voluto vederla dal vero. A questo punto avevo un po' fame, così sono tornato nella zona di Piazza Navona per pranzare da Baffetto, che è conosciuto come la migliore pizzeria in città. La pizza era eccellente e l'ho pagata molto poco. Era giunto il momento di andare a Trastevere. Amo le sue strade e le ho percorse molte volte. Sono andato anche alla Chiesa di Santa Maria in Trastevere, l'ho visitata molte volte prima, ma è sempre bello tornarci. Posso dire lo stesso per la Basilica di San Pietro. Ci sono orde di turisti, ma c'è anche la Pietà, la bellissima statua di Michelangelo: l'ho ammirata ancora una volta... Bisognoso di una passeggiata, sono andato a Villa Borghese. Il parco è bellissimo e la Galleria Borghese è assolutamente incredibile. Non l'ho vista questa volta, ma vale la pena visitarla. Prima di cena ho preso un Campari con olive al Caffè della Pace, vicino a Piazza Navona. L'ho bevuto seduto ad uno dei tavoli fuori. Infine, ho cenato da Gusto, e ho trovato il cibo semplice ed eccellente, come sempre.

LE PARTICELLE PRONOMINALI CI *E* NE

(A) In questa cosa: 5; in questo luogo: 1; a questa cosa: 2; a questo punto: 3; per esprimere possesso: 6; con questa cosa: 4.

(B) I pronomi diretti *mi* e *ti* si mettono prima della particella *ci*, mentre il pronome diretto *li* si mette dopo. In quest'ultimo caso *ci* diventa *ce*.

(C) da una caratteristica della cravatta: 4; delle cravatte: 1 e 2; di una cravatta in particolare:
3. 1. He picks an ochre one. 2. He then considers a dark green one. 3. He feels the ruggedness of its texture. 4. He is unpleasantly surprised by it.
In inglese non si usa una particella pronominale. La particella *ne* viene resa dall'indefinito *one*, dal pronome neutro *it* preceduto dalla preposizione *by*, o dal possessivo, a seconda del significato di *ne*.

ESERCIZI

(1) 1. *Ce la fanno volentieri*; 2. ce lo troviamo; 3. ce lo mettono; 4. ne ha una sola; 5. ce ne mettono molto; 6. ne mangiano uno o due; 7. ce lo inzuppano; 8. ne mangiano alcuni.

(2) ci pensiamo (a questa cosa); ce ne sono (qui di pedoni); ci sembra (a noi); ci fermiamo (pronome riflessivo di prima persona plurale); ragionarci sopra (su questa cosa).

(3) 1. ***Ci** mettiamo un pizzico di allegria. Dove? In che cosa? Nella preparazione.* 2. **Ci** scambiamo due chiacchiere. *Con chi? Con il vicino di carrello.* 3. Al bar: quando **ci** entriamo salutiamo il barista. *Dove? Nel bar.* e risalutiamo quando **ne** usciamo. *Da dove? Dal bar.* 4. Con gli amici ci scriviamo sms senza simboli o abbreviazioni. *Con chi? Con gli amici, tra di noi.* 5. Evitiamo di far**ne** due contemporaneamente. *Di cosa? Di cose fatte contemporaneamente.* 6. Evitiamo di iscriver**celi**. *Chi? I nostri figli. A che cosa? A una scuola o a una palestra. 7. Non **ne** scriviamo troppi. Di che cosa? Di appuntamenti.* 8. Non ci corriamo. *Dove? Al supermercato.* **Ne** abbiamo abbastanza. *Di che cosa? Di cibo.* 9. Ogni tanto ci andiamo. *Dove? Nel negozio.* **Ne** risparmieremo molto. *Di che cosa? Di tempo.* 10. **Ne** evitiamo qualcuno. *Di che cosa? Di viaggi* Ci rimaniamo per godercela. *Dove? Nella nostra città.*

(4) ci; ci; ci; ne; ci; ne; ne; ne; ne; c'; ci.

(5) distrarmi; mi spinse; li tagliai; mi preferì; ci ha mai guardato; l'avessero; capirmi; mi gettò; la vuole; mi voleva; gli negai; vi basta; mi odiate; mi avete.

I VERBI PRONOMINALI

A Risposta libera.

B Le forme *vattene* e *se la intendono* sono rispettivamente un imperativo e un presente indicativo. L'infinito dei due verbi è *andarsene* e *intendersela*. I significati dei tre verbi sono rispettivamente: *Va' via, arrabbiarsi, hanno un accordo segreto*.

ESERCIZI

1 **tornarsene**: tornare; **farla lunga**: dilungarsi; **per dirla tutta**: per essere sinceri; ***importarsene***: dare importanza; **morirsene**: morire; **rimanersene**: rimanere; **saperci fare**: essere in gamba, bravi; **pensarla**: giudicare, avere un'opinione; **godersela**: divertirsi; **mettercela tutta**: impegnarsi molto; **prenderci gusto**: cominciare ad apprezzare qualcosa; **prendersela comoda**: fare le cose con calma; **farcela**: riuscire a.
La forma pronominale dà maggiore forza al significato del verbo e indica la maggiore partecipazione emotiva e il modo di essere di chi compie l'azione. Per esempio: se diciamo *Avremmo dovuto rimanere un po' tranquilli a casa* esprimiamo un semplice fatto, mentre dicendo *Avremmo dovuto rimanercene un po' tranquilli a casa* esprimiamo il concetto in maniera più forte. *Morivamo dalla voglia di rivedere Roma*, già forte di per sé, lo diventa ancor di più attraverso l'uso di un verbo pronominale, sottolineando lo stato d'animo di chi compie l'azione.

2 1. smettila; 2. se la sono filata; 3. se n'è andato; 4. ci ho messo; 5. ci vuole; 6. ne posso.

5. LA PREPOSIZIONE

LE PREPOSIZIONI DI LUOGO E DI TEMPO

Preposizioni di luogo
è di Mosca: from; abita a Londra: in; lavora in uno studio di diritto internazionale: in; all'estero: abroad; è partita dalla Russia: she left Russia; è andata in Giappone: to; è andata a Tokyo: to; in tutti i Paesi ha studiato e lavorato: in; tra le sue lingue c'è anche l'arabo: among; partirà per l'Iran: for; farà un corso all'università di Teheran: at; saltare su un aereo: on; va in vacanza: on; passa per Mosca: through; sta da sua madre: at.
Preposizioni di tempo
una ragazza di 28 anni: a 28-year-old girl; abita a Londra da un anno: for; di sera e nel fine settimana: at, in; la sua giornata comincia alle sette: at; la sua giornata finisce intorno alle undici: at about; da giovanissima: when she was very young; a 18 anni: at; studiava il giapponese da due anni: for; impara le lingue in poco tempo: in; nel 2012: in; ha lavorato in Egitto per sei mesi: for; Fra tre mesi andrà in Iran: in; in gennaio andrà in Iran: in; da gennaio a luglio: from; to; deve tornare entro agosto: by; non ci penserà fino ad allora: until; va in Russia a Pasqua: at; va in Russia in estate: in.

Luogo
- l'origine (città) con il verbo *essere*: **di**
- l'origine (città) con il verbo *venire*: **da**
- la provenienza, il luogo di partenza, la distanza: **da**
- la distanza in cui un posto si trova rispetto a un altro: **a**
- la città in cui sei o in cui vai: **a**
- il Paese in cui sei o in cui vai: **in**
- il luogo in cui vai con il verbo partire: **per**

- il luogo sopra cui sei o vai: **su**
- un luogo in cui sei o in cui vai: *diverse preposizioni* (***in** un ufficio, **all'**università, ecc.*)
- una cosa o una persona in mezzo ad altre: **tra**
- un luogo attraverso il quale passi: **per**
- una persona da cui sei o vai: **da**

Tempo
- l'età esatta di una persona: **di**
- un periodo della vita di una persona: **da**
- l'età in cui una persona fa qualcosa: **di**
- un'azione che è cominciata nel passato e continua nel presente: **da**
- la durata di un'azione: **per**
- l'ora in cui succede qualcosa: **a**
- un'ora o una quantità approssimativa: **su**
- un anno: **in**
- una parte del giorno: **di**
- un momento nel futuro, la quantità di tempo che manca all'inizio di un'azione: **tra**
- il mese in cui ha luogo un evento: **in**, **a**
- l'inizio e la fine di un periodo di tempo: **da... a**
- il tempo che si impiega a fare qualcosa: **in**
- una festività importante: **a**
- una stagione: **in**, **d'**

ESERCIZI

1 a letto; a scuola; all'aeroporto; in banca; al bar; dal parrucchiere; al supermercato; in macelleria; in farmacia; al ristorante; in libreria; in palestra; a casa; dall'amica; al cinema; allo stadio.

2 *alle 6,30*, da casa; alla stazione; sul treno; a Bologna; alla fermata; all'Università; alla/in mensa; sull'autobus; a casa; alla facoltà; a 50 km.

3 nel; per; alla; al; al; alle; in; da; nel; da; da; da; dal; dai; dai; a; da; dal; nella.

4 **Possibile traduzione**: Ho volato dall'Australia agli USA via Dubai. Al mio arrivo all'aeroporto JFK sabato mattina, sono andata al mio albergo a Brooklyn, che era vicino a una stazione della metropolitana.
Viaggiare all'interno di NYC è facile. La metropolitana è molto comoda, ma preferisco camminare. È un modo fantastico di vedere le cose. Per quelli che visitano New York per la prima volta, suggerisco il Citypass NYC. Tra le cose interessanti che ho fatto in questo viaggio, ho attraversato il ponte di Brooklyn a piedi. Anche visitare gli altri quartieri era nel mio programma. Sono andata a Brooklyn, Queens e nel Bronx. Ho anche avuto la possibilità di andare alla mia prima partita di baseball. È stata un'introduzione incredibile al gioco, poiché ho avuto la possibilità di vederlo nello Yankee Stadium.
Anche l''High Line' è stata una novità per me. Una passeggiata attraverso questo parco pubblico elevato vi premierà con una vista incredibile.
Ho sempre desiderato vedere Coney Island e ho approfittato per andarci in una giornata di sole.
Parliamo di cibo. Non c'è carenza di ottimo cibo a New York. È possibile cenare in ristoranti con stelle Michelin, se volete, ma io sono altrettanto contenta di mangiare una semplice pizza, tacos o bagels. Chinatown a New York è davvero speciale. Troverete ottimo cibo a un prezzo molto ragionevole.
Shopping a New York: anche se questo non era un giro di shopping, non ho potuto resistere ai saldi da Macy.

1. In quali casi in inglese c'è una preposizione e in italiano no, e viceversa? *sabato mattina/**on** Saturday morning; **all'**interno/within; parliamo **di** cibo/let's talk food; ristoranti **con** stelle Michelin/Michelin stars restaurants; un giro **di** shopping/ a shopping trip; resistere **ai** saldi/resist the sales*
2. Qual è la differenza tra l'italiano e l'inglese riguardo la preposizione davanti ai nomi di quartiere? *In italiano si usa generalmente la preposizione "a" con i verbi di movimento e con i verbi di stato, mentre in inglese nel primo caso si usa "to" e nel secondo "in". Il Bronx rappresenta un'eccezione in italiano: si dice "vado nel Bronx", "abito nel Bronx".*

3. Quale preposizione si usa dopo la parola *introduzione*? *A*
4. A parte la preposizione di luogo corretta, cosa devi considerare quando menzioni uno stadio specifico? *Si usa anche l'articolo determinativo.*
5. Qual è la differenza tra l'italiano e l'inglese per quanto riguarda la preposizione con le parole *giorno/giornata* e *day* rispettivamente? *In italiano si usa in, in inglese on.*
6. Con quali parole hai tradotto *trip* e *agenda*, e quali preposizioni hai usato? Cosa noti? *"Giro" e "programma". Le parole "trip" e "agenda" hanno significati diversi a seconda del contesto, che si traducono con parole diverse in italiano. Per esempio, la parola "trip" si può tradurre "viaggio", "gita" (breve viaggio), "scampagnata" (trip to the country), "giro" (per esempio nell'espressione "shopping trip"), "trip" (droga)." Agenda" può significare "programma" (personale, di un viaggio ecc.), "ordine del giorno" (di una riunione), "secondi fini" (nel senso di hidden agenda)*
7. Quando utilizziamo *al ristorante* e quando invece *in un ristorante*? *Diciamo "al ristorante" per riferirci a un ristorante qualsiasi, mentre diciamo "in un ristorante" quando specifichiamo quale ristorante o che tipo di ristorante. Per esempio: "domenica vado al ristorante", ma "domenica vado in un ristirante indiano", "cenare in un ristorante con stelle Michelin", ecc.*

ALTRI USI DELLE PREPOSIZIONI A, DA, DI, CON, IN, PER

B

A

Il significato di...	Frase/frasi nel testo	Traduzione inglese
ingrediente con cui è fatto un prodotto	bagnoschiuma al mentolo gelato al pistacchio granita al limone	shower gel with menthol pistachio ice-cream lemon slush
che ha (per una cosa)	*(magliette) a maniche corte*	short-sleeved T-shirts
come, alla maniera di (per un piatto)	pasta alla Norma pesto alla trapanese	pasta Norma style pesto Trapani style
che funziona con	*barca a vela* torcia a pile	sailing boat flash light
come, nello stile di	occhiali neri alla Blues Brothers	Blues Brothers sunglasses
con lo scopo di, per	a visitare	to visit

CON

Il significato di...	Frase/frasi nel testo	Traduzione inglese
in che modo viaggiamo	con l'aereo	by plane
che ha (per una persona)	con un buon senso dell'umorismo	with a good sense of humour

DA

Il significato di...	Frase/frasi nel testo	Traduzione inglese
che ha (con persona)	*un bel tipo dai capelli neri*	*A nice dark-haired guy*
dopo una forma passiva, per introdurre chi ha compiuto l'azione	da tutti i miei amici	by all my friends
uso a cui è destinato un oggetto	teli da spiaggia abito da sera occhiali da sole	beach towels evening dress sunglasses

che vale, per indicare il valore di qualcosa	da pochi soldi	cheap
che bisogna	da assaggiare da fare	to taste to do
Come	faccia da bravo ragazzo	an angel/innocent face
per indicare una quantità esatta	cartone da 6 bottiglie	6 bottle case of wine

DI

Il significato di...	Frase/frasi nel testo	Traduzione inglese
a causa di (con un nome)	morirò di caldo	I'll die from the heat
che è fatto con (materiale)	pantaloni di lino	linen trousers
introduce il secondo elemento di una comparazione	È più simpatico di tanti ragazzi che conosco il più buono d'Italia	He's nicer than a lot of guys I know The best in Italy
per specificare (di chi, di dove o di che cosa)	Duomo di Cefalù villa romana di Piazza Armerina (i) templi greci di Agrigento (bottiglie) di vino siciliano	(the) Cathedral of Cefalù Piazza Armerina's Roman villa (the) Greek temples of Agrigento (bottles) of Sicilian wine
un argomento, un tema	parlare di politica	to talk about politics
un po' di, una certa quantità	comprare delle ceramiche	to buy (some) pottery items
di proprietà di	di mia sorella	my sister's
scritto da, composto da	scritto dal mio scrittore preferito	written by my favourite writer

IN

Il significato di...	Frase/frasi nel testo	Traduzione inglese
in che modo viaggiamo	*in treno*	*by train*

PER

Il significato di...	Frase/frasi nel testo	Traduzione inglese
metodo di comunicazione	per e-mail	by e-mail
allo scopo di (con un verbo)	per guadagnare tempo	to save time
sul punto di	sto per partire	I'm about to leave

C "Da vino" e "da fiori" si riferiscono ai due oggetti vuoti e al loro scopo di contenere rispettivamente vino e fiori, mentre "di vino" e "di fiori" significa che i due oggetti sono pieni rispettivamente di vino e di fiori.

ESERCIZI

1 di; di; in; in; da; da; a; a; di; da; da; da; per; di; da; alla.

2 1. da; 2. di/in; 3. in; 4. a; 5. a; 6. a; 7. da; 8. dal; 9. in; 10. da, di/in; 11. a; 12. in.

3 **5 settembre**: da, a, a, in, al, da, dall'; **6 settembre**: alle, da, per, a, per, a, a, da, a, ad, a, dal, per.

4 **Il Liberty:** per, dai, al; **Malga Panna**: in, in, nel, dal, della; **Al fornello da Ricci**: tra, di, a, dall', dalle, dai.

5 **Possibile traduzione: September 5th** We leave on September 5th aboard a Continental Airlines flight from Milan to Newark. After an 8-hour flight we arrive in Newark, where we manage to take the right shuttle and in a

few minutes we arrive at our hotel, the Edison, a few steps from Times Square. The view of the New York skyline is breathtaking from the airport and increases as we move closer to the city.
September 6th At six o'clock we are already wide awake. We have breakfast at Starbuck's with a big coffee and a giant muffin. To see Manhattan better we decide to visit the whole city on foot: we walk for hours, crossing Broadway and arrive in Washington Square, where the University and the Memorial Arch are. On Broadway, in Soho, we start our shopping spree, then we continue our walk on to City Hall Park, then Fulton Street and Water Street where we stop to eat. We continue on to Wall Street. From Wall Street to Ground Zero is a short stroll. Our tour then continues to Battery Park, which we walk through as far as Castle Clinton, where we take a Circle Line ferry which allows us to see the whole of South Manhattan from the sea, as well as the Statue of Liberty, Jersey City and Staten Island. After the boat trip, we return to the hotel dead tired: today we walked for nearly eleven hours!
Preposizione in italiano ma non in inglese:
a pochi passi/a few steps; dopo 8 ore di volo/after an 8-hour flight; traghetto della Circle Line/Circle Line ferry
Preposizione in inglese ma non in italiano:
il 5 settembre/on September 5th; we walk through/percorriamo

AGGETTIVI E VERBI CON O SENZA PREPOSIZIONE

A *Dedicarsi*: ***a***; *devote oneself* ***to***
preoccupato: **per**; worried **about**
decidere: **di**; decite **to**
stufo: **di**; fed up **with**
cercare: **di**; try **to**
partire: **per**; leave **for**
pronto: **a**; ready **to**
raccomandare: **di**; advise (somebody) **to**
costretto: **a**; forced **to**
difficile: ------; difficult **to**
meravigliato: **di**; amazed **at**
continuare: **a**; continue **to -ing**
facile: ------; easy **to**
cominciare: **a**; begin to **-ing**
interessato: **a**; interested **in**
rivolto: **a**; **for** (senza aggettivo)
pentirsi: **di**; regret **-ing** (senza prep.)
soffrire: **di**; suffer **from**
pensare: **a** (cose e persone); think **of**
possibile: ------; possible **to**
gentile: **con**; kind **to**
credere: **a**; believe **in**
soddisfatto: **di**; satisfied **with**
contento: **di**; happy **with**
vivere: **di**; live **on**
dipendere: **da**; depend **on**
innamorato: **di**; in love **with**
coperto: **di**; covered **with**
fare a meno: **di**; do **without**
permettere: **di**; allow **to**
sperare: **in** (con nome); hope **for**
pieno: **di**; full **of**

B Si possono usare due strutture: nome + verbo *essere* + aggettivo + *da* + verbo all'infinito, oppure verbo *essere* + aggettivo + verbo all'infinito + nome.

ESERCIZI

1 Risposta libera.

2 **Nomade**: mossi da, spinge a, obbedisce alla; **Avventuriero**: rifugge dalle, in palestra, rischia sempre di; **Edonista**: prima delle, fino all', in vacanza; **Abitudinario**: da 40 anni, di cui conosce, a memoria; **Casalingo**: costretto a, in auto, corrisponde al; **Travel chic**: da cui esce, in base al; **Pellegrino**: appassionatissimo di, decidere di.

3 **Possibile traduzione**: It was 1962 when Velo Bianchi, a motorcycle and bicycle factory in Milan, decided to diversify its production. Its owner was fascinated by automatic Coca-Cola dispensers, which arrived in Italy with American troops in the post-war period. In the U.S. there were automatic dispensers of instant coffee as far back as the end of the 1940's: why not do the same with the quintessentially Italian espresso? In 12 months, thanks to an agreement with the Swiss company Nestlé, Velo Bianchi launched the first instant coffee machines at the Milan Fair in 1963. Only a year later the first espresso coin-operated vending machines were born. And in the same year, Faema, which already manufactured machines for cafes, launched the E61 model, the first

truly automatic machine for office use. In the early 60s a coffee cost 50 lire, 10 lire more than in a cafe. But the convenience of having a coffee at your desk made the market explode.
at: alla Fiera di Milano, a portata di scrivania; **by**: affascinato dai distributori automatici; **in**: negli USA, in 12 mesi, nello stesso anno, nei primi anni '60; **of**: degli anni '40, la comodità di avere; **to**: decise di diversificare, grazie a un accordo; **with**: con l'italianissimo espresso, con la svizzera Nestlé, con le truppe americane; **for**: per i bar, da ufficio; **nessuna preposizione**: fabbrica di motociclette → motorcycle factory, macchine a monete → coin-operated machines, 10 lire in più → 10 lire more, distributori automatici di Coca-Cola → Coca Cola automatic dispensers.

6. IL VERBO

LA FORMA IMPERSONALE

A
- Sono tutti impersonali, non hanno un soggetto specifico, fanno uso del *si*.
- In alcuni si usa la terza persona singolare, in altri la terza persona plurale.
- Si usa la terza persona plurale quando il verbo è seguito da un sostantivo plurale.

B **Possibile traduzione**: English is spoken here; We clear cellars and garages; Discounts are not available in this shop; Please turn off your mobile phone; We sell books and magazines at reasonable prices; Booking is recommended; Please exit through the middle doors.
In inglese si usano principalmente la forma passiva, una richiesta cortese o la prima persona plurale.

C
- In italiano l'aggettivo che segue *essere* va al plurale.
- In inglese non c'è l'accordo dell'aggettivo e si usa la prima persona plurale.
- Sì, è una delle forme che viene sostituita dalla forma impersonale.

E I 4 gruppi sono: verbi usati in forma impersonale, verbi in cui la forma impersonale si forma con *si* + terza persona singolare, verbi in cui si forma con *si* + terza persona plurale, forma impersonale dei verbi riflessivi.
Gruppo 1: bisogna (bisognare); basta (bastare).
Gruppo 2: si diventa (diventare); si ha (avere); si chiama (chiamare); si prenota (prenotare); si desidera (desiderare); si può (potere).
Gruppo 3: si aggiungono (aggiungere); si perdono (perdere).
Gruppo 4: ci si iscrive (iscriversi); ci si collega (collegarsi).

ESERCIZI

1 Risposta libera.

2 *si canta*, si beve, si parla male l'inglese, si è fissati con la bella figura, si mangia pasta tutti i giorni, si è mammoni, si arriva sempre in ritardo, si è creativi, si viziano i figli, si è grandi amatori, non si rispettano le leggi + risposta libera.

3 Natale: si fa l'albero; si mangia il panettone; ci si scambiano i regali.
Capodanno: si brinda con lo spumante; si lanciano i fuochi d'artificio; si mangiano le lenticchie.
San Valentino: si fa una cenetta romantica; si regalano rose rosse alle donne.
Carnevale: si fanno scherzi; ci si maschera.
Festa della donna: si va al ristorante con le amiche; si regala un rametto di mimosa alle donne.
Pasqua: si mangiano le uova di cioccolata.
Festa della Repubblica: si fa una parata militare; si visitano i giardini del Quirinale, la residenza del Presidente.
Ferragosto: si fanno bagni al mare; si fa un grande pranzo all'aperto.
Tutti i Santi: si va al cimitero.

④ **Teatro:** si tiene, si vuole, si arriva, ci si siede, si entra, si aspetta, si applaude; **Cinema**: si deve, si lasciano, si utilizzano; **Autobus e metropolitana**: si lascia, si legge, si urtano, si parla, ci si soffia, si starnutisce, si deve.

⑤ 1. Ci vogliono, bisogna. 2. Bisogna. 3. Bisogna. 4. Ci vogliono. 5. Bisogna. 6. Ci vuole. 7. Ci vogliono. 8.-10. Risposta libera.

⑥ Risposta libera.

⑦ 1. non si può /deve fare, si è; 2. si è; bisogna/si deve forzare il proprio fisico; 3. bisogna/si deve entrare; 4. bisogna lasciare trascorrere; 5. non si può entrare; 6. si sa, ci si deve bagnare/bisogna bagnarsi; 7. non ci si deve allontanare/non bisogna allontanarsi; 8. non ci si deve allontanare/non bisogna allontanarsi; 9. si deve/bisogna evitare di tuffarsi; 10. si deve/bisogna recare; non si possono portare; non si possono montare, non si possono accendere, non si può campeggiare.

⑧ 1. bisognava; 2. occorre, bastano; 3. basta; 4. conviene; 5. nevica; 6. succede.

⑨ 1. *La televisione non c'era e si ascoltava la radio del vicino benestante*; 2. durante la settimana non si aveva né tempo né soldi per divertirsi; 3. Si utilizzava il sabato a seconda delle proprie possibilità economiche; 4. Si giocava a ramino, a bocce, a scala quaranta e a mercante in fiera; 5. Non sempre si poteva andare a teatro o al cinema, perché costavano, così ci si riuniva in casa a ballare con i dischi che andavano per la maggiore; 6. Operai e impiegati avevano il dopolavoro; 7. In campagna, a dispetto dei luoghi comuni, non si andava a letto con le galline; 8. In campagna d'estate si ballava sull'aia, d'inverno, invece, soprattutto in Lombardia, Emilia e Toscana, si andava "a veglia": ci si riuniva dopo cena nelle stalle o nelle grandi cucine, dove gli adulti facevano piccole riparazioni, le madri cucinavano, i più anziani raccontavano storie; 9. Alle otto di sera, quando iniziavano i programmi musicali, ci si riuniva nei cortili o nelle case di chi possedeva una radio; 10. Nel 1927 si decise di trasmettere in diretta le cronache delle partite di calcio; 11. Fu allora che si tentò con ogni mezzo di ottenere un apparecchio in dono e l'esenzione dal canone; 12. Si partecipava alle adunate tra le 14:30 e le 16; 13. Si trascorreva la domenica nel segno della bicicletta; 14. Ci si dava ai divertimenti più moderni, come il ballo e il cinema.

⑩ **Possibile traduzione**:
When feet were the main means of transport
Even if one saw fewer of them at that time than the number of cars on our roads today, shoes were the main mode of transport during the Fascist era. "What time does the train leave?". Once to find out you had to walk to the station. "Where is that file?". Before e-mail and telephones, in offices and factories people ran up and down the stairs from one department to another.
Going to the cathedral in slippers. Farmers used simple clogs, but for everybody else shoes, like cars today, were a status symbol. Galoshes were used to protect them, but as gravel, mud and pebbles ruined the poor shoes anyway, the cobbler was a much respected profession. So, instead of the service station, we stopped by street shoe-shine boys.

⑪ **Possibile traduzione**:
Quando si è presentati a un italiano, si dovrebbe dire *buongiorno* e stringere la mano. *Ciao* si usa tra amici intimi e tra giovani, ma non è considerato educato quando ci si rivolge agli estranei a meno che non lo usino per primi. Le donne possono trovare che alcuni uomini gli baciano la mano, anche se questo è raro al giorno d'oggi.
Quando ci si presenta a qualcuno in una situazione formale, è comune dire *molto lieto*. Quando si saluta per andarsene, si dovrebbe stringere di nuovo la mano. È anche consuetudine dire *buongiorno* o *buonasera* quando si entra in un piccolo negozio, in una sala d'attesa o in un ascensore, e *buongiorno* o *arrivederci* (o, quando ci si rivolge a una sola persona, *arrivederla*) quando si va via (gli amici dicono *ciao*).
I titoli si dovrebbero utilizzare quando ci si rivolge o si scrive a qualcuno, in particolare quando si tratta di una persona anziana. *Dottore* di solito si usa quando ci si rivolge a chiunque abbia un diploma universitario (*dottoressa* se si tratta di una donna). Ai professionisti ci si dovrebbe rivolgere con il loro titolo, come *professore, dottore, ingegnere, avvocato* e *architetto*.
Se non si conosce il titolo di qualcuno, è possibile utilizzare *signore* (per un uomo) o *signora* (donna); a una giovane donna ci si può rivolgere con il titolo *signorina*, anche se oggi si tende a rivolgersi a tutte le donne con *signora*.
Schema: forma passiva (is *used*); gerundio (*addressing*)

I VERBI CON COSTRUZIONE INDIRETTA

A
- italiano: il gelato; inglese: Stella.
- Indiretto in italiano (a Stella), diretto in inglese (ice-cream).
- In italiano concorda con la cosa che piace, in inglese concorda con la persona a cui piace la cosa in questione.
- Generalmente dopo il verbo in italiano, prima del verbo in inglese.

B Risposta libera.

C bastare: essere sufficiente; dopo il verbo; ti; due ruote.
interessare: suscitare interesse; dopo il verbo; mi; lo sport
piacere: suscitare piacere; prima del verbo; mi; la mia pelle
restare: rimanere; dopo il verbo; ci; piangere
mancare: avere nostalgia; parte del verbo (coniugato nella seconda persona singolare); mi; tu
servire: essere utile; prima del verbo; mi; gli amici
stare: presentarsi in un certo modo; prima del verbo; ti; occhiali
andare: aver voglia; prima del verbo, sottinteso: (di essere) romantica; ti; (essere) romantica

D In italiano usano un oggetto indiretto dove l'inglese usa un soggetto; generalmente in italiano il soggetto segue il verbo (ma non sempre) mentre in inglese lo precede; in italiano il soggetto determina se il verbo è coniugato nella terza persona singolare o plurale.

ESERCIZI

1 Risposta libera.

2 1. *ti va*, ti serve; 2. ti serve; 3. ti serve, ti interessano; 4. ---; 5. ti mancano; 6. ---; 7. ti servono; 8. ti piace, ti servono; 9. ti va, piacciono, ti serve.

3 le piacciono, le sta, le basta, le mancano, gli resta, restano, le interessa, le interessa, le servono, le va, le piace.

4 1. A lui interessano le lingue, a me no; 2. a me manca; 3. mi servono indicazioni... 4. gli piacciono il teatro...; 5. mi interessa...; 6. gli/a lui piacciono... a me basta restare...; 7. gli piace stare...; 8. ci piace il cinematografo; 9. mi serve un po'...

5 **Possibile traduzione:**
1. Se vi piace viaggiare in estate, ricordatevi che la temperatura può essere molto calda e umida. Se non vi piacciono le grandi folle, evitate il mese di luglio. 2. Qualche volta tenere d'occhio la borsa non basta ... Se vi interessa vedere il Vaticano, ricordatevi che ci va l'autobus n. 64, che è noto per i borseggiatori e gli scippatori. Portate solo i soldi che vi bastano per la giornata... 3. Se avete bisogno di/vi serve cambiare i soldi, ricordatevi che alcuni cambiavalute possono addebitare una commissione superiore al 10 %. Chiedete prima! 4. Se avete bisogno di/vi serve un taxi, ricordatevi che Roma, come molte grandi città, è tristemente nota per le tariffe esorbitanti per i turisti. Circolano anche molti taxi illegali: prendete sempre un taxi che è registrato e ha un tassametro. 5. I taxi dagli aeroporti possono essere estremamente costosi. Se non avete voglia di/volete spendere troppi soldi, ci sono mezzi pubblici per il centro della città da entrambi gli aeroporti. 6. Per la strada potreste incontrare venditori ambulanti, guide turistiche non autorizzate, gladiatori in costume. 7. Alcuni venditori ambulanti possono essere convincenti. Se non vi interessa quello che offrono, andate oltre! 8. Se vi piace la cucina italiana, non date per scontato che ogni ristorante a Roma offra uno standard elevato. Chiedete alla gente del posto. 9. Se avete voglia di visitare Roma a piedi, che è il modo migliore di vederla, portate scarpe comode. Non preoccupatevi se non vi stanno bene! 10. Se avete bisogno di/vi serve dell'acqua, portate una bottiglia con voi e riempirtela in una delle numerose fontane. 11. Se vi manca il tè, fatelo voi! Se vi mancano uova e pancetta ... buona fortuna!
Dopo tutti questi avvertimenti, non vi resta che godervi questa magnifica città.

I TEMPI PASSATI DELL'INDICATIVO

A Contrariamente all'inglese, in italiano si usa un tempo per parlare di azioni concluse (passato prossimo) e un tempo per descrivere nel passato (imperfetto). I verbi che sono tradotti al passato prossimo si formano con *avere* o con *essere*.

B Nel testo della canzone si usa il *present perfect*, che in italiano si rende sempre con il passato prossimo.

C
Passato prossimo: è stata scorporata, ha iniziato, sono state messe.
Imperfetto: era, rendeva.
Passato remoto: comparvero, propose, venne.
Trapassato prossimo: aveva incorporato.
1. passato remoto; 2. passato prossimo; 3. trapassato prossimo; 4. imperfetto.

D Un'azione cominciata nel passato ma che ha effetti sul presente perché non è definitivamente conclusa nel momento in cui si parla: passato prossimo; *present perfect*.
Un'azione definitivamente conclusa e avvenuta in un momento specifico in un passato più o meno recente: passato prossimo; *past simple*.
Un'azione definitivamente conclusa e avvenuta in un passato lontano: passato remoto; *past simple*.
Un'azione o evento passato che si verifica per la prima volta: passato prossimo; *past simple*.
Una descrizione nel passato: imperfetto; *past simple*.
Un'azione passata avvenuta prima di un'altra azione passata: trapassato prossimo; *past perfect*.

ESERCIZI

1 *sono nato*; erano arrivati; erano; faceva; avevo; era; avevo; sono stato iscritto; sapevo; avevano; cambiava; avevano; si sforzavano; firmavano; incorniciava.
Un'azione passata avvenuta prima di un'altra azione, sempre nel passato: erano arrivati.
Un'azione avvenuta in un momento preciso nel passato: sono nato; sono stato iscritto.
Una descrizione nel passato: ora: erano le due di notte.
Una descrizione nel passato: condizioni atmosferiche: faceva freddo.
Una descrizione nel passato: età, aspetto fisico e personalità: avevo molti peli sulle braccia; avevo sei anni; avevano le dimensioni di un quaderno.
Azione continuata nel passato: era (presidente), sapevo.
Abitudine o azione ripetuta nel passato: cambiava; avevano il compito; si sforzavano; firmavano; incorniciava

2 1. passato prossimo; 2. imperfetto; 3. imperfetto; 4. imperfetto; 5. passato prossimo; 6. imperfetto; 7. passato prossimo; 8. imperfetto; 9. passato prossimo; 10. imperfetto; 11. imperfetto.

3 *hanno smascherato*; si erano specializzati; riuscivano; sono avvenuti; sono riusciti; portavano; sono finite; era iniziata; avevano ricevuto.

4 *Si è spento*; aveva; diede; ho realizzato; sembrava; pronunciò; fu; era; costruirono; emigrò; rimase.

5 Uscivano; è iniziata; avevano iniziato; sono rimasti; sono riusciti; è stato inviato; ha imbarcato; hanno trovato.

6 partì; esercitava; venivano; dovevano; era; amava; tentò; decise; chiese; si presentò; c'erano; si moltiplicarono; producevano; fu; aggiunse; registrò.

7 ha ricevuto; l'hanno sorpresa; spazzolava; ha definito; ha insistito; aspettava; si sono fermati; lasciava; ha detto; ho incontrato.

8 **Possibile traduzione:**
Nel 16° secolo la città di Firenze celebrava il periodo tra l'Epifania e la Quaresima con un gioco che oggi è

conosciuto come "calcio storico" in Piazza Santa Croce. I giovani aristocratici della città si vestivano con raffinati costumi di seta e prendevano parte a una forma violenta di calcio. Ad esempio, i giocatori di calcio potevano dare pugni e calci agli avversari. I colpi sotto la cintura erano autorizzati. Nel 1580 il conte Giovanni de' Bardi di Vernio scrisse il *Discorso sopra 'l giuoco del Calcio Fiorentino*. Si dice a volte che questo sia il primo regolamento di una partita di calcio. Il gioco smise di essere praticato dopo il gennaio 1739 (fino a quando non fu ripreso nel maggio 1930).

I VERBI MODALI E I VERBI CONOSCERE *E* SAPERE*: PASSATO PROSSIMO O IMPERFETTO?*

A Il passato prossimo indica che l'azione è effettivamente avvenuta, mentre l'imperfetto indica che non è avvenuta o che non si sa se sia avvenuta. In inglese la differenza non si esprime con un tempo diverso, ma spesso con un verbo diverso: dovevo: *I was supposed to*; ho dovuto: *I had to*; potevo: *I was allowed*; ho potuto: *I was able to/I could*; volevo: *I wanted*; ho voluto: *I wanted*; conoscevo: *I knew*; ho conosciuto: *I met*; sapevo: *I knew*; ho saputo: *I heard*.

ESERCIZI

1 voleva; ha potuto; ha trovato; ha dovuto; voleva; ha accettato; è entrata.

2 è arrivata; conosceva; sapeva; andava; ha conosciuto; ha potuto; ha saputo.

3 *volevo; avevo*; ho portato; ho accompagnato; è dovuto; ho fatto; sono andata; era passato; sono andata; era rimasto; sono andata; aveva telefonato; avevo; sono andata; ho portato; siamo tornati; erano; avevano; abbiamo potuto; giocavano; ho preparato; ho dovuto; aveva preparato; ho ripreso; avevo cominciato; ho letto; mi sono addormentata.

LA SCELTA DELL'AUSILIARE NEI TEMPI COMPOSTI: AVERE O ESSERE?

A

	ESSERE	ESEMPI	AVERE	ESEMPI	DIFFERENZA DI SIGNIFICATO
verbi transitivi (seguiti da un oggetto diretto)			✓	*ho passato la giornata* abbiamo preso il treno abbiamo fatto uno spuntino/una passeggiata/un giro aveva prenotato abbiamo bevuto un ottimo aperitivo	
verbi riflessivi	✓	ci siamo alzati ci siamo resi conto ci siamo addormentati			

la maggior parte dei verbi intransitivi (senza oggetto diretto): • movimento • cambiamento • stato	✓	siamo stati siamo arrivati siamo andati siamo usciti siamo saliti è venuto siamo tornati siamo corsi siamo riusciti siamo entrati			
verbi impersonali	✓	ci è piaciuta			
verbi modali (seguiti da un altro verbo all'infinito)	✓	siamo dovuti passare	✓	avevamo voluto visitare	i tempi composti dei verbi modali usano l'ausiliare richiesto dal verbo che li segue
alcuni verbi con doppio ausiliare (valore transitivo con avere e intransitivo con essere)	✓	è cominciata	✓	abbiamo finito	se sono seguiti da un oggetto formano il passato con avere, altrimenti lo formano con essere
Verbi che descrivono condizioni atmosferiche (senza cambiamento di significato)	✓	era nevicato	✓	ha piovuto	

ESERCIZI

1 è; ho; avevo; ho; abbiamo; è; è; siamo; abbiamo; siamo; siamo; siamo; ho; era; ho; ha; ha; ha; ho; ho.

2 **Possibile traduzione:**
1. La popolazione della Lettonia è diminuita di 340.000 abitanti negli ultimi 12 anni. 2. Ho diminuito il volume della musica. 3. Ho appena finito la quarta serie di *Doctor Who*. 4. La quarta serie di *Downton Abbey* è finita ieri: che peccato! 5. È cominciata con un bacio (ma il titolo italiano del film è Cominciò con un bacio). 6. Come hanno cominciato: come 25 buone idee sono diventate grandi aziende. 7. La tecnologia ha cambiato la comunicazione? 8. Londra è cambiata molto negli ultimi 20 anni. 9. L'economia è migliorata? 10. Ho migliorato il mio inglese. 11. Quanto tempo è passato? 12. Avete passato l'esame?

3 *si è licenziato*; ha; sono; siamo; hanno; è; ero volato; era; sono; era; ha; è.

4 è cominciata; è partita; ha lasciato; è stato; ha saputo; è stato; è stato; è stato; è reso; è messo; ha sfidato; ha vinto; ha legato; hanno visto; è stato; è partito.

COME ESPRIMERE IL FUTURO: IL PUNTO DI VISTA NEL PRESENTE

A 1. Sto per cambiare vita; I'm about to start a new life.
2. In settembre comincerò un nuovo lavoro; I'm starting a new job in September.
3. Sarà impegnativo; I twill be demanding.
4. Vado in Sardegna e parto questo fine settimana; I'm going to Sardinia and I'm leaving next weekend.
5. Avrà altri progetti; She'll have other plans.
6. Vorrà risparmiare; She'll want to save money.
7. Andiamo con il traghetto da Civitavecchia; We are travelling by ferry from Civitavecchia.

8. Il traghetto parte alle 8 del mattino; The ferry leale at 8am.
9. Ci alzeremo presto; We will get up early.
10. Dormiremo; We will sleep.
11. Gireremo il sud dell'isola il più possibile; We are going to tour the south of the island as much as possible.
12. Andremo a Cagliari, a Villasimius...; We are going to go to Cagliari, Villasimius...
13. Faremo tantissimi bagni, prenderemo il sole, mangeremo un sacco di pesce e berremo il Vermentino; We will swim a lot, we will sunbathe, we will eat a lot of fish and we will drink Vermentino.
14. Ci sarà il sole; It will be sunny.
15. Quando tornerò a casa; When I return back home.
16. Lavorerò sodo; I will work hard.
17. Quando comincio il nuovo lavoro; When I start the new job.
18. Se tutto andrà bene; If all goes well.
19. Tornerò all'università; I'm going to go back to university.
20. Se tutto va; If everything goes.

B **Azione relativa a orari, programmi, ecc.:** *presente (indicativo)*; *presente (indicativo)*.
Intenzione e progetti per il futuro: futuro semplice indicativo; futuro con *to be going to*.
Azione già decisa e programmata: presente indicativo o futuro indicativo; futuro con *be + -ing*.
Azione futura: futuro semplice indicativo; futuro con *will*.
Azione che è sul punto di succedere: stare per; *be about to*.
Previsioni: futuro semplice indicativo; futuro con *will*.
Supposizioni, dubbi, ipotesi: futuro semplice indicativo; futuro con *will*.
Promesse: futuro semplice indicativo; futuro con *will*.
Dopo "quando"/"when": presente indicativo o futuro semplice indicativo; presente indicativo.
Dopo "se"/"if": presente indicativo o futuro semplice indicativo; presente indicativo.

ESERCIZI

1 **Possibili risposte:**
1. Domenica non posso e nemmeno sabato pomeriggio. Ti va bene se ci andiamo sabato sera? Nel pomeriggio faccio/farò una passeggiata con una mia amica, va bene se viene anche lei?
2. Intorno all'ora di pranzo passa/passerà il corriere. Se pranziamo un po' più tardi posso venire.
3. Alle 7 vado in piscina, ti va bene subito dopo, intorno alle 8/8:30?
4. Mi dispiace, non posso perché faccio pilates dalle 18:00 alle 19:00.
5. Nel pomeriggio faccio/farò una passeggiata con una mia amica, va bene se viene anche lei?

2-3 Risposta libera.

4 1. avrà, seguirà; 2. sono, richiamo; 3. parto, vieni; 4. arriverà; 5. sto uscendo, faccio/farò; 6. sto per partire, venite/verrete; 7. sarà, chiameranno, potranno, richiamerà; 8. sto per esplodere.

5 Risposta libera.

COME ESPRIMERE IL FUTURO: IL PUNTO DI VISTA NEL PASSATO

A **Possibile traduzione:**
Ever since I was little I always had a very ordinary idea of what I wanted to be. I would be a mother and a doctor and I would live in Kentucky. But in reality I always knew I would be famous.
Futuro nel passato: condizionale presente; condizionale passato.

ESERCIZI

1 Risposta libera.

2 Risposta libera. Le frasi 3 e 5 richiedono l'uso della forma di cortesia.

3 Risposta libera.

4 avrei raccontato; ci saremmo trovate; saremmo andate; avremmo indossato; avrebbe fatto; avrebbe dovuto; sarebbero costati.

5 1. sarebbero mancati, sarei vissuta/avrei vissuto, avrei fatto; 2. avrei capito, avrebbero parlato; 3. sarebbe sembrato, mi sarei sentita, sarebbe stata; 4. sarei stato, avrei trovato; 5. sarei dovuta, sarebbero finite, sarebbe cominciata, avrei avuto, sarebbero durate, avrebbero potuto.

6 **Possibile traduzione**: Giampiero's reasons were the clearest. His father was a notary, he would become a notary. At school he had never done either well or poorly. He did not care about it- he was not crazy about any subject - but he was realistic. Doing badly at school would not be a good thing. It would mean a reduction in funds from his parents.
Paolo would have liked to study philosophy and wanted to go to Pisa's Scuola Normale. He enrolled in the selection, easily passed the written exams, but did not turn up for the oral examination. Paolo tried to explain to us why he had decided to study law. This - he said - would give him the opportunity to study moral philosophy, which he had always wanted to do, from a practical point of view. He would graduate with a dissertation in philosophy of law on the relationship between law and morality.
I had always loved animals ever since I was little, and ever since I was little I declared that I would become a zoologist and a hunter of wild beasts. In both cases, I would have the opportunity to take care of animals. The real turning point, however, was *The Ring of King Solomon* by Konrad Lorenz. Around thirty years ago I would not have needed to explain who Konrad Lorenz was or what was *The Ring of King Solomon*, because they were both very popular, I'd say even fashionable. Today, few remember them.

7 Non tutte le forme di condizionale passato nei brani esprimono il futuro nel passato. Quelle che esprimono il futuro nel passato in inglese si traducono con il condizionale presente, mentre quelle che esprimono un fatto o un desiderio che non si è realizzato si rendono al condizionale passato come in italiano.

INDICATIVO O CONGIUNTIVO?

A
- Anche se non c'è una ragione...
- *Il mio uomo ideale ha...*
- ...se mi aiuta in casa.
- Deve camminare volentieri...
- È meglio se parla...
- Deve amare i cani.
- Forse quest'uomo non è stato inventato; secondo voi ho qualche speranza?
- Se lo trovo...

B In italiano il congiuntivo si coniuga, mentre in inglese esiste in un'unica forma (infinito senza *to*).

C
- dipendente
- indipendente

D
- Although there is no reason
- On condition that he helps me in the house!
- He must like walking
- It is preferable that he speak(s) some English
- It is absolutely essential that he like(s) dogs
- I don't know if this man has been born yet; Do you think I have any hope?
- Should I find him

ESERCIZI

1 1. a condizione che; 2. qualcuno che; 3. nonostante; 4. vuoi; 5. prima che; 6. non saprei dirti; 7. per evitare che; 8. dovunque.

2 1.b; 2.d; 3.a; 4.c.

3 Dubbio: 7, 3
Esortazione: 1, 4
Esclamazione: 5, 8
Desiderio: 2, 6

4 1. corretta; 2. corretta; 3. sbagliata (*comincino*: dopo "prima che" si usa il congiuntivo); 4. sbagliata (*sono*: "mi hanno detto che" introduce un fatto oggettivo); 5. corretta; 6. sbagliata (è: dopo "anche se" si usa l'indicativo); 7. corretta; 8. corretta; 9. corretta; 10. sbagliata (*che ci abbiano dato*: i verbi e le espressioni che esprimono uno stato d'animo richiedono il congiuntivo; *perché ho*); 11. sbagliata (*succeda*: dopo "qualunque" si usa il congiuntivo).

5 1. studiano; 2. serva, sono; 3. si iscrivano, vada; 4. è, resistono; 5. vogliano, fanno; 6. venga; 7. sono; 8. sia, rimane.

6 si trova; ci fosse; avevano detto; avevano preso; facessi; passava; erano; passasse; era; ero; ho messo; abbia mai avuto; accada.

7 1. Sebbene non ci fosse una ragione ero ancora single... 2. Cercavo un uomo sincero che non mi tradisse con la prima che passa! 3. Volevo un uomo che avesse tanti interessi simili ai miei. 4. Gli avrei preparato i miei manicaretti, a condizione che poi lui mi aiutasse in casa! 5. Era importante che fosse socievole e che avesse molti amici. 6. Non pretendevo che fosse ricco, ma esigevo che non fosse avaro. 7. Bisognava che camminasse volentieri. 8. L'uomo dei miei sogni era contento che io avessi un lavoro che mi piaceva. 9. Era preferibile che parlasse un po' di inglese. 10. Era assolutamente essenziale che amasse i cani. 11. Non sapevo se quest'uomo fosse già stato inventato e dubitavo che potesse avere tutte queste qualità...

8 fossero; sorgesse; erano; uscisse; chiamassero; serviva; seguisse; girava; applaudisse; facesse; speravano.

9 viene; è; è; sa; scomparirà; rimarrà; sia; sta; sono; usino; ha fatto; avessi; avevo.

10 ricevessimo; scommettessero; contenesse; fosse; abbiano pubblicato; avesse trovato; si degni.

11 **Possibile traduzione**: 1. Avreste forse indovinato che mia mamma e mio papa non vivono insieme, a meno che non pensiate che mio padre sia il tipo di persona a cui non importa che la moglie abbia dei fidanzati. 2. Sono contento che ci siano cose che non sapete e che non potete indovinare, cose strane, cose che sono successe solo a me in tutta la storia del mondo, a quanto ne so. 3. A volte non importa con chi si parla, purché si parli.
4. Mia mamma non voleva che io stessi sempre con Alicia. "Pizza Express e il cinema. Che ne dici?" "No, non ti preoccupare", dissi, come se lei fosse gentile con me e mi stesse offrendo qualcosa.

IL CONGIUNTIVO NEL PERIODO IPOTETICO

A 1. Ma se un posticino domani cara io troverò, di gemme d'oro ti coprirò! (realtà)
Se potessi avere mille lire al mese, sarei certo di trovar tutta la felicità! (possibilità)
Ma se questo sogno non si avverasse, il ritornello canterò! (possibilità)
2. Ma se un posticino domani cara io trovassi, di gemme d'oro ti coprirei!
Se potrò avere mille lire al mese, sarò certo di trovar tutta la felicità!
Ma se questo sogno non si avvererà, il ritornello canterò!
3. b.

SOLUZIONI

ESERCIZI

1 Risposta libera.

2 1. conoscerei, 2. indosserei, 3. sarei, 4. guiderei. La seconda parte della risposta è libera.

3-6 Risposta libera.

7 *Se avesse sentito la sveglia, non avrebbe dovuto alzarsi di corsa /non si sarebbe dovuto alzare di corsa*; se non fosse uscito di casa troppo tardi, non avrebbe perso l'autobus; se non si fosse alzato tardi avrebbe fatto colazione a casa; se ne avesse avuto il tempo sarebbe andato al bar; se non fosse arrivato in ritardo, non l'avrebbe trovato chiuso; se non avessero avuto tutti il telefono staccato avrebbe potuto parlare con qualcuno; se avesse controllato il telefonino prima di uscire di casa se ne sarebbe accorto; se non fosse stato distratto come al solito, non avrebbe perso la mattinata.

8-10 Risposta libera.

11 1. *sparirebbe*; resterebbe; avrebbero; vorrebbero; diventerebbe; 2. potrebbero; chiuderebbero; sparirebbero; ci sarebbe; sarebbe; avrebbero; crollerebbe; si scoprirebbe; aumenterebbero; *si ridurrebbe*; 3. esistesse; 4. esisterebbero; 5. dovrebbero; sarebbe; vivrebbe; diminuirebbe.

I SIGNIFICATI DEL GERUNDIO IN ITALIANO

A **funzione progressiva** (*stare* + gerundio): 1
funzione durativa intensiva: 4
causale (*siccome*...; perché succede qualcosa): 3, 8
concessivo (*anche se*...): 2
consecutivo (*quindi*...; le conseguenze di qualcosa): 5
ipotetico (*se*... esprime un'ipotesi): 9
modale (come? In che modo succede qualcosa): 6
temporale (*quando, mentre*...): 7
Anche l'inglese in questi casi usa il gerundio. Generalmente quando il gerundio si usa in italiano, lo si trova anche nel corrispondente inglese. Le cose cambiano nel caso contrario, cioè in molti casi in cui il gerundio si usa in inglese non si usa invece in italiano.

ESERCIZI

1 **causale**: 1, 7; **concessivo**: 3, 9; **consecutivo**: 4, 8; **ipotetico**: 10; **modale**: 2, 5; **temporale**: 6.

2 1. Siccome gli appartamenti in affitto costano un occhio della testa... 2. Siccome in Italia non c'è... 3. Se vogliono lavorare... quindi non se la sentono... 4. Siccome vivono... 5. Siccome guadagnano poco e non pagano le spese... 6. Quando escono... 7. Anche se hanno... quindi dipendono...

3 1. Volendo festeggiare...;2. Avendo contattato il locale; non avendoci pensato...; 3. Sedendomi...; 4. Scrivendo; venendo...; 5. Avendo accettato; pur preferendo...; 6. Volendo andare...

4 1. vanno aumentando; 2. si vanno allungando; 3. va peggiorando; 4. si va riempiendo; 5. va dicendo; 6. va acquistando; 7. vanno prescrivendo; 8. va spifferando; 9. vanno perdendo; 10. vanno guadagnando.

5 accogliendo; sta crescendo; si sta adattando; dando; mantenendo; condividendo.

6 *Essendo nato*; avendo studiato; parlandolo; avendo; avendo frequentato; cercando; essendo; avendo ereditato.

QUANDO NON SI USA IL GERUNDIO IN ITALIANO

A

ITALIANO NO	INGLESE SÌ
Dopo il verbo *preferire* [(pur preferendo) stare sdraiata]	Although I prefer lying on a beach They prefer going to the sea
Dopo una preposizione (a prendere il sole, si finisce per fare)	Sunbathing One ends up doing
Quando un verbo è il soggetto della frase (Fare un lavoro sedentario)	Doing a sedentary job
Un'azione già programmata nel prossimo futuro (Non vado in montagna da sola)	I'm not going to the mountains...
Al posto di una frase relativa (Che faceva la spesa)	Doing the shopping

B

STRUTTURA ITALIANA	STRUTTURA INGLESE	VIGNETTE
preposizione + infinito	preposizione + gerundio	1, 5, 8
verbo + preposizione + infinito	verbo + gerundio	2, 4, 6
senza + infinito	*without* + gerundio	3
aiutare + *a* + infinito	*help* + gerundio/infinito	7

ESERCIZI

1 2. che canta; 3. essendo; 5. ordinare; 8. mangiano; 9. perdere.

2 avere; fiorire; che usano; che vivono; informare; fornendo.

3 di essere; parlano; fare; seguire la moda; flirtare; di essere; di trasferirvi; di andare; a studiarla; di mangiare.

4 1. vederti attraverso gli occhi degli altri; 2. *stai pensando di scegliere*, ti stai indirizzando; 3. che offrono; 4. di disperdere; 5. aver raccolto, stanno facendo, a frequentare.

5 *sentendo*; provenire; rimanere; camminando; passando; andare; muoversi; stavo sognando; stava succedendo; entrando; frugare; stava facendo; essere; raccogliendo; puntando; tirare; dire; essere; fare; commettere; venire; avendo.

6 *sentendo causale (poiché ho sentito)*; camminando/modale; passando/temporale (quando sono passata); stavo sognando/progressivo; stava succedendo/progressivo; entrando/temporale; stava facendo/progressivo; raccogliendo/temporale (dopo aver raccolto); puntando/modale; avendo/temporale (quando si ha).

7 1. che dormiva, si stava preparando, russare, che dormiva, di addormentarsi; 2. a scattarsi, di andare;
3. approfittando; avere ricevuto; a rintracciare;
4. aspettare, che aspetta, di perdersi, di non riuscire;
5. uccidendo, di aver visto, muoversi.

8 1. far; 2. a collezionare; 3. spalmare, di arrangiarsi, rendendoci; 4. a stupirci, entrare; 5. ad avere; 6. che cambia, seduto.

9 **Work**: quando si pensa, nel trovare, combattono, stanno entrando/si stanno inserendo, aspettare;
Meeting Places: quando escono, ridendo e bevendo, andare in un night, in un pub o prendere una pizza, a seconda di;
Free Time: ascoltando la musica, guardando film, andando in giro, facendo sport e navigando in internet, considerano importante uscire e socializzare, scegliendo.

7. LA FRASE

LA POSIZIONE DELL'AGGETTIVO: GLI AGGETTIVI IN POSIZIONE FISSA

A **Dimostrativo**: questa; **esclamativo**: poveri; **indefinito**: molte, parecchio; **interrogativo**: quale; numerale: sedici, primo, due, prima; **possessivo**: suoi.

AGGETTIVI...	NEL TESTO	IN INGLESE
di origine, nazionalità, appartenenza a un gruppo	*attore italiano* pittore e scultore futurista cineasta napoletano	Italian actor futurist painter and sculptor Neapolitan film-maker
che indicano colore	capelli scuri occhi azzurri	dark hair blue eyes
di forma e materia	scultura bronzea	bronze sculpture
che indicano la localizzazione del nome	mano destra	right hand
che derivano da un participio (presente o passato)	ciclista vincente caldo soffocante	winning cyclist stifling heat
seguiti da una specificazione	libro pieno di ricette	book full of recipes
che derivano da un nome	conduttrice televisiva programma gastronomico livello nazionale sculture sferiche spirito sportivo salita faticosa	tv presenter cookery programme national level spherical sculptures sporting spirit/sportsmanship steep climb
alterati o modificati da un avverbio	fratello più grande	older broche
ripetuti	regista bravo bravo	very good director

In inglese l'aggettivo qualificativo precede il nome a cui si riferisce. Può seguirlo se l'aggettivo è seguito da una specificazione (*book full of recipes*). Inoltre, un sostantivo può avere la funzione di aggettivo (*bronze statue*)

ESERCIZI

1 giornata più lunga; il mio ragazzo; un arredamento bianco e azzurro; la nostra giornata; il secondo giorno; una galleria ricca di quadri; un altro treno; un amico austriaco; a casa sua; un ristorante indonesiano; la biblioteca universitaria; il nostro amico; lungomare sabbioso; l'ultimo treno; tante cose; quella giornata; tutta la vacanza; beati noi!

2 mia amica; casa sua; tutti gli autisti; primo autobus; molti problemi; nessuna direzione; pochissima strada; quel tempo; pochi passeggeri; parecchio tempo; ultima fermata; casa mia; moltissime persone; faccia isterica; questo punto; giornata più faticosa.

3 brutta figura, brutta fine, brutta piega; buona dose; falso allarme; sangue freddo; anima gemella; giusta causa; grande perdita; legittima difesa; massimi livelli; ottimo stato; sesto senso; senso stretto; tacito accordo.

4 Risposta libera.

5 1. corso serale; 2. ragazza sedicenne; 3. transazione bancaria; 4. personale aeroportuale; 5. vacanze estive; 6. decorazioni natalizie/addobbi natalizi; 7. parco cittadino; 8. spettacolo pomeridiano; 9. collezione primaverile; 10. vestiti invernali; 11. stazione ferroviaria; 12. vita notturna.

LA POSIZIONE DELL'AGGETTIVO: GLI AGGETTIVI IN POSIZIONE MOBILE

A

- letterale, identificare, unico.
- conosciuta, soggettivo.
- oggettività, significato.

B **Notizie certe:** notizie sicure; **Certe notizie:** alcune notizie;
Dirigente alto: dirigente alto di statura; **Alto dirigente**: *dirigente che ha una carica importante*;
Uomo grande: *uomo grande fisicamente*; **Grand'uomo:** uomo con grandi qualità;
Amico vecchio: amico vecchio di età; **Vecchio amico:** *amico da tanto tempo*;
Famiglie numerose: *famiglie con molti figli*; **Numerose famiglie:** molte famiglie;
Donna curiosa: *donna che vuole sapere*; **Curiosa donna:** donna strana;
Uomo povero: uomo senza soldi; **Pover'uomo:** *uomo sfortunato*;
Macchina nuova: macchina appena comprata; **Nuova macchina:** *modello appena uscito o macchina che si aggiunge a quelle già possedute*;
Insegnante buona: *buona d'animo, gentile e generosa*; **Buona insegnante:** brava nel suo lavoro;
Libro bello: *bello esteticamente*; **Bel libro**: interessante, scritto bene.

Poiché l'aggettivo va prima del nome, generalmente si usano aggettivi diversi o frasi che ne chiariscano il significato. Es.: *tall manager/senior manager*; *old friend/elderly friend*; *new/brand-new car* ecc.

ESERCIZI

1 1. solo un appunto; 2. un fisico giovane di età; 3. grande nella sua immaginazione e aspirazione; 4. tipico, conosciuto; 5. alcune; 6. importante, bravo; 7. unico.

2 **Non possono cambiare posizione**: alcuni, prime, più piccola, secondo, terzo, suo, pochi, allargata, ultimo, altro, moderna.
Cambiando posizione assumerebbero un significato diverso: nota, nuova, nuovo.
Cambiando posizione non cambierebbero sostanzialmente significato: attuale, stesso, precedenti.

3 **Significato che non cambia sostanzialmente:**
limpido corso d'acqua = *corso d'acqua limpido*;
favoloso sistema = sistema favoloso;
straordinaria creatività = creatività straordinaria;
piccoli e semplici stabilimenti balneari = stabilimenti balneari piccoli e semplici
pulite acque = acque pulite
cronica mancanza = mancanza cronica
inutili perifrasi = perifrasi inutili

Significato che cambia (e come):
Svizzera Zurigo: *con 'la Zurigo svizzera' si identificherebbe Zurigo come distinta da un'altra Zurigo, in un altro Paese;*
svizzeri abitanti: con 'abitanti svizzeri' si distinguerebbero gli abitanti svizzeri da quelli di altre nazionalità;
occupata Rote Fabrik: l'aggettivo prima del nome in questo caso esprime una qualità risaputa del nome; collocandolo dopo il nome si perderebbe questa sfumatura e si indicherebbe che c'è un'altra Rote Fabrik non occupata;
svizzero Limmat: con 'Limmat svizzero' si identificherebbe il Limmat come distinto da un altro Limmat, in un altro Paese;
relativi clienti: prima di un nome, "relativo" assume il significato di "che si riferisce a una persona o cosa già nominata". Dopo il nome, significherebbe "non completo" o "che non ha un valore in sé, ma solo in rapporto ad altro";
zurighese Limmat: con 'Limmat zurighese' si identificherebbe il Limmat come distinto da un altro Limmat, in un'altra città;
dura realtà: è un'espressione fissata nell'uso.

IL SOSTANTIVO ACCOMPAGNATO DA DUE O PIÙ AGGETTIVI

A In inglese possono esserci più aggettivi qualificativi consecutivi che precedono il nome.

B

- soggettiva e descrittiva.
- oggettiva e restrittiva.
- funzione descrittiva, funzione restrittiva.

ESERCIZI

1 alla grande chiesa; dei vecchi ospizi; nelle maggiori città italiane.

2 1. basso contenuto calorico; 2. qualche lavoro domestico; 4. l'apporto calorico corretto; 7. prodotti diversi; 9. bevande alcoliche; basso tenore alcolico;
10. verdura e frutta fresca.

3 1. un vecchio film inglese; 2. un bel vestito nero; 3. una strada lunga e stretta; 4. una nuova macchina rossa; 5. un piccolo e pittoresco villaggio inglese; 6. bei capelli lunghi e biondi; 7. begli occhi azzurri sorridenti; 8. un interessante romanzo irlandese; 9. un brutto e vecchio maglione grigio; 10. un famoso monumento italiano; 11. Il mio grosso grasso matrimonio greco.

4 **Possibile traduzione:** Costruite nel 1870 nella magica cornice di un vasto parco secolare, circondate dalle dolci colline romagnole, le Terme di Riolo consentono di godere della massima tranquillità e di riscoprire i ritmi della natura, gustare la superba enogastronomia regionale e visitare luoghi ricchi di storia e fascino.
I punti di eccellenza del Centro sono le preziose risorse naturali: le acque medicali Vittoria, Breta, Margherita e Salsoiodica e il finissimo fango dei vulcanetti di Bergullo.

LA POSIZIONE DELL'AVVERBIO

A

FUNZIONE DELL'AVVERBIO	AVVERBIO NEL TESTO	POSIZIONE	IN INGLESE
Modifica un altro avverbio	*molto (probabilmente)*	*prima dell'avverbio*	*prima dell'avverbio*
Modifica un aggettivo	più (famosi) molto (amata)	prima dell'aggettivo	*prima dell'aggettivo*
Modifica un verbo	(prende) sempre (vanno) spesso (va) bene (comprerà) anche di solito (cerca)	generalmente dopo il verbo, ma *di solito* lo precede	generalmente dopo il verbo, ma prima del verbo nel caso degli avverbi di frequenza e dell'avverbio also
Modifica un nome	solo (prodotti tipici) anche (Veronica)	prima del nome	prima del nome, ma dopo il nome nel caso di too.
Esprime un giudizio	*francamente*	*all'inizio della frase*	*all'inizio della frase*
L'enfasi è sull'avverbio	spesso e volentieri naturalmente	all'inizio o alla fine della frase	al'inizio o alla fine della frase
Con un tempo composto	è mai stato ha già pensato	tra l'ausiliare e il participio	tra l'ausiliare e il participio

B *Anche* si mette dopo il verbo, ma prima del nome che modifica. L'avverbio *inoltre*, seguito da una virgola, si usa all'inizio di una frase per aggiungere qualcosa a quello che si è detto in precedenza. In inglese, *also* precede il verbo a cui si riferisce (a meno che il verbo non sia una forma del verbo *to be*).

C 1. b; 2. c; 3. a; 4. d.

ESERCIZI

1 1. oltre a Paolo; 2. ha fatto solo questo; 3. senza rimandare; 4. più degli altri; 5. più che fare un'altra cosa.

2 1. anche lei è un avvocato; 2. Non comprarmi più; 3. non dicessi sempre, non riesco mai; 4. Ho deciso di non sposarlo subito; 5. Personalmente preferisco; 6. Voglio sentire anche; 7. Anche i milionari hanno dei sentimenti; 8. non è affatto un pazzo; 9. solo un calmante.

3 1. È un paese *altamente* civile. 2. È un paese che si è dimostrato *sempre* pronto ad accogliere gli stranieri. 3. E una città grande come Londra, *mostruosamente* immensa, è però combinata in modo che questa grandezza non si avverte e non pesa. 4. *Assai* tetra è la periferia di Londra, dove le strade di casette uguali si moltiplicano e si prolungano fino alla vertigine. 5. L'Inghilterra non è *mai* volgare. È conformista, ma non volgare. Non è *mai* sguaiata, essendo triste. 6. Il popolo inglese non conosce stupore. *Mai* volta il capo a guardare il suo prossimo, per la strada. 7. *Anche* nei caffè, nei ristoranti, l'Inghilterra esplica il suo estro. 8. Mi sono *spesso* chiesta quale sia il motivo, nei caffè inglesi, d'una tale desolazione. 9. Non c'è difatti nulla di *più* triste al mondo d'una conversazione inglese, *sempre* assorta a non sfiorare nulla d'essenziale, ma a fermarsi in superficie. 10. Quando entriamo in un negozio, la commessa ci accoglie con le parole "Can I help you". Ma si tratta di mere parole. Essa si rivela *immediatamente* del tutto inutile ad aiutarci. 11. L'Italia è un paese pronto a piegarsi ai peggiori governi. È un paese dove tutto funziona *male*, come si sa. È un paese dove regna il disordine, il cinismo, l'incompetenza, la confusione. E tuttavia, per le strade, si sente circolare l'intelligenza. 12. Mi stupisce *sempre* come in Italia, chi ha figli adolescenti, non sogna che di mandarli in Inghilterra nelle vacanze d'estate. I genitori sperano *invano* che i loro figli in quei soggiorni estivi imparino l'inglese, lingua difficilissima ad impararsi, che pochissimi stranieri sanno, e che ogni inglese parla a modo suo.

4 1. sempre più, parlare correttamente, anche in TV, si legge davvero, *soprattutto nessuno*, osa più; 2. probabilmente scomparirà; 3. purtroppo questo vizietto.

5 L'ordine è il seguente:
a.
Il couch surfing è una forma di viaggio low cost
che permette
non solo
di scoprire paesi lontani
ma anche di entrare in contatto
diretto con usi e costumi delle popolazioni locali.

b.
Consiste
semplicemente
nello scambiarsi
i divani
per girare
il mondo a costi contenuti

c.
Partecipare
è semplice e
molto
economico:
ci si iscrive
semplicemente
ad uno dei siti
che propongono il couch surfing

d.
Questa tipologia di viaggio
è adottata
soprattutto
da studenti
e da professionisti del viaggio alternativo,
ma il fenomeno
sta prendendo piede
anche
tra persone costrette a frequenti trasferte

e.
L'iscrizione ai principali siti
che si occupano di couch surfing
è spesso
completamente
gratuita,
così come
generalmente
non occorre pagare per il pernottamento.

6 **Possibile traduzione:**

- A quei tempi, quando si emigrava sembrava che non si sarebbe mai tornati indietro. Andare in Asia è stato un grande passo, non essendoci mai stato.
- L'Asia ha un enorme potenziale per i giovani, in particolare Singapore.
- Torno (in Irlanda) regolarmente, e mi sembra quasi di vivere in Thailandia e in Irlanda.
- Ero di base per lo più a Singapore, ma ho lavorato anche in Vietnam, Sri Lanka e Indonesia.
- Bisogna rispettare il loro modo di fare le cose, e allo stesso tempo offrire la propria esperienza professionale.
- Bisogna essere appassionati di qualcosa per farne un successo, e io ero appassionato di questa attività e lo sono ancora.
- Ma si deve fare bene la propria ricerca ed essere pronti a rimboccarsi le maniche e lavorare sodo.
- Non ho mai detto di essere nello Zambia per rimanerci, ma mi piace davvero.

ORTOGRAFIA: LE CONSONANTI

A C (si pronuncia come in *cat*): vacanze, varchi, collega, che, chi parchi;
C (si pronuncia come in *cheap*): Francia, piace, Riccione, Sicilia, cercare, città, cittadine;
G (si pronuncia come in *garden*): Liguria, Margherita, arcipelago, Egadi, laghi, Garda;
G (si pronuncia come in *gist*): Pelagie, Adige, Maggiore, Viareggio;
SC (si pronuncia come in *scorn*): Ischia, fresco, Toscana, Chianti, tasca;
SC (si pronuncia come in *she*): scegliere, preferisci, scelta.

B 1. scuola; 2. questo; 3. quadro; 4. tranquillo; 5. cultura; 6. cuore; 7. quaderno; 8. acqua; 9. liquore; 10. discussione; 11. acquistare.

- La *q* è sempre seguita dalla **u** e da un'altra vocale, cioè **a**, **e**, **i**, **o**.
- Normalmente la coppia **cu** è seguita da una consonante, ma ci sono delle eccezioni: le più comuni sono *innocuo, cuoco, cui, cuoio, scuola, cuore, taccuino, cuocere, cospicuo, evacuare, proficuo, promiscuo*.
- All'inizio di una parola troviamo sempre la forma **qu**, ma ci sono alcune eccezioni: *cui, cuocere, cuoco, cuoio* e *cuore*.
- Si usa il gruppo **cqu** nella parola *acqua* e nei suoi derivati: *sciacquare, acquazzone, acquedotto*, ecc., in alcune altre parole come *acquistare, acquirente, acquisire* e in alcune forme del passato remoto: *nacque, piacque*, ecc.

C 1. Campania; 2. campagna; stranieri; 3. regione, Puglia; 4. Sardegna, Cagliari; 5. Sicilia; 6. Bologna, Romagna; 7. milioni.

D Sarah **ha** 21 **anni**, è irlandese e studia Medicina all'università. Fa un modulo di italiano al Centro Linguistico di Ateneo perché ha molti amici e va spesso **a** Roma, dove **abitano**. I suoi **amici hanno** un buon livello d'inglese, ma lei preferisce parlare in italiano con loro. **A** Dublino la sua giornata è piuttosto intensa. Le lezioni cominciano alle 10 del mattino, fa una pausa per pranzo e va **a** mangiare alla mensa, poi riprende le lezioni e poi spesso resta all'università per studiare in biblioteca o in un'aula vuota insieme **ai suoi** amici. Sarah fa il secondo **anno** di università, e **ha** passato gli esami del primo senza difficoltà e con ottimi voti. Non si sa dove trovi il tempo, ma riesce anche a suonare il piano e il violino, e di tanto in tanto fa anche un po' di sport.

Il **professor** Grammaticus
entrò nel ristorante
e ordinò al cameriere
un'insalata **abbondante**:
- Metteteci l'indivia,
la **lattuga**, la riccetta,
il sedano, la cicoria,
due foglie di **rughetta**,
un **mezzo** pomodoro, **cipolla** se ce n'è:
portate l'olio e il sale,
la condirò da me.
E il bravo **professore**,
con la **forchetta** in mano,
si accingeva a gustare
il pranzo vegetariano.
Ma **tutta** la sua delizia
fin dal primo **boccone**
si mutò in una smorfia
di disperazione.
Guardò meglio nell'ampolla
dell'olio e inorridì:
gli avevano servito
un "OGLIO" con la "g"!
Offeso e disgustato
fuggí dalla **trattoria**:
sono un **pessimo** condimento
gli **errori** di ortografia!

F psy, cho, chr, sh, cha, chn, ph, th.

G Ct; tt: direttore, attore, contratto, atto, settore;
dm; mm: ammirare;
ant; ent: consulente;
ns; s: istituto, istituzione, trasporto;
pt; tt: attitudine;
tion; zione: situazione, stazione
chn; cn: tecnologia, tecnica
lence; ienza: pazienza, coscienza

ESERCIZI

1 Austria; Belgio; Bulgaria; Cipro; Croazia; Danimarca; Estonia; Finlandia; Francia; Germania; Grecia ; Irlanda; Italia; Lettonia; Lituania; Lussemburgo; Malta; Paesi Bassi; Polonia; Portogallo; Regno Unito; Repubblica Ceca; Romania; Slovacchia; Slovenia; Spagna; Svezia; Ungheria.

2 1. squadra; 2. cuocere; 3. Pasqua; 4. quattro; 5. acquario; 6. acquarello; 7. acquazzone; 8. aquilone; 9. acquistare; 10. aquila; 11. cucciolo; 12. circuito.

3 1. penne all'arrabbiata; 2. lasagne al ragù; 3. tortellini in brodo; 4. prosciutto di Parma; 5. parmigiano reggiano; 6. mozzarella di bufala campana; 7. risotto al radicchio di Treviso; 8. carciofi alla romana; 9. gnocchi di patate; 10. pesto alla genovese; 11. focaccia ligure; 12. aceto balsamico di Modena; 13. pasta e ceci; 14. timballo di maccheroni; 15. bruschetta; 16. gelato ai pistacchi di Bronte; 17. torta alle nocciole di Piemonte.

4 1. ambiente riscaldato per la coltivazione; 2. desiderio di bere; 3. veicolo, mezzo di trasporto; 4. numero ordinale; 5. diminuzione; 6. dolore; 7. pesce; 8. pianta simile all'aglio e alla cipolla; 9. lite violenta; 10. colore pallido.

5 1. gli; 2. ghe; 3. tt; 4. cchi; 5. sce, cia; 6. chiu; 7. chio; 8. ccio; 9. gli; 10. gn.
1. l; 2. c; 3. b; 4. i; 5. g; 6. a; 7. e; 8. d; 9. h; 10. f.

6 ha; caffè; quattordici; economici; compagnie; riusciamo; ci; d'improvviso; quella; letteratura; c'è.

7 communicazioni → comunicazioni; acresce → accresce; conoschere → conoscere; viagiatore → viaggiatore; transportarsi → trasportarsi; concuiste → conquiste; sconoscute → sconosciute; cuartieri → quartieri; stesa → stessa; catedrali → cattedrali; albergi → alberghi; conoscienza → conoscenza.

ORTOGRAFIA: LETTERA MAIUSCOLA O MINUSCOLA?

A All'inizio di un testo: IT. maiuscola; IN. maiuscola
All'inizio di un discorso diretto: IT. maiuscola; IN. maiuscola
Aggettivi di nazionalità: IT. minuscola; IN. maiuscola
Nomi geografici (Paesi, città, continenti, ecc.): IT. maiuscola; IN. maiuscola
Nomi propri di persona, cosa o animale: IT. maiuscola; IN. maiuscola
Titoli per rivolgersi alle persone: IT. maiuscola; IN. maiuscola (es. MR., ma i titoli si usano raramente)
Festività: IT. maiuscola; IN. maiuscola
Lingue: IT. minuscola; IN. maiuscola
Sigle: IT. maiuscola; IN. maiuscola
Nomi di strade o piazze: IT. minuscola; IN. maiuscola
Istituzioni pubbliche e monumenti: IT. maiuscola; IN. maiuscola
Dopo il punto, il punto interrogativo e il punto esclamativo: IT. maiuscola; IN. maiuscola
Pronomi e possessivi nella corrispondenza formale: IT. maiuscola; IN. minuscolo

Nomi dei popoli moderni: IT. minuscola; In. maiuscola
Giorni della settimana: IT. minuscola; IN maiuscola
Mesi: IT minuscola; IN maiuscola

ESERCIZI

- indirizzo
- nome proprio di un negozio + indirizzo
- indirizzo + istituzione
- istituzione + indirizzo + città
- sigla + indirizzo
- nome proprio di famiglia + nomi di località
- indirizzo + istituzione
- indirizzo + nome geografico (parte d'Italia)

2 a. Torino, estate, Solferino, venerdì, stazione, Palavela, euro; b. Basilica, San, sabato, centro, Ottanta.

3 **Giuliana** era nata a **Budapest**, nel 1900. Aveva perduto la madre a sette anni; il padre, un facoltoso proprietario di mulini, si era rimaritato. **Era** molto carina, anche se zoppa, e aveva ricevuto un'ottima educazione, come si confaceva a una ragazza perbene e sofisticata di **Budapest**, allevata in una società molto più evoluta di quella siciliana e nella stagione più fulgida dell'**Europa** asburgica. Lei non andava d'accordo con la matrigna e passava le vacanze presso una zia materna, a **Sarajevo**. Lì si era innamorata follemente e voleva sposare un ingegnere palermitano che lavorava presso le ferrovie dello stato: una posizione di prestigio, allora i treni avevano lo charme e lo status dei jet. Al divieto del padre, i due erano fuggiti a **Trieste**.

4 **Possibile traduzione**: Ciao a tutti, andiamo in Puglia per una settimana (da giovedì a giovedì) all'inizio di giugno, e abbiamo una lista troppo lunga di posti che vorremmo visitare. Vogliamo mischiare le spiagge con ottimo cibo e architettura: Vieste, il Parco Nazionale/Promontorio del Gargano, Trani, Alberobello, Locorotondo, Lecce, Gallipoli. Dove ci consigliate di andare e quanti giorni passereste in ogni posto?
Non sono stato in tutti i posti nel tuo post, ma Lecce è meravigliosa per l'architettura barocca.
Ci è piaciuta Alberobello e ci siamo rimasti due notti. Trani è un incantevole villaggio di pescatori, con deliziosi piatti a base di pesce in abbondanza. Ci abbiamo soggiornato due notti. Anche Lecce vale la pena.
Ciao! Non cercherei di visitare tutta la Puglia in una settimana, sarebbe molto stressante. Dovresti scegliere se visitare il nord o il Salento (sud). Consiglierei il Salento con Lecce, Gallipoli, Nardò e il bellissimo mare a Finibus Terrae (confini del mondo) a Santa Maria di Leuca.
Se arrivate all'aeroporto di Bari, rimanete a Monopoli e a Polignano a Mare, due belle località di mare. Al mattino, potrete andare a alle Grotte di Castellana - uno dei circuiti di grotte più estesi in Italia, per poi dirigervi verso Altamura – dove si produce un pane protetto con marchio DOP. Lo fanno ancora come lo facevano nel medioevo. Prendete anche la focaccia.

5 a. Ciao Giorgio, dove sei? Che fai? Se sei libero sabato, io e Paolo andiamo a Maranello a vedere le prove della Ferrari. Spero che tu possa venire, comunque fammi sapere.
b. Non ne posso più di studiare! Ho una stanchezza tremenda... Ti va una pizza da Baffetto? Baci.

ORTOGRAFIA: L'ACCENTO

- 2 tipi: Accento grave (`) e accento acuto (´)
- La *e*
- *e* aperta (accento grave) ed *e* chiusa (accento acuto)

da (preposizione); dà (3ª persona del verbo *dare*)

li (pronome); lì (avverbio di luogo → *there*)
la (pronome e articolo); là (avverbio di luogo → *there*)
e (congiunzione → *and*); è (3ª persona del verbo *essere*)
ne (particella pronominale); né (congiunzione in una negazione)
se (congiunzione); sé (pronome)
si (pronome); sì (affermazione)

ESERCIZI

1 se; ne; né; sé; e; lì; se; da; è; li.

2 Sarah ha 21 anni, **è** irlandese e studia Medicina all'**università**. Il **mercoledì** fa un modulo di italiano al Centro Linguistico di Ateneo **perché** ha molti amici e va spesso a Roma, dove abitano, e li vede **più** spesso che **può**. I suoi amici hanno un buon livello d'inglese, ma lei preferisce parlare in italiano con loro. **A** Dublino la sua giornata **è** piuttosto intensa. Non si alza troppo presto, dato che le lezioni cominciano alle 10. Per pranzo fa una pausa e va a mangiare alla mensa dove il **menù** non **è** male, poi riprende le lezioni e poi spesso resta all'**università** per studiare, **così** poi a casa si **può** rilassare un po'. Sarah fa il secondo anno, e ha passato gli esami del primo senza **difficoltà** e con ottimi voti. Non si sa dove trovi il tempo, ma riesce anche a fare qualcosa per **sé**; per esempio suona il piano e il violino, e di tanto in tanto fa anche un po' di sport.

3 1. I cantieri sono stati a Torino in questi ultimi anni il **più** grande spettacolo gratuito messo in piedi dalla **città** per i pensionati. Ma l'estate scorsa si è organizzato anche un bus pensato per i turisti [...]. Il torpedone partiva da Piazza Solferino ogni **venerdì** alle 14:30 e toccava i cantieri firmati Isozaki, Aulenti, Foster e Fuksas.
I centri commerciali non sono altro che l'equivalente contemporaneo della Basilica di San Pietro, dei menhir e delle Piramidi. Dovunque vi sia uno spazio libero, [...] oggi sorge un nuovo centro commerciale. [...].**Ciò** che **più** sorprende, riguardo ai centri commerciali, **è** la loro **capacità** d'attrazione nei confronti di soggetti che in **realtà** non vi si recano per acquistare qualcosa, come di dovere nei centri commerciali. [...] Il fenomeno, a prima vista sbalorditivo, riguarda in particolare [...] i cosiddetti "teenager". Che a partire dagli undici, dodici anni circa, cominciano a uscire di casa il sabato pomeriggio con i coetanei e senza i genitori. [...] Niente **più** passeggiate in centro **né** partite a pallone in cortile.

4 Tanto per cominciare, sparirebbe quasi del tutto il commercio. Senza monete **né** banconote, infatti, non resterebbe che il baratto: i negozi non avrebbero **più** ragion d'essere e tutti vorrebbero generi di prima **necessità** come vestiti, bevande, cibo e medicine [...]. A causa del crollo del commercio, ma anche **perché** non potrebbero **più** pagare i propri dipendenti, le industrie chiuderebbero, e sparirebbero dalla circolazione tutti gli oggetti complessi, a partire da computer, tv e cellulari. Non ci sarebbe **più** spazio per le professioni specializzate, **perché** in un mondo del genere sarebbe inutile avere ingegneri elettronici e tecnici del suono. Le banche non avrebbero più senso, e con esse si dileguerebbero i risparmi [...].
Se un mondo **così** esistesse veramente, **però**, agli uomini verrebbe naturale usare alcuni oggetti come riferimento per gli scambi commerciali: per esempio l'oro, il sale... o le sigarette, come si faceva in tempo di guerra. [...]. Molti mestieri e specializzazioni non esisterebbero **più**: quindi scomparirebbero le **università** e gran parte delle scuole. Le persone dovrebbero lavorare molto di **più** per sopravvivere, e il lavoro minorile sarebbe la norma. Si vivrebbe peggio e l'**età** media diminuirebbe.